ESTUDIOS DE TRADUCCIÓN
(INGLÉS-ESPAÑOL)

CUADERNOS DE LA UNED

Mª ANTONIA ÁLVAREZ CALLEJA

ESTUDIOS DE TRADUCCIÓN
(INGLÉS-ESPAÑOL)

UNIVERSIDAD NACIONAL DE EDUCACIÓN A DISTANCIA

CUADERNOS DE LA UNED (0135096CU01A01)
ESTUDIOS DE TRADUCCIÓN (INGLÉS-ESPAÑOL)

© Universidad Nacional de Educación a Distancia
Madrid, 1991

Librería UNED: c/ Bravo Murillo, 38 - 28015 Madrid
Tels.: 91 398 75 60 / 73 73
e-mail: libreria@adm.uned.es

© M.ª Antonia Álvarez Calleja

ISBN: 978-84-362-2589-1
Depósito legal: M. 8.252-2008

Primera edición: marzo de 1991
   Octava reimpresión: febrero de 2008

Impreso en España - Printed in Spain
Imprime y encuaderna: CLOSAS-ORCOYEN, S. L.
Polígono Igarsa. Paracuellos de Jarama (Madrid)

Índice

SEGUNDA PARTE: PRÁCTICA

Prólogo

A pesar de la demanda creciente sobre los Estudios de Traducción, *existen pocos libros de texto dedicados a la didáctica de esta disciplina, y menos aún si se piensa en la diferente metodología exigida por la enseñanza a distancia que, en cualquier caso, requiere una determinada adaptación.*

El presente volumen es fruto de la experiencia personal adquirida durante muchos años dedicados a la actividad traductora y de la enseñanza recibida durante los Cursos de postgraduados del Instituto Universitario de Lenguas Modernas y Traductores de la Universidad Complutense. La línea seguida por Profesores con tanta experiencia en esta materia como Emilio Lorenzo, Philip Locke, Alba de Diego, García Yebra, Miguel Sáez y Joyce Greer, entre otros, ha sido decisiva a la hora de seleccionar las materias, ejercicios y ejemplos de mayor interés, que se presentan dentro del nuevo marco que requiere la modalidad de enseñanza a distancia.

Debo agradecer la colaboración de la Profesora M.ª Teresa Gibert, admirada compañera y amiga, sin cuya dirección no se hubiera iniciado el proyecto, y de los Centros especializados en Estudios de Traducción *donde he recibido toda clase de facilidades para consultar los últimos estudios teóricos y la bibliografía necesaria: Biblioteca Nacional, Universidad Complutense, UNED, EUTI e Instituto de traductores de Madrid; Biblioteca Británica y Universidades de Londres, Edimburgo, North Wales; Biblioteca de la Universidad de París III, Dauphine, con los fondos de la Escuela de traductores francesa; Bibliotecas de Bruselas y Ginebra, con la documentación de la Comunidad Europea; Bibliotecas de las Universidades de Barcelona y Granada, con los fondos de las Escuelas de Traducción, entre otras.*

PRIMERA PARTE

TEORÍA

CAPÍTULO I

Estudios de Traducción

1.1. INTRODUCCIÓN

En un primer acercamiento a los Estudios de Traducción, deberíamos plantearnos algunas cuestiones de tipo formal, sin entrar en excesivos detalles:

1.ª ¿Qué entendemos por Estudios de Traducción? Si consideramos la traducción una actividad que sirve principalmente como medio de comunicación, para enriquecimiento de la lengua, y como transmisora del arte y la cultura, los Estudios de Traducción —además de los aspectos culturales— implican varios sectores del lenguaje. Por ello, según Jakobson, «la ciencia lingüística debe mantener bajo constante control la práctica de la comunicación interlingüística y especialmente las actividades de la traducción» [1], ya que esta ciencia proporciona los medios para comprender los problemas que intervienen en el proceso de la traducción, y para trazar unos procedimientos claros y eficaces que ayuden a resolverlos. Todo ello, unido al creciente volumen de traducciones que se realizan actualmente, proporciona un argumento decisivo para que la formación del traductor deba ser debidamente atendida en centros de enseñanza universitaria cuya principal preocupación sea la lengua, a fin de poner a su alcance el amplio marco lingüístico y cultural que esta actividad requiere.

---

[1] JAKOBSON, R. 1971 (1959): «On linguistic aspects of translation» en Roman Jacobson, *Selected Writings,* vol. II, La Hague: Mouton. (Publicado inicialmente en BROWER, R. A. ed. *On Translation*. Cambridge, Mass.: Harvard University Press.), pág. 7.

2.ª ¿Qué términos se aplican a los Estudios de Traducción? En algunos países se han introducido nuevas denominaciones, con mayor o menor fortuna, que contemplan los distintos enfoques metodológicos. Entre las palabras acuñadas con tal propósito destacaremos la de *traductología,* sugerida por B. Harris en su estudio «La traductologie, la traduction naturelle, la traduction automatique et la semantique» (1973) y desarrollada posteriormente por muchos otros lingüistas, entre ellos: Seleskovitch (1975, 1984), Lederer (1973, 1981), Moskowitz (1973), Dejean Le Féal (1978), García Landa (1978), Gravier (1978), Delisle (1980) o Juhel (1980).

También se ha sugerido el término *traslémica,* y desde un riguroso análisis conceptual cabría establecer una distinción entre ambos términos: mientras que este último se centraría en el plano teórico, el primero presentaría especial atención al plano práctico, lo que coincide con la terminología de Santoyo, y de ahí su estudio. «A propósito del término "traslema"», que considera «la unidad mínima de equivalencia interlingüística, susceptible de permutación funcional y no reducible a unidades menores sin pérdida de su condición de equivalencia» [2].

Translémica se deriva, por tanto, del término translema, unidad mínima de traducción, que consta de un solo significado semántico y dos significantes —el de la lengua fuente y el de la lengua término—, y que pueden presentar o no correspondencia formal. Según Santoyo, el translema «es un binomio que ha de ofrecer identidad semántico-funcional entre los dos elementos lingüísticos en contraste», el de la lengua de partida y el de la lengua de llegada, «un solo ente semántico con dos realizaciones lingüísticas que pueden ser léxica, gramatical, sintáctica e incluso grafémicamente diversas» (ej.: *at break of day* = al amanecer). Esta propiedad conjunta de ambos sintagmas de constituir una unidad mínima de traducción, «les viene dada por su identidad semántica y su posible permutación funcional, así como por el hecho de que su equivalencia interlingüística no es reducible en ambas a unidades menores» [3].

Aunque sean estas dos denominaciones de traductología y translémica las que han encontrado un eco especial, no hay uniformidad de criterios en cuanto a su utilización. Por ejemplo, Vázquez Ayora utiliza el último término para abarcar los dos aspectos. Desde nuestro

---

[2] SANTOYO, J. L. (1986): «A propósito del término "traslema"», en *Babel,* 32/1, pág. 52.

[3] Ibíd.

punto de vista, consideramos más adecuado para nuestro campo de estudio la denominación de *Estudios de Traducción,* especificando en cada caso si nos referimos a la teoría o al proceso, y con ello compartimos la tendencia internacionalmente más extendida [4]. No desdeñamos, sin embargo, la denominación de Traductología y Translémica, en aras de un mayor rigor terminológico, aunque nos circunscribamos a la acepción más precisa que ha quedado expuesta en las líneas anteriores.

3.ª ¿Deben considerarse los Estudios de Traducción una disciplina académica? La importancia que se les concede dentro de los estudios universitarios es mayor cada día y ya son pocas las Universidades que no incluyen algún curso sobre esta materia en sus programas. Por lo que respecta a la Universidad a Distancia, debido a sus características especiales, quizás sea la enseñanza de la traducción una de las técnicas más asequibles y menos problemáticas dentro de los estudios que actualmente se imparten de Filología Inglesa.

Un programa universitario amplio y completo que se dirija a otorgar el título de traductor generalmente incluye asignaturas que tratan de forma separada todos los aspectos implicados en las dos fases de la traducción: la comprensión del texto de la lengua fuente y la reproducción de ese texto en la lengua término. Estudia la morfosintaxis y la semántica de las lenguas extranjera y materna, la teoría y la práctica de la traducción, junto con las destrezas de la lectura y la expresión escrita, sin olvidarse igualmente de los aspectos culturales y literarios de las dos lenguas. Aunque todas estas asignaturas en la L1 y L2 estudien por separado cada uno de esos aspectos, la combinación de todos ellos es lo que constituye el campo de trabajo de los traductores, unido a la propia investigación, que les ayudará a conseguir el alto nivel que se exige a estos especialistas en cuanto a responsabilidad, honestidad intelectual y dominio de la lengua.

4.ª ¿Qué objetivos se propone este curso de Estudios de Traducción? Se dirige principalmente a la práctica de la traducción directa, esto es, la transferencia de un texto inglés al español, junto con otros ejercicios que ayudan a ese objetivo principal, como pueden ser la crítica de traducciones y el análisis de algunos aspectos problemáticos

---

[4]   BASSNETT-McGUIRE, S. (1980): *Translation Studies.* London & New York: Methuen, pág. 6.

del proceso. Esta transferencia ha de realizarse pensando en los siguientes objetivos básicos:

- que la versión final no parezca un texto traducido, sino que esté expresada de forma natural;

- que la impresión que produzca en el lector de la lengua término sea similar a la producida por el texto original en su lector, y

- que reproduzca todo el contenido y, cuando sea posible, refleje también la forma de la lengua, junto con los efectos estilísticos o emotivos.

En este texto se incluye el material necesario para seguir un curso de traducción a distancia, dividido en tres partes bien diferenciadas: la primera tiene un enfoque teórico y comprende las ideas generales sobre la teoría de la traducción, principalmente desde el punto de vista lingüístico, procurando ofrecer una visión general de los principales aspectos que abarca la disciplina; la segunda es básicamente de tipo práctico y estudia los diversos factores que intervienen en el proceso de interpretación y traducción de un texto inglés, con expresión de los problemas que se le presentan al traductor y la forma de resolverlos, y la tercera muestra las aplicaciones de todo lo tratado, incluyendo ejemplos prácticos que sirven de base para que los alumnos adquieran un concepto claro de lo que es la actividad traductora, a fin de obviar las dificultades que entraña nuestro método de enseñanza a distancia.

Por tanto, aunque no se desatienda la fase de descodificación o comprensión, el curso se centra principalmente en la fase de codificación, teniendo como propósito principal familiarizar a nuestros alumnos con los mecanismos de la transferencia de la lengua fuente a la lengua término y sus diferentes factores. Consideramos que el traductor se forma por medio de la práctica real y, por ello, la base del curso consiste en ejercitarse con textos auténticos no adaptados, de fuentes y contenidos diversos, similares a los que se encuentran en el mercado. En un curso elemental de traducción, quizá no pueda considerarse perjudicial la utilización de material adaptado —en el que se alteran algunas de sus características, tales como la sustitución de elementos léxicos, la simplificación de estructuras sintácticas o la supresión de partes difíciles a fin de facilitar la labor de los estudiantes—, pero esto puede resultar engañoso, puesto que no se enfrenta a los alumnos con las auténticas dificultades de los textos de la vida real, sino que se acostumbran a que las dificultades estén controladas. Por ello, nos parece básico el proceso de selección de textos en los que pueda encontrarse material real y organizado de conformidad con una dificultad progresiva. Esta ordenación progresiva puede hacerse de acuerdo con varias clases de dificultades, aunque la mayor parte de los textos puedan clasificarse dentro de más de una de estas categorías:

- dificultades sintácticas, donde los estudiantes encuentran construcciones de forma compleja;

- dificultades léxicas, que obligan a usar diccionarios bilingües para comprender el significado;

- dificultades terminológicas, que requieren la utilización de material especializado para la búsqueda de esos términos en la lengua meta, y

- dificultades de contenido, en las que el significado global del texto es oscuro, muchas veces debido a la falta de información previa sobre el tema, lo que requiere investigación sobre el contexto.

5.ª ¿Qué técnicas básicas van a seguirse? La metodología de este curso de traducción consiste, por tanto, en primer lugar, en adquirir información para facilitar el proceso y, a continuación, en traducir de forma intensiva diferentes clases de materiales, donde el profesor no juega un papel activo, sino receptivo, ya que supervisa, orienta, corrige, sugiere y proporciona facilidades para la investigación.

Por lo que se refiere al conocimiento teórico incluido en el programa, pueden adoptarse las mismas técnicas que se usan en la mayoría de las disciplinas de este tipo: estudio de los puntos esenciales, solicitud de aclaraciones al tutor cuando sea necesario, comprensión y aplicación posterior en los ejercicios que han de realizar.

Las actividades prácticas de la traducción requieren unas técnicas que básicamente pueden resumirse en las siguientes:

- realizar experiencias reales de traducción, sabiendo que nunca hay un único producto final;

- acostumbrarse a tomar decisiones cuando se tengan que comparar diferentes posibilidades o haya que elegir entre dos o más opciones para un mismo texto;

- llegar al conocimiento de la lengua y de la complejidad cultural basándose en el análisis del material textual;

- tener en cuenta no sólo los significados explícitos sino también los implícitos que aparecen en el texto de la lengua original y cómo se corresponden en la versión traducida;

— saber utilizar las normas de la traducción y aplicarlas a conceptos conflictivos, como puede ser la ambigüedad del lenguaje, la interferencia lingüística, la economía de la lengua, etc.

— familiarizarse con el uso frecuente y efectivo de diccionarios bilingües y monolingües, glosarios y tesauros;

— no olvidar el análisis del contexto en toda su amplitud y saber cuándo hay que profundizar en la búsqueda de antecedentes por ser necesarios para su comprensión, lo que implica un conocimiento de las circunstancias históricas y culturales. Para ello hay que generar un espíritu investigador, a fin de ser capaces de conseguir la traducción más acertada;

— conocer la finalidad del texto —si es artística, cultural o simplemente informativa—, así como las características formales —si es literaria, técnica, científica, etc.—, sin olvidar el lector al que va dirigida la traducción, según sea para una revista especializada o de divulgación;

— seleccionar los mecanismos de transferencia apropiados para situaciones en las que sea necesario sobretraducir o infratraducir, cuándo debe incluirse en la traducción una nota a pie de página para aclarar alguna expresión o situación determinada de la lengua fuente, y cuándo es preciso efectuar una modulación o una transposición en la lengua término.

No obstante, y aunque lo esencial para el alumno sea traducir, esta actividad puede ampliarse con otro tipo de ejercicios, a fin de conseguir el mayor provecho del curso. Para ello, proponemos las siguientes actividades:

— Estudio de traducciones publicadas. Estudiar, analizar y sugerir alternativas tanto sobre buenas como sobre malas traducciones. Esta actividad puede igualmente llevarse a cabo después de que el propio alumno haya traducido un texto sin haber tenido acceso a la versión publicada. La comparación de esta versión con la suya puede ser enriquecedora, ya que a veces conseguirá algunos resultados superiores a la anterior.

— Analizar las dificultades que se encuentren en un texto sin traducirlo realmente. Esto ayuda a fijarse en las áreas problemáticas y a aprender a localizar las dificultades del texto, factor importante al valorar una traducción. También ayuda a darse cuenta de los medios de investigación que son necesarios para vencer las dificultades encontradas. Esta actividad puede ampliarse a textos científicos y centrarse en los términos técnicos, lo que exige la recopilación de información previa y la búsqueda de terminología.

— Lectura de antecedentes antes de traducir. Esto puede hacerse fácilmente leyendo artículos sobre el mismo tema en la lengua término, antes de trasladar el texto, lo que permite comprender mejor el contexto y el contenido, y proporciona el vocabulario necesario para la tarea a realizar.

— Análisis de ciertas áreas específicas de la lengua que ofrecen mayores dificultades al traductor. Entre los casos más conflictivos de la traducción del inglés al español están las formas *-ing,* pues en la mayoría de las ocasiones requieren un cambio de estructuras en la lengua término, también los *anglicismos* —tanto léxicos como gramaticales— y las *metáforas,* por la dificultad de encontrar equivalentes en la lengua término.

6.ª ¿Qué características ha de tener el alumno que siga los Estudios de Traducción? En primer lugar, debe poseer un conocimiento profundo de la lengua, la cultura y la literatura fuente, de manera que sea capaz de descifrar pasajes de cierta dificultad y, a partir de esta preparación, poder introducirles en el conocimiento sistemático de la metodología de la traducción. George Mounin [5] apunta el peligro que amenaza al traductor si su formación es exclusivamente autodidacta, lo que le lleva a convertirse en un artesano, sin otra perspectiva que la práctica, la rutina y la teorización de los pequeños detalles, y sin la debida conexión con una reflexión bien orientada.

Al traductor se le ha calificado por unos como «el hombre de letras del siglo xx» [6], que sirve de intermediario entre un autor y su audiencia y, por otros, como un falsificador que traiciona el texto original —«traduttore, traditore» [7], ya que construye con otros materiales lo mismo que recibe: el texto de la lengua fuente tiene que reducirlo a un nivel más bajo, a un nivel prenuclear, proceder a la

---

[5] MOUNIN, G. 1982 (1981): «Pour una pédagogie de la traduction», en *Cuadernos de Traducción e Interpretación,* núm. 1, pág. 19.

[6] MALEVE, M. N. y MARTÍN, J. P. (1983): «Los cursos de la lengua materna como preparación a la traducción y a la interpretación», en *Cuadernos de Traducción e Interpretación,* núm. 3, pág. 32.

[7] ORTEGA Y GASSET, J. 1980 (1937): *Miseria y esplendor de la traducción.* Universidad de Granada. (En *Misión del bibliotecario.* Madrid: Ediciones de la Revista de Occidente, 1967), pág. 11.

reestructuración o transformación en función de un código de normas y ofrecer su propia versión. En esa última etapa, en la reexpresión, es donde encuentra mayor dificultad el traductor. Por ello, en el caso de que se limite a traducir de la L2 a la L1 —la única forma que propugnamos, por ser la más natural, exacta y efectiva—, el primer idioma que debe cultivar es su propia lengua, procurando escribirla correctamente con claridad y economía. Este es el motivo de que los grandes escritores suelan ser buenos traductores con sólo tener un conocimiento aceptable de la lengua fuente que les permita leerla y comprenderla sin problemas, ya que conocen a fondo y manejan con precisión, imaginación y belleza todos los resortes de la lengua propia, lo que les faculta para realizar una traducción rica y evocadora. De ahí que insista tanto García Yebra [8] en la necesidad que tiene el traductor de preservar la pureza de su lengua y de convertirse en un buen escritor: si en el plano de la creación temática suele tener unos conocimientos inferiores al autor del texto original, en el de la creación lingüística debería, en muchos casos, sobrepasarle. Por tanto, todo traductor debe contar con unas aptitudes imprescindibles —además de curiosidad intelectual, objetividad, espíritu crítico y capacidad de razonar— que Maleve y Martín [9] clasifican en cuatro apartados:

> *Lingüísticas:* es necesario poseer un conocimiento profundo de la lengua fuente, cuyo pensamiento se estructura y expresa lingüísticamente en función de una cultura y de una civilización; esto implica la existencia de un estilo colectivo propio en cada comunidad, que el traductor debe percibir a través de la lengua. Aún mayor debe ser el conocimiento que posea de la lengua meta, teniendo en cuenta que al acometer los estudios de la lengua extranjera suelen producirse interferencias en la materna.

> *Extra o paralingüísticas:* un conocimiento limitado de la cultura de la lengua extranjera y la materna es un grave perjuicio para el traductor, que deben subsanar los estudios que lleve a cabo sobre la L1 y la L2, procurando consolidar su formación general.

> *Psicológicas:* son indispensables ciertas aptitudes, como por ejemplo un grado de conocimiento intuitivo, para darse cuenta de las motivaciones de los signos lingüísticos o para decidir con éxito las elecciones continuas que ha de realizar en el dominio de la lengua materna.

---

[8] GARCÍA YEBRA, V. (1982): *Teoría y práctica de la traducción.* Madrid: Editorial Gredos, pág. 20.
[9] MALEVE, M. N. y MARTÍN, J. P. (1983): op. cit., págs. 24-7.

Específicas: el traductor tiene que saber analizar un texto y después restituirlo con una redacción fiel, precisa y elegante, lo que supone rigor, honestidad intelectual e investigación.

En general, según Newmark [10], el traductor debe aceptar el principio básico de que todo, sin excepción, es traducible y que cualquier cosa que se diga en una lengua puede expresarse en otra. No obstante, aunque pueda traducirse todo por medio de paráfrasis y explicaciones, lo que no puede conseguirse en muchos casos es que la versión traducida produzca el mismo impacto que el texto original, ya que tiene que llegar a lectores cuyo nivel cultural y educativo es diferente de los de la lengua original: cada comunidad extranjera posee su propia estructura de la lengua y su propia cultura, igual que los individuos tienen su propia forma de pensar y de expresarse. Por otro lado, la traducción ha ensanchado tan extraordinariamente su campo de influencia que ya no limita sus temas a la religión, la literatura o las ciencias, sino que los hace extensivos a la tecnología, el comercio, la información, la publicidad o la propaganda, aplicándose virtualmente a cualquier tipo de escritos y variedad de formatos, desde libros a contratos, tratados, leyes, instrucciones, cartas, reportajes, fórmulas comerciales y toda clase de documentos. Esto obliga al traductor a tener que decidirse a elegir una rama determinada y especializarse en ella; puede ser por ejemplo ciencias y tecnología, temas sociales, económicos y políticos, u obras filosóficas y literarias. No obstante, cualquiera que sea la rama que elija, ha de tener en cuenta:

— la importancia de su lengua materna, pues si es el vehículo indispensable del pensamiento en disciplinas tan diferentes como las ciencias humanas o las exactas, lo es aún más en el caso de las que se ocupan de la comunicación;

— buscar la precisión dentro del término más apropiado: el contenido del habla no coincide con el de la lengua y, por tanto, la falta de concordancia en el plano del significado entre dos lenguas diferentes no es obstáculo para que exista una perfecta capacidad de reexpresión del sentido que cada una de ellas posee en el discurso. Como afirma Seleskovitch, si la posibilidad de traducir se sitúa en el plano de la lengua, hay que admitir en la mayoría de los casos «la imposibilidad de trasladar las significaciones lingüísticas que, por otro lado, tampoco

---

[10] NEWMARK, P. (1988): *A Textbook on Translation.* London: Prentice Hall International UK Ltd., pág. 9.

aseguraría la transmisión exacta del mensaje, pero si lo situamos en el plano del habla, del discurso, siempre pueden equipararse dos lenguas» [11];

— preocuparse de lo que transmite más que del medio de transmisión, ser fiel al sentido de la oración antes que al orden de las palabras, una vez establecido que cualquier frase no expresa lo mismo fuera del discurso. Tiene que procurar conseguir una versión llana y natural, evitando —siempre que sea posible— los neologismos o términos raros. Steiner aconseja que «cuando aparezcan locuciones técnicas que carezcan de una interpretación indiscutible y única, es mejor conservar la expresión original y sugerir a pie de página varias lecturas y explicaciones posibles» [12];

— estar de acuerdo, según Nida y Taber [13], en primer lugar, con las características formales de la obra que va a traducir para poder reproducir el equivalente adecuado; en segundo lugar, procurar respetar el contenido del texto, para no cambiar el mensaje, y en tercer lugar, estar dispuesto a renunciar a expresar su propia creatividad, haciéndolo en cambio exclusivamente a través de la creación de otro escritor. Si se trata de traducción literaria, además de lo anterior, tiene que intentar conseguir cadencias armoniosas, escribiendo en un estilo grato que cautive tanto al oído como al intelecto del lector. Al mismo tiempo, tiene que poseer un perfecto dominio del sentido y del espíritu del autor que va a traducir, pues no sólo tiene que interpretar al escritor, sino identificarse tanto con él y con toda su obra, que casi llegue a convertirse en el autor traducido, asimilándolo a su propia aportación. De esta manera, como afirma Saudek [14], una vez comprendido el significado de un pasaje, de un personaje o de la obra en su conjunto, tiene que tratar de interpretarla de forma precisa, estableciendo una «acción verbal» entre él y los personajes de la obra, y si alguno resulta ambiguo, no dejar de expresar esa ambigüedad.

---

[11]   SELESKOVITCH, D. (1984): «Traducir: de la experiencia a los conceptos», en *Cuadernos de Interpretación y Traducción*, núm. 4, pág. 73.

[12]   STEINER, G. 1981: *Después de Babel: Aspectos del Lenguaje y la Traducción*. Madrid: Fondo Cultural Económico, pág. 301 (trad. de *After Babel: Aspects of Language and Translation*. London: Oxford University Press, 1975).

[13]   NIDA, E. & TABER, Ch. (1976): *The Theory and Practice of Translation*. Leiden, Netherlands: E. J. Brill, pág. 58.

[14]   SAUDEK, E. A. (1971): «Endeavours for fidelity», en *Babel*, núm. 1, vol. XVII, pág. 12.

Tiene que explicar e interpretar las palabras implícitas del original, sus alusiones y sutilezas, y saber transferir los pensamientos y las ideas, como mediador que es entre dos culturas;

— no olvidar que el placer personal que se deriva de la actividad de traducir consiste en el reto continuo de intentar solucionar muchos pequeños problemas en el contexto de otro más grande, y de solventar las dificultades que entraña esa tensión constante entre la oración y la palabra, tratando de elegir con acierto el término adecuado, no sólo cuando se trata de objetos o sucesos, sino principalmente cuando se trata de expresiones que denotan cualidades abstractas;

— conocer los registros adecuados a cada texto, pues no es lo mismo decir *policeman* (neutro), *cop* (coloquial, no peyorativo), *officer* (formal), que *pig* (slang, peyorativo). Ni tampoco es igual *employer* (neutro, formal), *boss* (conversacional) o *the old man* (coloquial y afectivo). Tiene que documentarse sobre el contexto cultural, a fin de identificar las referencias que aparezcan y saber cómo han de traducirse, pues el sustantivo *reloj* puede equivaler a *watch* o *clock*, y carne a *meat* o *flesh*, al igual que *fish* puede significar *pez* o *pescado*, teniendo en cuenta las asociaciones que el texto original quiere producir en el lector. Tanto en el inglés británico como en el americano, hay expresiones que llevan implícitas alusiones a un referente cultural, y el traductor tiene que localizar el sentido exacto en la lengua fuente, antes de buscar la expresión correlativa —caso de que exista— en la lengua término, o si no aclararlo suficientemente a pie de página. En la cultura británica, *the Fabian Society* sugiere la línea política de Bernard Shaw, el socialismo; *Fleet Street* es la calle de la prensa, donde están ubicados los principales periódicos; *The Big Four* son los cuatro grandes bancos británicos; Barclays, Lloyds, Midland y National Westminster; *Darby and Joan* designa a una pareja feliz que lleva varios años casada, y *The Iron Duke* se refiere a Wellington. En la cultura americana, the *Old Glory* es la bandera, the *Old South* no sólo se refiere a los estados del Sur, sino que tiene las implicaciones de los elementos que existían en la sociedad antes de la guerra civil, como puede ser la esclavitud de los negros; the old *Dominion* se refiere a Virginia; the *42ers*, designa a los mineros del oro que en 1842 se dirigieron en éxodo hacia California; *Paul Reveré* es una figura histórica asociada con Boston, un héroe del tiempo de la revolución, y ser un miembro leal de las *DAR* (Daughters of American Revolution), significa pertenecer a la derecha conservadora. Igualmente, existen referencias locales que conviene

conocer a la hora de traducir: decir a alguien que es oriundo
de *Missouri,* implica que no cree hasta que ve una cosa con
claridad, de *Brooklyn,* que tiene un acento que le distingue
del resto, y de *Texas,* que es un fanfarrón;

— conocer las designaciones diferentes que se dan en muchas
ocasiones a los mismos referentes: p.e., en inglés británico *radio, lorry* y *lift,* equivalen a *wireless, track* y *elevator* en inglés
americano. Y a la inversa, un mismo término designa a dos
objetos diferentes: a *dormitory* town, en BE, es un área resi-
dencial desde donde los habitantes se desplazan diariamente a
la ciudad, y a *dormitory,* en AE, es un edificio para residencia
de los estudiantes, cercano a la Universidad; a *penthouse,* en
BE, es un cobertizo adosado a un edificio, y en AE, es un
piso construido en lo alto de un edificio, rodeado de terrazas.

Aunque de manera ideal siempre sea posible conseguir una traducción satisfactoria, el buen traductor nunca está satisfecho con ella
y trata de mejorarla ampliando sus conocimientos y sus medios de
expresión. La cultura es una de las principales ayudas, y por ello se
puede ser un buen traductor de poesía o física, siendo un poeta o un
físico, pues tal condición, además de facilitarle su trabajo, le ayuda a
corregir los errores. Se trata de conseguir esa difícil compenetración
con el texto que permita descifrar lo más recóndito del mensaje y, a
continuación, saber reflejarlo fielmente en la propia lengua, lo que
entraña una gran dificultad. El quehacer intelectual que supone la
función de traducir exige a nuestros alumnos que se cuestionen desde
el primer momento que la mayor dificultad del traductor es poder
dedicar a su trabajo el tiempo que necesite de investigación, sin es-
catimar ningún tipo de esfuerzo y entrega. No se puede minimizar la
traducción, que es una función especializada de la literatura, ni tampoco considerar a la traducción automática un peligro. Incluso el día
en que llegara a tener la capacidad de almacenamiento del cerebro
humano, nunca podría poseer su sensibilidad ni su sentido estético.

1.2.   ¿CIENCIA O ARTE?

Durante las últimas décadas, estudiosos de la teoría de la traducción han tratado de colaborar con diversas aportaciones: a través de
la psicología —respaldada por una terminología semiótica espectacu-
lar— se han producido esquemas y diagramas complejos para ilustrar
los procesos mentales de la descodificación de los mensajes de una

lengua y su posterior codificación en otra, pero la dificultad estriba en que la reconversión tiene lugar en la mente, el lugar más oscuro y complejo del organismo humano; desde el punto de vista lingüístico Jakobson, Mounin y Catford, han explorado el campo de la teoría de la traducción de manera decisiva para el enfoque actual de sus estudios; otros lingüistas, como Taber y Nida, han realizado un acercamiento tratando de demostrar el mecanismo que permite el paso de un mensaje expresado en una lengua al mismo mensaje expresado en otra lengua; Vinay y Darbelnet, en sus comparaciones entre el francés y el inglés, y Malblanc, entre el francés y el alemán, han formulado una teoría de la traducción basada en diferencias estilísticas.

Sobre el tema del carácter científico o acientífico de la traducción se ha abierto un prolongado debate, suscitado sin duda por la conjunción de los factores extralingüísticos junto con los estrictamente lingüísticos. Precisamente este hecho de que se encuentre el área de los estudios de la traducción en el punto de intersección de varias ciencias —la filología, la lexicología, la psicolingüística, la lingüística contrastiva, la estilistica, el análisis literario, la semiótica, etc.— puede ser la causa de que no haya sido considerada como objeto propio de investigación por ninguna de estas disciplinas.

Debido, por una parte, al desarrollo de los estudios lingüísticos y, por otra, a las investigaciones sobre la traducción automática, hemos asistido a la multiplicación de teorías y al nacimiento de lo que Ljudskanov y Vinay y Darbelnet, junto con otros lingüistas, han dado en denominar la *ciencia de la traducción*, siendo hoy día habitual admitir —como ya hemos indicado— su inclusión entre las disciplinas que pertenecen a la lingüística aplicada. Así lo propugna A. V. Federov, quien declara que «la traducción es una operación y un fenómeno lingüísticos» [15], considerando por consiguiente que debería incorporarse su teoría al conjunto de las disciplinas lingüísticas y, en la misma dirección, Vinay y Darbelnet [16] proponen la inscripción normal de la traducción en el marco de la lingüística, por ser una disciplina exacta con sus técnicas y problemas particulares que deberían estudiarse según las técnicas lingüísticas actuales.

---

[15] FEDOROV. A. V., 1958 (1953): *Vvdeniye y teoriyu perevoda* (Introducción a la teoría de la traducción) Moscú, págs. 17-22.
[16] VINAY, P. & DALBERNET, J. (1973): *Stylistique Comparée du français et de l'anglais.* París: Didier, pág. 21.

George Mounin [17] analiza la naturaleza de la lengua y los obstáculos que opone a la traducción. Su estudio se sitúa al nivel de las
estructuras lingüísticas y de la comparación interlingüística, sugiriendo
que los problemas teóricos de la traducción son problemas relevantes
de la ciencia que estudia los sistemas de signos. Por tanto, entre las
disciplinas que han aplicado sus métodos a esclarecer los problemas
de la traducción, la lingüística —y particularmente la lingüística contrastiva— es la ciencia que más ha contribuido.

No obstante, y aunque parezca lógico suponer que un mejor conocimiento de los procedimientos lingüísticos que intervienen en la
traducción será susceptible de ayudar a su mejor realización, la traducción ha venido siendo considerada —y lo es todavía por la mayoría
de los traductores— como un *arte*, irreducible a todo acercamiento
científico y a todo análisis, puesto que su proceso no depende de un
conocimiento previo de los mecanismos y fundamentos sobre los que
opera. Todos ellos niegan que la traducción deba ser definida como
una operación que depende estrictamente del conocimiento científico
y especialmente del análisis lingüístico: Peter Newmark [18] afirma ro-
tundamente que la traducción no es una ciencia e insiste en situarla
al lado de la teoría de la comunicación, que no se restringe a un
único género literario o tipo de texto, sino a un amplio sector de
discursos, y Edmond Cary, con una gran experiencia de traductor en
diferentes géneros, considera que el contexto lingüístico no es más que
un elemento de la operación: es el contexto mucho más complejo de
las relaciones entre dos culturas, dos mundos de pensamiento y de
sensibilidad lo que verdaderamente caracteriza la traducción [19]. Es decir, la traducción no debe reducirse a una operación lingüística, sino
que hay que tener en cuenta todos los factores extralingüísticos. Más
tarde se opone a la tesis de Fedorov, afirmando que ese método no
tiene en cuenta el peligro de hacer creer que existe la traducción ob-
jetivamente válida, la norma *invariable*, abstracción hecha del país, la
época, el género y el lector; todo ello por el deseo de poseer unas
reglas científicas para la traducción [20].

---

[17]   MOUNIN, G., 1971 (1963): *Los problemas teóricos de la traducción*, ed. cit.
[18]   NEWMARK, P. (1981): *Approaches to translation*. Oxford: Pergamon Press, pág. VII.
[19]   CARY, E. (1956): *La traduction dans le monde moderne*. Genève: Georg Y Cie,
pág. 10.
[20]   CARY, E. (1957): «Théories Soviétiques de la Traduction», en *Babel*, vol. III, núm.
4, Décembre, págs. 186-7. Michel Ballard analiza el pensamiento de Cary en la Introducción de otra de sus obras, *Comment faut-il traduire?* (París: Presses Universitaires de Lille,
1986, pág. 14), señalando las aptitudes del traductor: una cultura sólida, un conocimiento
suficiente de las lenguas, un contacto estricto y permanente con la realidad de la traduc-

Efectivamente, no podemos hablar de «la» traducción, sino de «géneros de traducción», que exigen imperativos específicos cada uno de ellos: no se traduce de la misma forma una novela, un poema, una obra de teatro o un texto infantil, y mucho menos si se trata de textos técnicos o científicos. Si queremos realizar una traducción de forma acertada, hay que obedecer a imperativos diferentes en cada caso, principalmente de naturaleza extralingüística.

George Mounin —que defiende el estudio científico de la traducción [21]— revisa la teoría inflexible de Cary, no estando de acuerdo en que se pueda negar la contribución de la lingüística a la teoría de la traducción. Más bien cree que Cary restringe en su estudio la definición de lingüística, colocándose por su parte totalmente al lado de Fedorov, por considerar que toda operación traductora conlleva una serie de análisis y de operaciones que dependen específicamente de la lingüística, y que el marco de esta ciencia es el único que puede aclarar los problemas teóricos planteados sobre la posibilidad o imposibilidad de la operación traductora.

Maurice Pergnier justifica la posición de Cary, por considerar que si los más famosos traductores no buscan en la lingüística la respuesta a las cuestiones teóricas que presenta la traducción es porque interpretan el término *lingüística* como sinónimo de ciencia de la lengua, y son conscientes de que el conocimiento de la lengua es previo a la traducción, pero no la traducción en sí misma, tendiendo por este motivo a rechazar las teorías lingüísticas como inadecuadas. Para ellos, la traducción no es un «saber, sino un saber hacer»; es una técnica a la que no afectan los problemas inherentes al conocimiento

---

ción, una conciencia clara de la importancia de la traducción como hecho social y el deseo —no muy corriente entre los profesionales de la traducción— de reflexionar ampliamente sobre otros aspectos a partir de la práctica. Hay otras intermedias, como la de A. Leitès (1958), que acepta la teoría de Cary en el sentido de que la traducción artística es una empresa de orden literario, pero que necesita del conocimiento lingüístico para penetrar mejor en el texto original; o la de Charles Bouton (1982 [1978] *La lingüística aplicada,* trad. esp. U. M. Suárez Ávila) (México: Fondo de Cultura Económica) quien cree que si la lingüística aplicada a la operación traductora se limitara a la definición de operaciones simples de transcodificación, la posición de Cary estaría justificada, pero el campo de la lingüística es mucho más vasto e incluye todos los problemas complejos de la significación en función de la propia economía del sistema lingüístico de las lenguas en cuestión; de las relaciones entre la lengua y el medio, y de la relación mucho más compleja entre la lengua y el pensamiento, entre la lengua y la representación del mundo.

[21] MOUNIN, G., 1971 (1963): *Los problemas teóricos de la traducción,* ed. cit., págs. 26-31.

de las lenguas [22]. Según Pergnier, no hay duda de que todas estas objeciones se irán disipando si se tiene en cuenta que la lingüística no es solamente la ciencia de las lenguas, sino también del lenguaje; dentro de esta óptica, es evidente que la traducción depende de la ciencia del lenguaje, por estar ubicada ella misma en el centro de su problemática. Además, no solamente la lingüística puede ayudar al proceso de la traducción, sino que ésta, recíprocamente, puede también ayudar al perfeccionamiento y avance de aquélla.

Otros estudiosos de la teoría de la traducción, entre ellos Seleskovitch, creen que si su principal objeto es comprender un texto y trasladar su sentido a otra lengua, «la traductología no debería fundamentarse únicamente en los estudios lingüísticos, sino ocupar un nivel intermedio entre la descripción de una lengua dada y el análisis de una intención individual traducida en habla» [23]. Por este motivo, la teoría lingüística de la traducción resulta incompleta, al omitir los mecanismos mentales del traductor, no viendo en los textos más que una aplicación de la lengua y en la actividad traductora sólo los problemas que se derivan de las diferencias entre las lenguas. Si la ciencia de la traducción se dirige en primer lugar al estudio cognitivo de los textos, a su comprensión y enunciación, ha de integrar el uso de la lengua a los mecanismos mentales del hombre. La traductología no puede olvidar que la comprensión de un texto requiere otros aspectos que el conocimiento de la lengua para la aprehensión y posterior restitución del sentido. Por ello, propugnan un distanciamiento de las teorías lingüísticas de la traducción, que analizan exclusivamente los problemas de la lengua planteados por la conversión de un idioma en otro, y tratan de demarcar epistemológicamente la traducción como un proceso de transferencia del sentido de una lengua a otra en el que intervienen, por una parte la lexicografía, la gramática y la estilística y, por otra, el comentario de texto y la exégesis.

Todos estos nuevos conceptos se basan en la idea central de que durante el proceso de aprehensión de un texto no se extrae el sentido reuniendo simplemente los grafemas —manifestación concreta de los conceptos que les atribuye la lengua— sino que es preciso tener en cuenta los mecanismos por los cuales el hombre percibe el enunciado lingüístico y comprende lo que éste expresa. Es decir, ante un texto, no se toma la palabra a nivel de su significación inmediata, sino que

[22] PERGNIER, M., (1978): *Les fondements socio-linguistiques de la traduction*. Paris: Librairie Honoré Champion, pág. 10.
[23] SELESKOVITCH, D. (1984): *Interpréter pour traduire*. París: Didier, pág. 265.

se hace uso espontáneamente de toda clase de índices perceptivos y mnésicos: «les premiers étant constitués par le champ visuel de l'oeil qui embrasse tout un passage du texte que l'on est en train de lire, les seconds tirant leur présence de souvenirs qui ont perdu leur forme verbale mais affectent conceptuellement les mots que l'on a sous les yeux.» [24]. Esta teoría, fundada sobre el uso del lenguaje por el hombre, establece las unidades de comprensión o de sentido, sabiendo que no actúan por medio del análisis de un elemento verbal estático sino por una síntesis realizada a lo largo del texto. Las unidades de traducción no son, por tanto, ni las palabras tomadas aisladamente ni la frase definida gramaticalmente como sujeto-predicado, sino la unidad de sentido, es decir, «le segment de discours dont l'avancé à un moment donné fait prendre conscience à l'auditeur ou au lecteur du vouloir dire désigné pour la formulation linguistique» [25]. Por tanto, el lector comprende el texto no sólo en función de su competencia lingüística sino también en función de los conocimientos que la formulación lingüística despierta en él: «interpréter un texte ou, si l'on préfère, le lire intelligemment c'est saisir en même temps du linguistique et du non linguistique en une opération normale, courante, celle de la communication humaine» [26].

1.3. CARÁCTER INTERDISCIPLINAR

Los Estudios de Traducción pueden considerarse como un eslabón perdido entre la lingüística y la literatura, lo que —según T. Tymoczko— les concede un carácter interdisciplinar: una teoría de la traducción de dos lenguas incluye la descripción general de las posibilidades y limitaciones que existen para pasar el mensaje de una lengua al de otra y, al objeto de otorgar a esta descripción un grado de precisión científica, se necesita también conocer las estructuras semánticas de cada lengua, que implica: «los hablantes y su entorno, la sociedad y sus creencias» [27]. El desarrollo de la teoría de la traducción está condicionado, pues, por el desarrollo de la lingüística, pero aunque sea

---

[24] Ibíd., pág. 266.
[25] Ibíd., pág. 268.
[26] Ibíd.
[27] TYMOOZKO, M. (1978): «Translation and Meaning», en *Meaning and Translation: Philosophical and Linguistic Approaches*, eds. Guenther et al. London: Gerald Duckworth and Co Ltd., pág. 43.

posible una teoría lingüística de la traducción, esta teoría sería tan sólo una parte, no la totalidad, de la teoría de la traducción.

La mayor parte de las teorías de la traducción se basan en la comparación de lenguas a diferentes niveles, apoyándose para ello en la lingüística contrastiva. No obstante, es la lingüística aplicada a la traducción la que puede incluir en sus estudios los diversos aspectos de la actividad traductora. En el Primer Coloquio Internacional sobre Lingüística Aplicada que tuvo lugar en 1964 en Nancy, las dos esferas temáticas principales fueron: información semántica - traducción mecánica y posibilidades de aplicación de las teorías lingüísticas. Crystal afirma que, debido a la evolución tan grande de la lingüística aplicada durante estos últimos años, «resulta difícil delimitar su campo de aplicación, que abarca un gran número de disciplinas, entre ellas la traducción, el bilingüismo, la lingüística contrastiva, etc.» [28]. Así lo propugnan también Taber y Nida, quienes creen que «la traducción debe considerarse una rama importante de la lingüística aplicada» [29], lo mismo que Back al recomendar «la inclusión de la traducción entre las disciplinas que pertenecen a la lingüística aplicada [30], o Newmark, quien señala «la gran significación que tiene la lingüística para la traducción» [31], siendo la lingüística aplicada la que «engloba todos los campos de la investigación que resultan de la intersección de la ciencia del lenguaje con otras disciplinas: psicolingüística, sociolingüística y etnolingüística, enseñanza de lenguas, teoría de la traducción, etc.» [32].

Hay acercamientos muy diversos a los Estudios de Traducción: George Steiner [33] estudia el acercamiento hermenéutico, que le otorga a la disciplina de la traducción un aspecto filosófico. La publicación

---

[28] CRYSTAL, D. (1981): *Directions in Applied Linguistics.* London: Academic Press, pág. 5.

[29] TABER, Ch. R., y NIDA, E. A. (1971): *La traduction: Théorie et méthode.* Londres: Alliance Biblique Universelle, pág. 97.

[30] BACK, O. (1970): «Was bedeutet und was bezeichnet der Ausdruck ''angewandte Sprachwissenschaft''»?, en *Die Sprache. Zeitschrift für Sprachwissenschaft,* 16, págs. 28 y ss.

[31] NEWMARK, P. (1981): op. cit., pág. VII.

[32] EBNETER, T., 1982 (1974) *Lingüística Aplicada.* Madrid: Ed. Gredos (trad. F. Meno), pág. 9.

[33] STEINER, G. (1975): *After Babel: Aspects of Language and Translation.* London: Oxford University Press (trad. Adolfo Castañón, Madrid: Fondo Cultural Económico, 1981), pág. 8. El acercamiento hermenéutico fue iniciado por Scheiermacher y continuado por A. Schlegel y Humboldt.

del estudio de Walter Benjamin [34] produjo un giro hacia la investigación hermenéutica casi metafísica en el campo de la traducción, convirtiéndose su estudio en un punto de contacto entre disciplinas ya establecidas y de nuevo desarrollo, entre ellas la Psicología, la Antropología, la Sociología y otras áreas intermedias como la Etnolingüística y la Sociolingüística [35]. La aplicación de la teoría lingüística y estadística elaborada por los rusos y checos herederos del movimiento formalista, y las relaciones que establece Quine [36] entre la lógica formal y los modelos de transferencia lingüística, o su «indeterminacy theory» [37] —que Robert Kirk estudia desde varios aspectos—, según la cual «two schemes of translation could be incompatible even when both fitted not just whatever evidence we happened to have, or even the totality of actual linguistic behaviour, but the totality of possible evidence» [38]. La teoría de Novalis y Humboldt de que «toda comunicación es traducción» [39], ha tomado una fuerza mejor fundamentada desde el punto de vista técnico y filosófico. Las ponencias presentadas en la sección de teoría de la traducción del Congreso de la Asociación británica de Lingüística aplicada que tuvo lugar en 1969, o las publicadas dos años después en *Interlingüística* —de mayor influencia en lingüística contrastiva con la aportación de Mario Wandruszka— son un claro ejemplo de la posición de la traducción entre las demás disciplinas científicas.

Después de la exposición de las tesis tan dispares que se han producido en los Estudios de Traducción —debido sin duda a esa ambivalencia teórico práctica que ya hemos apuntado— parece que esta disciplina lo que realmente precisa es un marco teórico integrador, al que habría de buscarse una denominación especial. Nos encontramos, por tanto, con la controversia suscitada de si la Traductología debería ser objeto de una ciencia particular o autónoma, que precisaría de una terminología homogénea para cada una de sus subdisciplinas.

---

[34] BENJAMÍN, W., 1967 (1923): «La tarea del traductor» en *Ensayos escogidos*. Buenos Aires, págs. 77-88. (Tra. H. A. Murena). No hay que olvidar tampoco la influencia ejercida por Heidegger y Hans-Georg Gadamer en la investigación hermenéutica.

[35] Una publicación como *Anthropological Linguistics* o una colección de artículos como la aparecida en *Psycho-Biology of Language* atestiguan esta afirmación.

[36] QUINE, W. VAN O. (1960): *Word and Object*. Cambridge Mass., New York and London: MIT and Wiley.

[37] QUINE, W. VAN O. (1970): «On the Reasons for Indeterminacy of Translation», en *Journal of Philosophy* 67, págs. 178-83.

[38] KIRK, R. (1986): *Translation Determined*. Oxford: Clarendon Press, pág. 3.

[39] STEINER, G. (1975): Ibíd., pág. 328.

Este supuesto teórico para una nueva concepción de los estudios de traducción como disciplina independiente se basa, en primer lugar, en que a pesar de las apariencias sus fronteras o límites no están bien definidos, mostrando un mero análisis superficial que el término *traducción* abarca varias subdisciplinas, ya que puede referirse a conceptos diferentes, desde el punto de vista de los elementos que pueden servir para definirla y estudiarla:

1. si se considera como producto, por ejemplo: «durante los últimos años, el número de obras traducidas se ha incrementado considerablemente»;

2. si se considera como un proceso, una operación —o un conjunto de operaciones— mentales de reformulación de un mensaje, por ejemplo, «la connotación es uno de los problemas de la traducción literaria»;

3. si se considera como una actividad crítica, en la que se estudian dos textos formulados en dos lenguas diferentes, por ejemplo, «la versión de Vilalta de *The Golden Bowl,* de Henry James, conserva el sentido pero no el estilo del autor», y

4. si se considera como una comparación de dos lenguas, orientada a la didáctica de la traducción, por ejemplo, «estudiamos en clase los diferentes tipos de transposición entre el original y la traducción».

Esta ambigüedad que se produce en el ejercicio de la traducción se comprende si se piensa en la amplitud del campo que cubre su actividad: desde la creación literaria en todas sus manifestaciones hasta la traducción técnica o científica.

Los estudios de traducción están explorando nuevos campos, acortando las distancias que existían entre la estilística y la historia literaria, la lingüística, la semiótica y la estética. No hay que olvidar, al mismo tiempo, que se trata de una disciplina firmemente enraizada en la aplicación práctica, ni tampoco la diferencia que existe entre la traducción como profesión y la aplicación de la traducción a todo tipo de actividades académicas. Personalmente compartimos la opinión reflejada por Back [40], Pergnier [41] y otros muchos, que incluyen los es-

---

[40] BACK, O. (1970): op. cit., págs. 28 y ss.
[41] PERGNIER, m. (1978): op. cit., pág. 35.

tudios de traducción dentro de la lingüística aplicada, pues no hay que confundir los estudios de traducción con los de la lingüística contrastiva, a pesar de su gran semejanza: hay que partir de la lingüística contrastiva, pero el proceso de la traducción es más amplio que ella y precisa considerar también y diversos aspectos extralingüísticos.

Capítulo II

Perspectiva histórica

Otro aspecto importante en los Estudios de Traducción es el histórico, a fin de ofrecer una perspectiva más completa que nos ayude a comprender su desarrollo y evolución a través de los siglos. Creemos que sin una breve visión histórica de la disciplina, quedaría incompleta nuestra exposición.

Puesto que ya se han publicado numerosos estudios sobre este tema, un trabajo sistemático empezaría con el comentario de algunas de sus teorías, para desarrollar algunas de ellas y así poder llegar a una síntesis final. No obstante, y dado que nuestra intención es hacer simplemente una revisión esquemática, citaremos en el anexo bibliográfico las contribuciones más importantes y nos limitaremos a presentar una perspectiva histórica de conjunto referida al ámbito inglés y al español, que es el objeto de nuestra materia.

En primer lugar, consideramos que la historia de la traducción es parte inseparable de la historia universal —por ser un factor indispensable de la cultura— al igual que de la historia de la literatura, y habrá de comprender, por un lado, la investigación de su desarrollo metodológico y la función que ha venido desempeñando en las diferentes épocas y, por otro, la respuesta crítica a la traducción en general y a los trabajos de traductores individuales.

Al trazar una perspectiva histórica, no hay duda de que la más famosa traducción es la piedra de Rosetta, que data del siglo II a. C., aunque no se encontrara hasta 1799. El desciframiento de su contenido por Champollion ha proporcionado la clave para acceder a los secretos del antiguo Egipto contenidos en un mismo texto con dos sistemas de escritura, la egipcia y la griega.

No obstante, hay testimonios anteriores de traducciones. Eugene A. Nida[1] se refiere en primer lugar a la costumbre de Sargon de Asiria, en el tercer milenio antes de Cristo, de proclamar sus proezas en las diferentes lenguas de su imperio. La Babilonia de la época de Hammurabi (c. 2100 a. C.) era una ciudad políglota, y muchos de sus asuntos oficiales resultaban posibles gracias al grupo de escribanos que traducía las leyes en varios idiomas. Una parte del trabajo de estos antiguos traductores consistía en preparar listas de palabras equivalentes en varias lenguas, y algunos de esos «diccionarios» se han conservado en tablas cuneiformes de diferentes lugares y épocas. La actividad de estos primeros traductores se refleja en una descripción bíblica, donde se relata que los escribanos del rey prepararon unas cartas para enviarlas a «los judíos y a los sátrapas, los gobernadores y los jefes de las provincias que había desde la India hasta Etiopía, en total ciento veintisiete provincias; a cada provincia con arreglo a su escritura, y a cada pueblo según su idioma, y a los judíos con arreglo a su alfabeto y su lengua»[2].

El mundo antiguo greco-romano ya conocía perfectamente la traducción y sus técnicas. Hacia el año 204 a. C., Livio Andrónico tradujo la *Odisea* de Homero en verso latino, y Nevio y Hennio varias obras dramáticas griegas. Por su parte, Quintiliano, Cicerón, Horacio, Catulo y Plinio el joven también se dedicaron al estudio de los problemas de la traducción, aunque no pueda decirse que en el mundo antiguo se siguiera un estudio sistemático de sus principios y procedimientos, sino que se limitaban a traducir de los clásicos griegos con verdadera preparación y conocimiento.

Hacia el año 130 a. C., se terminó de traducir en Alejandría el Antiguo Testamento del hebreo al griego, comenzado dos siglos antes, para atender a las necesidades de la extensa colonia judía de Egipto que hablaba esa lengua olvidando la suya propia. No tardaron en aparecer las traducciones del Nuevo Testamento a las diferentes lenguas, dirigidas a las comunidades cristianas que se multiplicaban y extendían con rapidez. Por tanto, desde hace veintitrés siglos, el Viejo y el Nuevo Testamento han sido traducidos a más de 800 lenguas diferentes.

San Jerónimo dedicó su vida por entero a la traducción del Antiguo Testamento al latín. Su acercamiento a la traducción quizá sea

---

[1] NIDA, E. (1964): *Towards a Science of Translationg. With Special Reference to Principles and Procedures Involved in Bible Translating*. Leiden: E. J. Brill, págs. 11-12.
[2] *Ester*, 8, vers. 9.

uno de los más sistemáticos y disciplinados de todos los traductores de la antigüedad, ya que siguió unos claros principios que defendió y proclamó, asegurando que lo más importante no era trasladar palabra por palabra, sino el significado por su equivalente. Este concepto ya había sido sostenido por Cicerón al traducir el *Protágoras* de Platón y otras obras griegas al latín.

El célebre precepto de Cicerón de no traducir *verbum pro verbo* en el año 46 a. C. —que Horacio reformula veinte años después en su *Ars poetica*— inicia, según Santoyo [3], un período de *reflexión*, dando comienzo a lo que puede considerarse la verdadera traducción, con la introducción del análisis, que antes nadie había realizado. Esta larga etapa la extiende George Steiner [4] hasta las traducciones de Sófocles por Hörlderlin en 1804, a las que acompaña un comentario afirmando que cualquier tipo de análisis o conclusiones fundamentales debe partir directamente de la propia actividad del traductor.

El segundo período se refiere a la teoría e investigación hermenéutica, cuyo enfoque se lo adjudica Steiner a Schleiermacher, siendo más tarde adoptado por Schlegel y Humboldt. El acercamiento hermenéutico —la investigación de lo que significa *comprender* un pasaje oral o escrito, y el intento de diagnosticar este proceso en términos de un modelo general de pensamiento— otorga al tema de la traducción un aspecto filosófico, ya que se plantea dentro del marco más general de las teorías sobre la lengua y el espíritu. En este período se crean los términos y la metodología específica de la traducción, que la liberan de las exigencias y particularidades que pudiera imponerle un texto determinado. En este período, confieren a la traducción categoría filosófica Goethe, Schopenhauer, Valéry, Ezra Pound, y Ortega y Gasset.

El tercero lo centra Steiner en la corriente moderna, cuando aparecen los primeros artículos sobre traducción automática, y los investigadores y críticos rusos y checos, herederos del movimiento formalista, aplican la teoría lingüística y los métodos estadísticos a la traducción, creándose las asociaciones internacionales de traductores.

---

[3] SANTOYO, J. L. (1987): *Traducción, Traducciones, Traductores: Ensayo de bibliografía española.* León: Servicio de Publicaciones de la Universidad de León, págs. 8-9.

[4] STEINER, G., 1981: *Después de Babel: Aspectos del Lenguaje y la Traducción,* Madrid: Fondo Cultural Económico (trad. de *After Babel: Aspects of Language and Translation.* London: Oxford University Press 1975), pág. 274.

En el cuarto período ya ha decaído la confianza ilimitada que se había depositado en la traducción mecánica, y tanto la filosofía clásica como la literatura comparada, la estadística léxica y la etnología, la sociología del habla de clases, la retórica formal, la poética y el estudio de la gramática confluyen en el propósito de esclarecer el acto de la traducción y los mecanismos de la comunicación entre unas lenguas y otras. En realidad, según Steiner, en muchos sentidos aún nos hallamos en la tercera fase.

Bassenett Mc Guire [5] cita al humanista Etienne Dolel entre los primeros escritores que formularon una teoría de la traducción: ya en 1540 publicó unas breves nociones sobre los principios de la traducción, bajo el título *La forma de traducir bien de una lengua a otra.* En esta obra establecía como puntos básicos del traductor:

1. comprender totalmente el sentido del original y aclarar libremente las ambigüedades;

2. poseer un perfecto conocimiento tanto de la lengua fuente como de la lengua término;

3. evitar la reproducción palabra-por-palabra, y

4. usar las formas del habla de uso común, eligiendo y ordenando las palabras de manera apropiada para que produzcan el tono correcto.

Este punto de vista de Dolet lo reitera George Chapman, el gran traductor de Homero al inglés, declarando en la dedicatoria de los *Seven Books* (1598) que la misión de un traductor competente y veraz es observar las oraciones, las figuras retóricas y las formas del lenguaje propuestas por el autor y trasladarlas de manera equivalente a su propia versión.

2.1.   LA ESCUELA DE TRADUCTORES DE TOLEDO

Una época básica para la historia de la traducción es el siglo XII, en el cual nuestro país se convierte en el centro de traducción de los

---

[5] BASSNETT-MC GUIRE, S. (1980): *Translation Studies.* London & New York: Methuen, págs. 54-63.

clásicos griegos al latín, generalmente a través del árabe. Durante siglo y medio, Toledo será el lugar de reunión de un grupo de estudiosos, conocedores de lenguas, ávidos de saber y de comunicar sus conocimientos, llegando a desempeñar un importante papel en el intercambio del pensamiento y la cultura europeas.

El esplendor a que llega la Escuela de Traductores de Toledo en el siglo XII se produce gracias al ejemplo de tolerancia y convivencia entre cristianos, judíos y musulmanes, convirtiendo a España en transmisor de la cultura a todo el cristianismo europeo occidental, a través de los libros árabes, que les ofrecen la oportunidad de acercarse a Tolomeo, Aristóteles y Euclides [6], entre otros muchos escritores de la antigüedad. Su fundador, Domingo Gonzalvo, o Gundisalvo, según García Yebra [7], no sólo se limita a traducir, sino que también crea sus propias obras, de gran influencia en los escritores del siglo siguiente.

El sistema seguido, que —según José S. Gil [8]—, resulta especialmente fecundo, consiste en una estrecha colaboración entre un equipo de traductores formado por un arabista, un romanista, un *emendador* y un *glosador*. El judío arabizado traducía el texto árabe, de manera oral, en el español común y el latinista lo vertía al latín. El *emendador*, una autoridad en materia de lengua, decidía el término adecuado y el *glosador*, además de secretario, actuaba de testigo en las discusiones.

La naturaleza de las traducciones que se llevaban a cabo en Toledo depende de la época. En el tiempo del arzobispo Raimundo (1126-52), predominan los temas filosóficos vertidos al latín, y en el de Alfonso X el Sabio la física, la astronomía y las matemáticas, utilizándose el castellano, con lo cual se eleva la lengua romance a la categoría de científica. La primera época tiene un carácter internacional, tanto por el uso del latín como por los traductores que intervienen, junto al español Gundisalvo y al hispano-hebreo Joánnes Hispanus: el inglés Adelardo de Bath, el italiano Gerardo de Cremona, y el fla-

---

[6] MENÉNDEZ PIDAL, R. (1955): «España y la introducción a la ciencia árabe», en *España y su historia*, tomo I. Madrid: Ediciones Minotauro, pág. 728.

[7] GARCÍA YEBRA, V. (1983): *En torno a la traducción*. Madrid: Editorial Gredos, pág. 311.

[8] GIL, J. S. (1985): *La Escuela de Traductores de Toledo y los colaboradores judíos*. Toledo: Instituto Provincial de Investigadores y Estudios Toledanos. Diputación Provincial, págs. 112-24.

menco Rodolfo de Brujas. En este período, la labor de los traductores judíos queda totalmente silenciada, al no incluirse su nombre en las versiones que se llevaban a cabo. En la segunda época, por el contrario, sí figuran los nombres de los hispano-hebreos que intervienen, teniendo un carácter nacional debido a adoptarse el uso de la lengua castellana y ser españoles la mayoría de los traductores. Todas estas figuras están agrupadas en la valiosa obra de Menéndez Pelayo *Biblioteca de Traductores Españoles,* que consta de cuatro volúmenes y fue publicada póstumamente. Su extenso índice biográfico de traductores españoles no se limita a las versiones procedentes del latín y el griego sino que —como afirma Rafael de Balbín en la Introducción [9]— también se extiende a todos los demás, debido a su preocupación constante por ayudar a los traductores y estimular sus esfuerzos en esta difícil, ingrata y nunca bien premiada tarea.

Gracias a la Escuela de Traductores de Toledo, durante los siglos XII y XIII España fue la transmisora de toda la cultura islámica a Europa, haciendo que países como Francia e Italia se aprovecharan más que ella misma de esos tesoros, por estar mejor preparadas. No obstante, en la época alfonsina nuestro país adquirió un grado de esplendor que de otra manera no hubiera conseguido, llegando el castellano a adquirir su madurez y gran capacidad expresiva.

Heredero de esta riqueza cultural en materia de traducción es Casiodoro de Reina, quien realizó una extraordinaria traducción de la Biblia, publicada en 1568, y revisada en 1603 por su amigo y colega Cipriano de Valera. Según Nida [10], estos traductores mantenían una estrecha relación con el desarrollo intelectual que tenía lugar en Francia, Inglaterra y Alemania. Este intercambio de conocimientos, combinado con una sensibilidad poco común hacia el uso de la lengua, fue lo que les permitió conseguir tan excelentes traducciones, que han servido de base para la versión española de la Biblia. Aunque no se hayan reflejado en la teoría y la práctica de la traducción en Europa, debido a la pérdida de influencia española en la vida intelectual europea, estas dos traducciones son un ejemplo del florecimiento de la literatura española en el siglo XVI.

Valentín García Yebra [11] destaca otras figuras señeras a lo largo

---

[9] MENÉNDEZ PELAYO, M. (1952-3): *Biblioteca de Traductores Españoles:* 4 vols. Madrid: CSIC, pág. VIII.
[10] NIDA, E. (1984): op. cit., pág. 13.
[11] GARCÍA YEBRA, V. (1983): op. cit., págs. 322-3.

de nuestra historia, como el Canciller Pedro López de Ayala, su sobrino Fernán Pérez de Guzmán y el Marqués de Santillana, quien más que realizarlas él mismo, impulsó la traducción de obras clásicas. Antes de la llegada de la imprenta en 1470, otros dos traductores importantes son D. Enrique de Villena y Alfonso de Palencia. A partir de esa fecha las traducciones se intensifican, alcanzando su cima más alta en el reinado de Carlos V, con un personaje que sobresale sobre todos, Juan Boscán, cuya traducción de *El Cortesano,* de Castiglione, es básica para todo el Renacimiento español. Menéndez Pelayo [12] la calificó de uno de los escritos más bellos anteriores a nuestro Cervantes, con un lenguaje aristocrático y rico. Otra figura importante de la segunda mitad del siglo XVI es Fray Luis de León, que tradujo el *Cantar de los Cantares,* la *Exposición del Libro de Job,* las *Bucólicas,* de Virgilio y parte de las *Geórgicas,* entre otras muchas obras.

2.2. LA TRADUCCIÓN EN EL ÁMBITO INGLÉS

Durante toda la Edad Media, solamente nos encontramos con traducciones de ensayos religiosos realizadas en un frío y rígido latín eclesiástico. Nida [13] exceptúa la traducción del Evangelio según San Juan por el Venerable Beda en el año 735 d. C., y la de la Biblia de James I. Los traductores designados por el rey para realizar una versión cuya lectura pudiera autorizarse en las iglesias, aunque no desarrollaran ningún principio o teoría de la traducción —en realidad, no estaban buscando hacer algo nuevo, sino más bien seleccionar lo mejor de lo que se había incluido en las anteriores traducciones, según claramente se especifica en el prefacio *The Translators to the Reader*—, sin embargo, debido al buen gusto que mostraron en materia de exégesis y a su sensibilidad para saber elegir el estilo apropiado para la lectura en público, un texto que podía haber quedado reducido a una serie de meras convenciones se convirtió en una extraordinaria traducción. Una traducción que ejercerá gran influencia sobre las posteriores de la Biblia en inglés es la que realiza John Wesley en 1755, ya que se adelanta considerablemente a los traductores de su época. Esta versión refleja fielmente el concepto de traducción que ya se seguía en las obras seculares, y muchas de sus decisiones sobre pro-

---

[12] MENÉNDEZ PELAYO, M. (1952-3): I, op. cit., pág. 249.
[13] NIDA, E. (1964): op. cit., pág. 16.

blemas técnico-teológicos y de exégesis anticipan lo que más tarde habría de incorporarse a las traducciones bíblicas.

Las traducciones del inglés a nuestra lengua comienzan a finales del XVI. Según Julio César Santoyo [14], un notario londinense, Paul Typoots, realizó la primera, y a finales de siglo surgen otras siete: en 1590, la *Relación de algunos martyrios que de nuevo han hecho los herejes en Inglaterra,* del jesuíta exilado Robert Persons; en 1592, una de Tomas Eclesal; la de 1594 se atribuye a Charles Darton, y de ese mismo año es la traducción de una carta a su padre de Richard Hawkins, capturado en Valparaíso. Se conservan otras dos breves traducciones de tipo político de 1596 y 1597, y por último, en 1599, William Massan traduce una obra de William Perins de asunto religioso.

En el siglo XVII, concretamente en la década de 1630, aparece la primera traducción de una obra literaria inglesa: la *Defensa de la Poesía,* de Sir Philip Sidney [15], aunque no volvamos a contar con otras nuevas versiones de la literatura inglesa a nuestra lengua durante más de siglo y medio.

En 1780, George Campbell de Aberdeen publicó una interesante obra sobre la historia y la teoría de la traducción, referida especialmente a las Escrituras, con un análisis detallado y sistemático no realizado hasta entonces. Los tres principios que considera fundamentales para lograr una buena traducción son:

1. to give a just representation of the sense of the original;

2. to convey into his version, as much as possible, in a consistency with the genius of the language which he writes, the author's spirit and manner;

3. to take care that the version have, "at least so far the quality of an original performance, as to appear natural and easy." [16]

Hacia finales del siglo XVIII, Alexander Tytler publicó un volumen titulado *Principles of Translation* (1791) que Bassnett [17], considera el primer estudio sistemático en inglés del proceso de la traducción. En

    [14] SANTOYO, J. C. (1986): «Pioneros históricos de la traducción inglés-castellano (1577-1600), en *Actas* del VII Congreso de AEDEAN. Madrid: Ediciones UNED, págs. 207-13.
    [15] Ibíd., pág. 207.
    [16] NIDA, E., op. cit., págs. 18-9.
    [17] BASSNETT-MC GUIRE, S. (1980): op. cit., pág. 63.

él se establecen como principios básicos: que la traducción tiene que ofrecer una transcripción completa de la idea de la obra original; que el estilo y la forma deben ser equivalentes a los del original, y que la traducción ha de poseer la naturalidad de la composición original. Mantiene que la paráfrasis ha dado lugar a traducciones demasiado libres, aunque esté de acuerdo en que parte de la obligación del traductor es aclarar las oscuridades del original, incluso cuando suponga omisión o adición. Utiliza el concepto comparativo del siglo XVIII de traductor/pintor, pero con una diferencia, pues el traductor no puede usar los mismos colores que el original, aunque tenga que producir un cuadro de la misma fuerza y efecto: el traductor tiene que esforzarse en «adaptarse al alma del autor, quien debe hablar a través de sus propios órganos». Por tanto, a la teoría de la traducción lo que le preocupa principalmente es el problema de recrear el espíritu, el alma y la naturaleza de la obra de arte.

Ese interés por la perfección técnica es lo que Nida [18] cree que ha dado lugar a versiones que no conservan el ambiente de la obra original —como ocurre con algunas traducciones de obras orientales, entre ellas *Arabian Nights' Entertainments*— y a que se produzca una tendencia hacia la traducción más literal. El principal exponente es Matthew Arnold, quien trató de reproducir a Homero en hexámetros ingleses y propugnaba adherirse a la forma del original. Arnold no llegó a aceptar el criterio de que una obra traducida debería producir sobre el lector el mismo efecto que produjo sobre el suyo la obra original.

Quien primero sentó las bases para realizar de manera consciente una traducción libre fue el poeta Abraham Cowley [19], que defendió su traducción de las *Odas* de Píndaro afirmando que «si alguien intentara traducir a Píndaro palabra por palabra, parecería que un loco había traducido a otro», admitiendo que había añadido cuanto era necesario para conseguir su propósito de que el lector más que conocer lo que Píndaro dijo, supiera «la forma y manera en que lo dijo». Esta postura radical de Cowley, según Nida, no la aprobaba Dryden, quien calificaba su traducción de imitación, asimilándola al tercero de los tres tipos básicos:

1. *metáfrasis,* palabra por palabra y línea por línea;

---

[18] NIDA, E. (1964): op. cit., págs. 20-2.
[19] Ibíd., pág. 17.

2. *paráfrasis,* se tiene en cuenta el sentido de la obra original más que las palabras, y

3. *imitación,* el traductor asume la libertad, no sólo de variar las palabras y el sentido, sino también de olvidarse a veces de ambos.

Dryden se inclinaba por la paráfrasis, afirmando que debían evitarse las otras dos formas de traducción. Dentro de la línea de Dryden, Alexander Pope afirma que una traducción literal nunca puede reflejar el original, aunque tampoco deben introducirse muchas modificaciones en la paráfrasis. La principal misión del traductor, según su criterio, era conservar el «fuego» del poema y tratar de que no se perdiera en la traducción.

En el siglo XVIII es cuando —según Bassnett [20]— tienen lugar una serie de cambios significativos, principalmente en lo que se refiere a las investigaciones tendentes a describir los procesos de transformación de la creación literaria. En el siglo XIX, los estudios de traducción en el ámbito inglés tratan de encontrar un término que defina la disciplina. Algunos estudiosos, como por ejemplo Theodore Savory, la consideran un *arte*; Eric Jacobsen cree que es un *oficio*, y otros, quizás más acertados, toman el término prestado del alemán para definirla como una *ciencia*. Horst Frenz va incluso más lejos, añadiendo al término *arte* ciertas explicaciones, pues «la traducción no es ni arte creativo ni imitativo, sino que ocupa un lugar intermedio» [21]. Un logro positivo en el campo terminológico es el *Dictionary for the Analysis of Literary Translation,* publicado en 1976 por Anton Popovic, que establece las bases de una metodología para el estudio de la traducción.

2.3. EVOLUCIÓN ACTUAL DE LOS ESTUDIOS DE TRADUCCIÓN

En primer lugar, debemos destacar que todos los autores que se han ocupado de los Estudios de Traducción coinciden en señalar el cambio producido en esta disciplina durante la década de 1960. Prin-

---

[20] BASSNETT, op. cit., págs. 2-3.
[21] Ibíd., págs. 4-5.

cipalmente a partir de 1965 es cuando mayores progresos se han conseguido, con los trabajos realizados por estudiosos de los Países Bajos, Israel, Checoslovaquia, la Unión Soviética, la República Democrática alemana o los Estados Unidos, a los que podrían añadirse otros muchos. Todas estas escuelas también se han beneficiado de trabajos llevados a cabo en sectores marginales relacionados, como por ejemplo la semiótica, el bilingüismo o la adquisición de lenguas.

La renovación producida responde a varios tipos de transformaciones que han coincidido en sus efectos: una es la acaecida en el ámbito de la literatura mundial, con el movimiento de intercomunicación, difusión e interrelación de culturas, que ha conducido a la multiplicación de traducciones y que ha hecho necesario un replanteamiento de diversos aspectos de la teoría de la traducción (podría citarse en este punto un fenómeno tan destacable como el ofrecido por la novela *Satanic Verses,* de Salman Rushdie, traducida en un breve espacio de tiempo a las principales lenguas). Otra es la que ha tenido lugar en el seno del cine y la televisión, que ha ensanchado extraordinariamente el campo de la traducción. Es forzoso referirse también al mundo científico e informático, que ha desbordado de manera imposible de catalogar el número de traducciones que se están llevando a cabo, y a los avances experimentados por la lingüística:

El primero, según los enumera Nida, es el desarrollo de la lingüística estructural en Europa, bajo la iniciativa de Saussure, en 1916, y más recientemente de Hjelmslev, en 1959, junto con otros miembros del Círculo Lingüístico de Copenhague. No obstante, el trabajo más creativo de relacionar la lingüística a la traducción y a la crítica literaria se llevó a cabo por el Círculo Lingüístico de Praga, bajo el estímulo de Trubetzkoy, en 1939, continuado más tarde —por lo que al campo de la traducción y de la estilística se refiere— por Havránek, Mukarovsky, Levy y Prochazka.

En Norteamérica, un grupo de lingüistas como Sapir, Whorf, Lounsbury, Voegelin, Hoijer, Joos, Greenberg y Weinreich, desarrollaron importantes teorías sobre el lenguaje y la cultura. Con una orientación bastante diferente de los europeos, han contribuido igualmente al campo de la semántica y, por tanto, de la traducción, liberando a los traductores de las concepciones establecidas por anteriores generaciones.

El segundo es la aplicación de los métodos de la lingüística estructural a los problemas especiales de la traducción de la Biblia, realizada por los traductores de la Biblia de Wycliffe. Iniciada en 1935, esta organización ha trabajado con más de 200 lenguas y en más de 13 países diferentes, con un número muy considerable de publicaciones técnicas sobre el lenguaje y las estructuras lingüísticas, así como numerosas traducciones de las Sagradas Escrituras y de las lenguas primitivas.

El tercero es el programa llevado a cabo por las United Bible Societies, que comenzó en 1947, con un Congreso internacional de traductores en Holanda. Estas sociedades han venido publicando desde 1950 una revista trimestral titulada *The Bible Translator,* y varios lingüistas relacionados con la Sociedad Bíblica americana han proporcionado una gran ayuda a los traductores que se refleja, no sólo el avance general de la lingüística en América y Europa, sino también sus propias investigaciones y trabajos sobre este campo.

El cuarto se refiere a la publicación, desde 1955, de *Babel,* bajo los auspicios de la UNESCO. Editado por la Federación Internacional de Traductores, este Boletín trimestral ha proporcionado información no sólo sobre las nuevas ayudas léxicas y las condiciones cambiantes que afectan a los traductores profesionales en las diferentes partes del mundo, sino también sobre las nuevas tendencias en cuanto a teoría y práctica. Los dirigentes de este programa, Caillé, Cary, Jumpelt y Bothien, han contribuido de manera esencial a una mejor comprensión de la teoría contemporánea, principios y procedimientos en el campo de la traducción.

El quinto, la máquina de traducir, desgraciadamente no ha alcanzado todavía los resultados que se esperaban. No obstante, se ha realizado un trabajo importante en este campo, principalmente en la Academia de Ciencias de la URSS, en la Universidad de Londres y en los Estados Unidos: Instituto de Tecnología de Massachusetts, las Universidades de Harvard, Georgetown y California y el Centro de investigación de IBM. EUROTRA también está trabajando intensamente en este campo con resultados muy positivos, como pudimos apreciar recientemente en las Jornadas sobre Traducción Automática celebradas en el Ministerio de Industria el día 26 de septiembre de 1989. Aparte de los resultados prácticos que puedan derivarse de sus investigaciones, el estudio profundo de los procedimientos de la traducción que requiere la programación de la máquina de traducir ha producido importantes avances en la teoría semántica y en el método estructural.

Por tanto, los avances llevados a cabo por la lingüística y los experimentos derivados de la máquina de traducir desde la década de 1950 han producido un rápido desarrollo de los estudios de la traducción que, según Bassnett [22], se ha notado mucho antes en la Europa oriental que en el mundo de habla inglesa. No obstante, en 1965, Catford ya había realizado un importante estudio en el que brevemente aborda el problema de la intraducibilidad lingüística y enuncia los dos procesos que deben diferenciarse en cualquier intento de descripción teórica: en la *traducción* hay sustitución de los significados de la lengua fuente por los de la lengua término, no transferencia de los significados de la lengua fuente en los de la lengua término; y en la *transferencia* hay una implantación de los significados de la lengua fuente dentro del texto de la lengua término [23].

En resumen, en el siglo xx el número de traducciones se ha multiplicado de manera imposible de predecir, apareciendo una literatura mundial, cuyas obras se han traducido a la mayor parte de los idiomas nacionales y muchos regionales.

Por otro lado, no hay que olvidar los doblajes realizados para el cine y la televisión, que han ensanchado extraordinariamente su campo y han acercado obras que hubieran pasado desapercibidas para el público medio. Igualmente se ha visto afectado el mundo científico como afirma Santoyo, «el edificio entero de la ciencia, más aún que el de la literatura, por ser una estructura perfectamente ligada e interrelacionada, en la que cada nuevo elemento que se añade está anclado con firmeza en un elemento anterior» [24]. En este proceso, la traducción ha desempeñado, al igual que lo ha hecho en otros campos, un papel incalculable, y por ello la obra de catalogación publicada por J. C. Santoyo [25] ha venido a llenar la laguna existente en los estudios de traducción.

---

[22]   Ibíd., pág. 6.

[23]   NEWMARK, P. (1988): *A Textbook on Translation*. London: Prentice Hall International (UK) Ltd. pág. 7.

[24]   SANTOYO, J. L. (1983): *La cultura traducida.*Lección inaugural del curso académico 1983-84. Universidad de León, pág. 32.

[25]   SANTOYO, J. L. (1987): *Traducción, Traducciones, Traductores: Ensayo de bibliografía española*. León: Servicio de Publicaciones de la Universidad de León.

CAPÍTULO III

Teoría de la Traducción: aportaciones lingüísticas y literarias

Hay dos aspectos bien definidos en los estudios de la teoría de la traducción: el que se refiere a los problemas especiales de la semántica de la transferencia del contenido de la lengua fuente a la lengua término, y el que se ocupa de los procedimientos formales o artísticos de los textos literarios, encuadrándolos dentro del contexto cultural-temporal específico en que aparecen. En este sentido, la teoría de la traducción está unida por una parte a la lingüística (la lexicología, la semántica y la sintaxis) y por otra a la estilística. El punto básico de la teoría de la traducción consiste en describir el vínculo que enlaza la comprensión a la formulación, en definir cómo se unen las dos fases del proceso, que sólo puede realizarse de dos formas: por el paso a través de la realidad o del concepto de la lengua de origen a la lengua término (esto sólo puede hacerse en los casos en que ya está fijado el significado exacto de la expresión y reproducimos la traducción automática: —*top secret* = alto secreto, *no smoking* = prohibido fumar—) o por el paso a través de un análisis lingüístico.

En un sentido restringido, la teoría de la traducción se interesa por el método más apropiado a cada tipo de texto, por lo que depende de la teoría funcional de la lengua; sin embargo, en un sentido más amplio, la teoría de la traducción es el conjunto de conocimientos realizados sobre este tema, abarcando desde los principios generales a otras directrices, normas o sugerencias. Para Peter Newmark [1] la única es la igualdad de frecuencia o las correspondencias que existen

---

[1] NEWMARK, P. (1981): *Approaches to translation*. Oxford: Pergamon Press, pág. 19.

entre ambos idiomas en cuanto a tema y registros: metáforas, prover-
bios, colocaciones, grupos, cláusulas, oraciones, orden de las palabras,
etc. deben tener una frecuencia aproximada en las lenguas fuente y
término. La teoría de la traducción se interesa tanto por los detalles
minuciosos —significado de la puntuación, letra cursiva, erratas—
como por las generalidades —presentación, idea central que subyace
en un pasaje—, y ambos pueden ser igualmente importantes dentro
del contexto. La teoría de la traducción es el marco de referencia para
traducir y valorar una traducción; en primer lugar, sirve para identificar y definir cualquier problema de la traducción; en segundo, para
indicar todos los factores que hay que tener en cuenta para solucionar
ese problema; en tercer lugar, para relacionar los procedimientos posibles de traducción, y finalmente, para recomendar el más adecuado
y la traducción que más se ajuste al original.

Para iniciar un acercamiento a la teoría de la traducción, quizá
sólo debería intentarse de forma sistematizada si se relaciona con la
teoría del lenguaje, pues pocas ramas de la lingüística —ya hemos
indicado por qué debe considerarse la traducción una rama de la lingüística aplicada— muestran una interrelación tan clara de los aspectos teóricos y prácticos como la traducción: la comprensión de la estructura del lenguaje y de los problemas específicos de la transferencia
interlingüística de conceptos e ideas ayuda a la práctica, de igual manera que la experiencia derivada de la práctica ayuda a la comprensión, creando un marco sumamente beneficioso para su desarrollo. Es
decir, una noción bien estructurada del concepto de traducción presupone una teoría sistemática del lenguaje, con la que coincide plenamente o de la que se deriva. Esta relación entre lenguaje y traducción puede ser de dos clases, según George Steiner: que coincidan
totalmente, esto es, «a theory of translation is in fact a theory of
language» o que exista una dependencia formal, y en este caso, «the
theory of language is the whole of which the theory of translation is
a part» [2]. La traducción propiamente dicha, esto es, la interpretación
de los signos verbales de una lengua por medio de los signos verbales
de otra [3], es un caso especial y privilegiado del proceso de comunicación y recepción en cualquier acto de habla humana. Los problemas
epistemológicos y lingüísticos fundamentales que implica la traducción
interlingüística son los mismos que aparecen en todo discurso intralin-

---

[2] STEINER, G., 1981 (1975): *Después de Babel: Aspectos del Lenguaje y la Traducción,*
Madrid: Fondo Cultural Económico (trad. de *After Babel: Aspects of Language and Trans-*
lation. London: Oxford University Press), pág. 477.
[3] STEINER, G. (1981): ibíd., pág. 279.

güístico, o dentro de la propia lengua: lo que Jakobson llama *reformulación* [4].

Al hablar de las aportaciones lingüísticas a la teoría de la traducción, no queremos dejar de citar en primer lugar el extraordinario estudio de George Mounin sobre *Los problemas teóricos de la traducción* (1963) [5]. Esta obra, por su amplitud y novedad, ha supuesto un cambio muy positivo en los problemas lingüísticos de la traducción; es más, quizá podamos asegurar que antes de Mounin no se habían abordado de forma tan clara y precisa los problemas de la traducción a la luz de las teorías lingüísticas, ni los lingüistas habían demostrado tanto interés en la teoría de la traducción. Es posible que, por primera vez, se recojan en una sola obra, con una extraordinaria síntesis, los conocimientos elaborados sobre las lenguas más diversas por varias generaciones de lingüistas, filósofos, antropólogos, desde Humboldt a Martinet, desde Bloomfield y Saussure hasta las escuelas lingüísticas más recientes, pasando por Hjelmslev, Trier y muchos otros. La obra de Mounin establece de manera definitiva, por la comparación de abundantes datos pertenecientes a lenguas desaparecidas así como a otras lenguas vivas, por un lado, la existencia de universales lingüísticos y, por otro, la no coincidencia de los universos lingüísticos entre ellas, dando evidencia, en apoyo de su trabajo, del obstáculo aparentemente insoslayable con que tropieza la traducción. Asimismo, por medio de la demostración de un gran número de fuentes consultadas, Mounin llega a destruir toda ilusión en cuanto a la posibilidad de traducir por el simple intercambio automático de palabras.

El motivo de que tantos lingüistas, además de Mounin, hayan dedicado sus esfuerzos a clasificar con sus aportaciones la teoría de la traducción es porque ofrece la guía necesaria para conocer lo que

---

[4] JAKOBSON, R., 1971 (1959): «On linguistic aspects of translation» en Roman Jakobson, *Selected Writings,* vol. II, La Hague: Mouton. (Publicado inicialmente en BROWER, R. A. ed. *On Translation.* Cambridge, Mass.: Harvard University Press.), pág. 234. Para otras definiciones ver, Vinay y Darbelnet (*Stylistique comparée du français et de l'anglais.* París: Didier, 1973, pág. 23): «traducción es una disciplina exacta con sus problemas y teorías particulares, que habrán de estudiarse conforme a las técnicas lingüísticas»; George Mounin (1971, op. cit., pág. 25): «la traducción una operación que se efectúa sobre hechos a la vez lingüísticos y culturales, pero cuyos puntos de partida y llegada son siempre lingüísticos», o García Yebra (*Teoría y práctica de la traducción,* Madrid: Ed. Gredos, pág. 32): «el acercamiento del traductor a la comprensión total siempre tiene lugar por medio de un análisis semántico, junto con otro léxico-morfológico, morfosintáctico y óntico o extralingüístico».

[5] MOUNIN, G., 1971 (1963): *Los problemas teóricos de la traducción.* Madrid: Gredos (trad. J. Lago Alonso *de Les Problèmes théoriques de la traduction:* París, Gallimard).

ocurre en el proceso de transferencia entre las dos lenguas. En primer lugar, discute los principales problemas y dificultades que pueden surgir; en segundo lugar, analiza las condiciones generales en que tiene lugar la actividad traductora, y por último, ofrece las mejores soluciones.

A pesar de todo ello, venía siendo sistemáticamente silenciada en los estudios lingüísticos, pero en los últimos años, como hemos indicado, se ha producido un intento coordinado, sistemático y científico de desentrañar los misterios que envuelven la teoría de la traducción. Este intento ha tenido lugar en varios frentes, en conexión con la psicología, la teoría de la información, la antropología y la lingüística. Todas estas disciplinas tienen algo que aportar a la teoría de la traducción, pero sin duda la lingüística es la que más puede contribuir ya que, como afirma Isadore Pinchuck, «translation as a discipline should be regarded as a branch of applied linguistics» [6], al igual que Maurice Pegnier: «c'est une des branches de la linguistique appliquéée» [7]. Este punto de vista coincide con el que hemos adoptado, que se centra en la revisión y explicación de los procesos que tienen lugar en la traducción, para los cuales se utilizan principalmente recursos lingüísticos.

Por otro lado, si admitimos que el traductor opera sobre el sentido del texto más que sobre la forma, ¿en qué medida pueden ser útiles a una teoría de la traducción los datos de la lingüística, cualquiera que sea su escuela? Bouton [8] cree que la contribución de la lingüística consiste en ayudar al traductor a comprender la naturaleza de los obstáculos del proceso de la traducción, no en enriquecer su habilidad. Por otro lado, aunque la traducción tenga por objeto transmitir el sentido del mensaje antes que la forma, las transformaciones formales —mediante las cuales se realiza el sentido en el plano de la expresión, en función de las estructuras profundas— obedecen a reglas lingüísti-

---

    [6] PINCHUCK, I. (1977): *Scientific and Technical Translation*. London: Anche Deustch Limited, pág. 17.
    [7] PEGNIER, M. (1981): «Théorie linguistique et théorie de la traduction», en *Meta*, Vol. 26, núm. 3, pág. 9. Amplía su afirmación expresando que «traducción siempre ha estado en el centro de la problemática lingüística, ya que las dificultades que se le plantean a la traducción por la diversidad de los universos lingüísticos son las que condujeron a la aparición del carácter estructural de la lingüística y a señalar la inmanencia de los elementos estructurales y su recíproca opacidad de un sistema lingüístico a otro». En esta perspectiva, Pegnier cree, sin riesgo a ser paradójicos, que la traducción ha aportado más a la teoría lingüística que lo que ésta ha aportado a la traducción.
    [8] BOUTON, Ch., 1982 (1978): *La lingüística aplicada* (trad. U. M. Suárez Ávila) México: Fondo de Cultura Económica, pág. 91.

cas que forzosamente han de ser diferentes en cada lengua. Por ello, es la lingüística la que ha proporcionado el marco teórico al acto pragmático de la traducción, facilitando un modelo para la estructuración de una determinada realidad en el plano de la expresión, según un esquema tipo donde las unidades de expresión no tienen una relación unívoca y exclusiva, entre la L2 y la L1; y lo que es cierto para el léxico lo es también para las estructuras morfológicas y semánticas.

Eugène Nida [9], uno de los pioneros en la teoría de la traducción, reconoce también la aportación de la lingüística al estudio científico de la traducción, que considera incluso una rama importante de la lingüística, por tratarse de «una actividad que consiste en reproducir en la lengua receptora el mensaje de la lengua fuente por medio de los equivalentes del lenguaje más próximos y naturales, primero en lo que se refiere al sentido y después al estilo». En el campo español también se aprecia este mismo espíritu, destacando Emilio Lorenzo, por su examen lingüístico de los aspectos del proceso de la traducción, García Yebra, con sus estudios sobre teoría y práctica, y Julio-César Santoyo con los trabajos sobre la unidad lingüística mínima de traducción, que ya hemos citado, entre otros.

3.1. VISIONES PARTICULARES DEL MUNDO VS UNIVERSALES DEL LENGUAJE

Hay muchas opiniones contrarias sobre la posibilidad de traducir, entre ellas la de Ortega y Gasset, que lo considera un afán utópico, preguntándose «¿qué hará el traductor ante un texto rebelde: meterá al escritor traducido en la prisión del lenguaje normal, es decir, lo traicionará —*traduttore, traditore*—?» [10].

En el extremo opuesto se encuentra M. Lederer [11], quien considera la traducción siempre posible, ya que las ideas sobre la intraducibilidad se basan en realidad en una confusión fundamental entre la len-

---

[9] NIDA, E. (1975): *Language Structure and Translation*. Essays selected and introduced by A.S.Dil. Stanford, Cal.: Stanford University Press, pág. 97.

[10] ORTEGA Y GASSET, J., 1980 (1937): *Miseria y esplendor de la traducción*. Universidad de Granada. (En *Misión del bibliotecario*. Madrid: Ediciones de la Revista de Occidente, 1967), pág. 11.

[11] LEDERER, M. (1984): *Interpréter pour traduire*. Paris: Erudition, pág. 70.

gua, objeto de descripción de gramáticos y lingüistas, y el uso de esta lengua por los que la hablan o escriben, la oyen o leen. El problema parte de que no traducimos una lengua, sino un texto, cuya razón de ser es la transmisión de ideas. Traducir es hacer llegar estas ideas al lector que no conoce la lengua original, eligiendo los medios lingüísticos que le harán comprenderlas. La claridad, la inteligibilidad del mensaje traducido consiste en verificar su adecuación a las ideas y no a la lengua original. La intraducibilidad se reduce a la imposibilidad de conseguir que coincida al mismo tiempo la traducción con la lengua y las ideas del original, pues la adecuación a la lengua puede llevar consigo alterar las ideas, y la adecuación a las ideas amenaza con renunciar a un estricto respeto por las formas iniciales. La dificultad de la traducción no estriba, pues, en la incapacidad de las lenguas para expresar los mismos conceptos, sino en una fidelidad mal entendida a tener que trasladar los enunciados; a los ingentes esfuerzos de ciertos traductores para conformarse a esa especie de *código moral*, cuando la fidelidad al texto original exige que sean utilizados otros medios lingüísticos para decir y hacer comprender los mismos conceptos.

Un criterio intermedio puede ser el sustentado por Eugène Nida, para quien la cuestión de la intraducibilidad se ha discutido en términos de equivalencia absoluta en vez de relativa. No puede basarse en que la traducción, en ningún caso, suponga pérdida de información, ya que entonces toda comunicación sería imposible. Tanto si es intralingüística como interlingüística o intersemiótica no puede existir comunicación sin alguna pérdida de información: «la pérdida de información es parte de cualquier proceso de comunicación y por ello no debe sorprendernos que ocurra en la traducción, ni debe por tanto constituir la base para cuestionarnos la legitimidad de la traducción» [12].

Lo que sería paradójico es que la actividad traductora, que precisa de actividades del lenguaje y que aumenta considerablemente en todos los terrenos cada día, continuara siendo silenciada por la ciencia lingüística. Mounin afirma que «si se aceptan las tesis actuales sobre estructura del léxico, de la morfología y de la sintaxis, se llega a la conclusión de que no es posible la traducción» [13]. Pero no puede dis-

---

[12] NIDA, E. (1976): «A Framework for the Analysis and Evaluation of Theories of Translation», en *Translation: Applications and Research*. R. W. Brislin ed. New York: Gardner Press, Inc., pág. 63.

[13] MOUNIN, G., 1971 (1963): op. cit., pág. 22.

cutirse la validez de la traducción desde un punto de vista teórico por la lingüística, cuando se acepta totalmente por la práctica social, pues es bien sabido que las traducciones se admiten y utilizan ampliamente por todo tipo de receptores.

El problema tan debatido de la posibilidad de la traducción lo plantea Steiner dentro del marco de los dos puntos de vista, radicalmente opuestos, admitidos por la filosofía de la lengua:

El primero es la tesis *universalista*, que preconiza que la mente humana se comunica salvando las barreras lingüísticas. Según esta teoría, la estructura subyacente de la lengua es universal y común a todos los hombres, siendo las diferencias entre las lenguas humanas tan sólo superficiales. Si la traducción es posible, lo es por la facultad de las lenguas de identificar y ver cómo funcionan en todos los idiomas sus formas latentes o superficiales, superando las disparidades que ocurren a este nivel y sacando a la luz sus principios ontológicos fundamentales, que son comunes y compartidos.

El segundo es la tesis *monodista*, totalmente contraria, que considera la traducción imposible, admitiéndola únicamente cuando dos lenguas tiene parentesco, ya que en este caso pueden crear conjuntos convencionales de analogías aproximadas. Esta teoría estima que, al igual que el corpus léxico, el corpus sintáctico de las diferentes lenguas está formado por rasgos particulares casi infinitos que engendran y reflejan a un tiempo las múltiples concepciones del mundo de las diferentes razas y culturas. Incluso el carácter nacional va impreso en el lenguaje y, recíprocamente, lleva la impronta del lenguaje. De ahí que ninguna lengua, por primitiva que sea, deje de actualizar las necesidades de la colectividad. La idea de que cada lengua segmenta en lo real aspectos particulares, descuidando lo que otra pone de relieve, es decir, percibe lo que otra olvida, le lleva a Mounin [14], después de

---

[14] Ibíd., págs. 60-65. Amplían esta teoría: Ullman (*Précis de sémantique française.* Berne: A. Francke, 1952, pág. 300), para quien todo sistema del lenguaje encierra un análisis del mundo interior que le es propio y que se diferencia del de otras lenguas o de otras etapas de esa misma lengua; al ser depositario de la experiencia acumulada por generaciones pasadas, el lenguaje proporciona a la generación futura una manera de ver e interpretar el universo, le facilita un prisma a través del cual podrá ver el mundo no lingüístico. Cassirer («Pathologie de la conscience symbolique», en *Journal de Psychology.* París, pág. 29), quien considera que el lenguaje es el medio por el cual los hombres crean su concepción, su comprensión y sus valores de la realidad objetiva. El mundo no sólo lo comprende el hombre por medio del lenguaje, sino que «su visión del mundo y su manera de vivir con esta visión están ya determinadas por el lenguaje». Trier *(Der deutsche Worts-*

estudiar todos los diferentes aspectos, a la conclusión de que las estructuras del universo no se reflejan mecánicamente, sino que a cada
lengua le corresponde una organización particular de los datos de la
experiencia y, por ello, la lengua como instrumento de comunicación
analiza de forma diferente la experiencia humana en cada comunidad.
El lenguaje es una clasificación de la experiencia sensible que crea un
ordenamiento particular del mundo y percibe o descuida ciertos fenómenos o relaciones con los cuales construye su conocimiento de ese
mundo. Es decir, nuestra lengua materna nos condiciona a la hora de
concebir los acontecimientos del mundo exterior y lo hacemos de una
manera diferente a otra comunidad. Cada lengua segmenta lo que
interesa a su cultura y a su civilización peculiar, lo que hace que existan en las estructuras del pensamiento de los hombres diferencias profundas.

Esta visión diferente del mundo presenta problemas al traductor,
que no encuentra correspondencias adecuadas al querer trasladar a su
cultura ciertas experiencias. Eugene A. Nida [15] clasifica en cinco apartados estas dificultades: las que se refieren al mundo ecológico, al
técnico, y a las culturas social, religiosa y lingüística. En el primer
caso, parece clara la dificultad de traducir la expresión *desierto* en las
zonas del bosque amazónico, o *río* en pueblos que no tienen ninguna
experiencia de esta realidad, y lo mismo ocurre con las expresiones
técnicas o de tipo cultural; en el interior de una misma gran civilización, como es la europea occidental, existen mundos culturales par-
cialmente separados por sus propias culturas materiales. Cita la lengua
de los gauchos argentinos, donde existen infinidad de expresiones para

---

chatz im Sinnbezxirk des verstandes. Die Geschichte eines Sprachlichen. Heidelberg: Winter, 1931, págs. 428-49) cree que el contenido y la forma lingüística de la vida espiritual
del hombre se condicionan recíprocamente y no pueden ser considerados de forma separada, ya que la lengua es la expresión de cómo ve el mundo y lo lleva en el interior de sí
mismo. Cada lengua crea una imagen de la realidad, estructura la realidad a su manera, y
así establece los elementos de la realidad que son particulares de esa lengua y «en la
medida en que la estructuración constituye la esencia fundamental del lenguaje, todos los
elementos lingüísticos son resultado de esta estructuración». Hjelmslev (*Prolegomena to a
Theory of Language* (trad. del danés de F. J. Whitfield). *International Journal of American
Linguistics* (Memory 7) vol. XIX, núm 1, 1953, págs. 32-36) considera que un mismo
objeto físico podría recibir descripciones semánticas muy diferentes, según la civilización
de que se tratase, y conduce a la hipótesis de Whorf, quien afirma que «no todos los
observadores obtienen la misma evidencia de una imagen del universo, si el fondo lingüístico de su pensamiento no es similar».
    [15] NIDA, E. (1945): «Linguistics and Ethnology in Translation Problems», en *Word*, 1,
pág. 199.

analizar la diversidad de pelajes de los caballos y algunas lenguas africanas, que pueden diferenciar todas las diversas especies de palmeras, lo mismo que los esquimales poseen multiplicidad de expresiones dentro del campo lingüístico cubierto en nuestra lengua por un único término *nieve*.

Esta misma cuestión recibe un enfoque diferente por parte de Newmark [16], quien llama lenguaje cultural al concepto de *visiones particulares del mundo*, por considerar la cultura una forma de vida o las manifestaciones peculiares a una comunidad, la cual utiliza un lenguaje particular como medio de expresión, distinguiéndolo de universal y personal. Considera expresiones universales *die, live, star, swim* o esos objetos que existen en todas las lenguas, *mirror* y *table,* que no presentan dificultad ninguna al traducirlos. Sin embargo, las palabras *monsoon, steppe, dacha,* son palabras culturales y ocasionan problemas, a menos que haya alguna coincidencia entre las lenguas fuente y término. Las palabras universales *breakfast, embrace, pile,* cubren normalmente la función universal, pero no la descripción cultural del referente. Y si nos expresamos de una manera personal, utilizando términos que nos son propios, quiere decir que usamos nuestro idiolecto, el cual produce muchos problemas en la traducción.

La lengua, según Newmark, contiene todo tipo de depósitos culturales: en la gramática existen todavía géneros de nombres inanimados, formas de dirigirnos a los demás (por ejemplo, *tú* y *usted*), expresiones léxicas *(the sun sets)* que no se consideran universales. Cuanto más específica se vuelve la lengua para designar sus fenómenos naturales (p. e. la flora y la fauna), más se clasifica dentro de elementos culturales y, por tanto, crea problemas de traducción, al contrario de lo que ocurre con los términos generales. No obstante, los que expresan sentimientos o valores morales: *love, temperance, temper, right, wrong,* a veces son más difíciles que las palabras específicas. Es fácil localizar las palabras culturales, ya que están asociadas con un lenguaje particular y no pueden traducirse literalmente, pero muchas costumbres culturales se incluyen en el lenguaje ordinario, como *time, gentleman, please,* por lo que hay que tratar de buscar el equivalente exacto y tener cuidado de que la traducción literal no distorsione el significado.

Los universales del lenguaje revisten una gran importancia para la teoría de la traducción, pues el que todas las lenguas humanas recu-

---

[16]   NEWMARK, P. (1988): op. cit., pág. 94.

rran a los mismos tipos de procedimientos limita las dificultades o imposibilidad de la traducción y permite demostrar que la teoría de la intraducibilidad sólo puede construirse sobre excepciones. Tanto la identidad del espíritu humano como la universalidad de las formas del conocimiento y del pensamiento nos llevan a confiar en que si es posible la comunicación lingüística, igual lo será la interlingüística, principalmente en el caso de la traducción, cuya práctica demuestra su posibilidad. Por referencia a situaciones compartidas entre el hablante y el oyente o entre el autor y el traductor, la comunicación sigue siendo posible; si la traducción fuera imposible, también lo sería toda concordancia absoluta entre habla y pensamiento. Gentile afirma que «si se niega la traducción, es necesario ser congruente y negar el lenguaje, pues traducir es la condición de todo pensamiento y de todo aprendizaje» [17].

Por otro lado, el reproche que se hace a la traducción de falta de perfección no tiene consistencia, pues ningún acto humano es perfecto y habría que fijar el grado de fidelidad necesario en cada caso. La traducción es deseable y es posible, debiendo investigarse sus métodos y criterios a la luz de textos de valor reconocido cuya existencia nadie niega. No obstante, cada lengua contiene e impone a sus hablantes cierta forma de analizar la experiencia del mundo y, por tanto, los fenómenos observables o situaciones comunes, aparentemente semejantes en dos lenguas y designados por dos enunciados similares lingüísticos, no pueden servir de medida común inmediata para esos dos enunciados, ya que no contemplan, en las situaciones respectivas, los mismos rasgos distintivos. Para evitar ese tipo de riesgo al traducir, conviene siempre empezar por las situaciones claras, los mensajes más concretos, los universales más elementales, para llegar a los mensajes más subjetivos, que llamamos connotaciones. Ahí es donde surge el obstáculo para la teoría de la posibilidad de la traducción.

3.2. TRADUCCIÓN COMUNICATIVA VS TRADUCCIÓN SEMÁNTICA

Una de las principales contribuciones de Peter Newmark [18] a la teoría de la traducción es precisamente su análisis de los conceptos de

---

[17]   Ibíd., pág. 288.
[18]   NEWMARK, P. (1981): op. cit., págs. 38-69.

traducción comunicativa vs traducción semántica, que considera básicamente una cuestión de énfasis en cuanto al proceso, estableciendo las siguientes diferencias:

1.ª la traducción comunicativa intenta producir en su lector un efecto lo más cercano posible al que obtienen los lectores del texto original (también se define así la equivalencia dinámica):

> *Communicative translation addresses itself solely to the second reader, who does not anticipate difficulties or obscurities, and would expect a generous transfer of foreign elements into this own culture as well as his language where necessary* [19].

2.ª la traducción semántica, por el contrario, intenta reproducir, tan cerca como permiten las estructuras semánticas y sintácticas de la segunda lengua, el significado contextual exacto del original:

> *Semantic translation remains within the original culture and assists the reader only in its connotations if they constitute the essential human (non-ethnic) message of the text* [20].

Una diferencia básica entre los dos métodos es que cuando se produzca un problema de interpretación, la traducción comunicativa debe enfatizar el efecto antes que el contenido del mensaje (ej.: *Dog that bites* tendría la equivalencia comunicativa española en *¡Cuidado con el perro!*, aunque *Perro que muerde* sea más informativa, pero menos efectiva). Es decir, la traducción comunicativa suele ser más directa y simple, más convencional, ajustándose a un registro determinado del lenguaje, mientras que la traducción semántica es más compleja, más detallada, más concentrada, y persigue los procesos del pensamiento antes que la intención del transmisor. Para Newmark, la traducción semántica es siempre inferior al original, ya que implica pérdida de fuerza y claridad. En la traducción comunicativa, se puede corregir y reemplazar la oscuridad y la ambigüedad, dado que tiende en primer lugar a producir el efecto deseado en el receptor.

Como vemos, el problema central de la actividad traductora es encontrar equivalentes en la lengua término, siendo la función principal de la teoría de la traducción definir la naturaleza y las condiciones de esta equivalencia y establecer los correspondientes modelos.

---

[19] Ibíd., pág. 39.
[20] Ibíd.

Por tanto, un tema que ha tenido que ser estudiado ampliamente por la teoría de la traducción es el grado ideal de equivalencia que hay que perseguir, ya que han variado considerablemente las exigencias según las épocas o estilos: unas veces ha existido la tendencia de conseguir una versión literal y otras, en cambio, una adaptación o incluso un cambio total. En principio, su discusión habría que fundamentarla sin olvidar el lector al que va dirigida, aunque hay una regla de oro en la traducción que dice que se debe traducir tan cerca como se pueda del original y tan lejos como sea necesario: si puede conseguirse una versión literal que sea exacta y correcta ¿por qué no seguir el original? Pero, naturalmente, a veces no es posible, ya que cada lengua tiene sus propias exigencias estructurales.

Por otro lado, en ese acto de reemplazar el material textual de la lengua fuente por un material textual equivalente de la lengua término, no sólo se persigue la equivalencia semántica superficial, sino que también se transfieren, lo más exactamente posible, las estructuras, los significados implícitos, y los efectos emocionales y estéticos. La traducción perfecta actualizaría una sinonimia absoluta, sería una interpretación completa de todos los rasgos del texto fuente —fonéticos, gramaticales, semánticos y contextuales— sin añadir ninguna paráfrasis o explicación. En la práctica pocas veces es posible esta concordancia perfecta; la comprensión nunca es absoluta, sino parcial, pues el lenguaje es polisémico y con frecuencia no puede satisfacer todas las exigencias. Por ello, aunque se produzca el intercambio perfecto de la totalidad de las significaciones, es difícil que pueda llegar a ejecutarse la formulación total del mensaje o producto final de la traducción, que es el resultado de una serie de fases realizadas por el traductor consciente o inconscientemente, y de manera más o menos compleja, de acuerdo con ciertos factores tales como las características del texto original, los recursos intelectuales y materiales del traductor, la estructura de las lenguas fuente y término implicadas, el propósito de la traducción y otras influencias externas, como son la época o el lugar.

Aunque la teoría de la traducción normalmente admite dos o tres modelos básicos, Newmark [21], establece ocho categorías diferentes:

---

[21] NEWMARK, P. (1988): págs. 45-53. Todas estas categorías las resume Vinay y Dalbelnet *(Stylistique comparée du français et de l'anglais.* París: Didier. 1973, pág. 23) en dos: una traducción palabra por palabra o *literal,* que requiere la equivalencia total entre la lengua original y la término, y otra más libre, la *oblicua,* que no necesita paralelismo entre las dos versiones. Tanto Steiner (1981, op. cit., pág. 290) como García Yebra (1982,

1.ª Traducción *palabra por palabra* o interlinear, que coloca la versión de la lengua término inmediatamente debajo de la lengua fuente, sin alterar el orden; las palabras culturales se traducen literalmente y el resto utilizando los significados más comunes, fuera del contexto. Este tipo de traducción se usa principalmente para estudiar los mecanismos de la lengua fuente o también como preparación para el proceso de la traducción de un texto difícil.

2.ª Traducción *literal,* que convierte las construcciones gramaticales de la lengua fuente en los equivalentes más cercanos de la lengua término; aquí las palabras léxicas se traducen una a una, fuera del contexto. Como proceso previo a la traducción, indica los problemas para solucionarlos después.

3.ª La traducción *fiel* intenta reproducir el significado contextual preciso del original, dentro de los límites establecidos por las estructuras gramaticales de la lengua término; transfiere las palabras culturales y preserva el grado de «anormalidad» gramatical y léxica (la desviación de las normas de la lengua fuente), tratando de ser completamente fiel a las intenciones y al propósito del escritor.

4.ª La traducción *semántica,* que ya hemos explicado al comienzo de este apartado, difiere de la anterior tan sólo en que tiene más en cuenta los valores estéticos del original, y transige donde es posible con el significado de manera que su versión no tenga repeticiones, juegos de palabras ni asonancias; traduce las palabras culturales por términos funcionales o neutros, no por sus equivalentes culturales, haciendo algunas concesiones al lector. La diferencia principal entre la traducción fiel y la semántica es que la primera es dogmática e intransigente mientras que la segunda es más flexible, admite la excepción creativa al cien por cien de fidelidad y permite la empatía intuitiva del traductor con el original.

5.ª La *adaptación* es la forma más libre de traducción y se usa

---

op. cit., págs. 329-30) reconocen tres categorías. El primero las denomina: *traducción literal, traslación* e *imitación,* con la particularidad de que en la intermedia, el traductor reproduce de cerca el original, al tiempo que compone un texto que resulta natural en su propia lengua y que tiene valor en sí mismo. García Yebra distingue entre *traducción literal, oblicua* y *libre,* con la diferencia de que esta última puede prescindir de los detalles y limitarse a las líneas generales del texto o encuadrarse dentro de la oblicua, si no se aparta del sentido original sino simplemente de la forma de expresarlo debido al uso de la lengua del traductor.

principalmente en la poesía y obras teatrales; no cambian normalmente ni el tema, ni los porcentajes ni el argumento; se reescribe el texto y la cultura de la lengua fuente se adapta a la lengua término.

6.ª La traducción *libre* reproduce el contenido sin la forma del original. Normalmente es una paráfrasis más extensa que el original, a veces prolija y pretenciosa, que no puede considerarse traducción.

7.ª La traducción *idiomática* reproduce el mensaje del original, pero tiende a deformar los matices del significado, al dar preferencia a los modismos y al lenguaje coloquial, aunque no lo haga el original.

8.ª La traducción *comunicativa* como también se acaba de explicar intenta ofrecer exactamente el significado contextual del texto original, de tal manera que tanto el contenido como el lenguaje sean fácilmente aceptables y comprensibles por el lector.

Los dos métodos que, según Newmark, cumplen los fines de la traducción —en primer lugar precisión y en segundo economía— son únicamente el semántico y el comunicativo. La traducción semántica se usa para textos de tipo expresivo y la comunicativa para textos informativos y vocativos. La primera es personal e individual, sigue el proceso del pensamiento del autor, tiende a sobretraducir, persigue los matices del significado, aunque trate de ser concisa a fin de reproducir el impacto pragmático; la segunda es social, se concentra en el mensaje y la fuerza principal del texto, tiende a infratraducir, a ser simple, clara y breve, y siempre se escribe en un estilo natural. La traducción semántica es normalmente inferior a su original, con pérdida cognitiva y pragmática; la comunicativa suele ser mejor que su original. En caso de necesidad, la traducción semántica tiene que interpretar y la comunicativa explicar. Teóricamente, la traducción comunicativa no permite al traductor más libertad que la semántica, lo que ocurre es que aquélla sirve principalmente al lector y ésta sigue una única autoridad bien definida: la del autor del texto fuente.

Existe una gran variedad de clasificaciones y criterios entre los lingüistas para definir los modelos de traducción. A pesar de esta diversidad, en lo que coinciden todos es en que una buena traducción puede iluminar el original y, si se quiere, obligarlo a adquirir claridad, a revelar la talla que se había subestimado, como ocurre con la obra de Faulkner y de E. A. Poe hasta que se traduce al francés. La mala traducción, por el contrario, es la que no hace justicia a su texto-fuente por ignorancia o precipitación; puede interpretar erróneamente el original o carecer del dominio de su propia lengua, ambos requisitos son indispensables para lograr una representación adecuada. La traducción falla donde no compensa, donde no logra restaurar la equidad, traduciendo menos de lo que el texto contenía o exaltando y desfigurando la realidad. El desequilibrio más común es el que origina la reducción, la disminución, restituyendo menos de lo que el texto original contiene y, a veces, incluso menos de lo que el traductor ha logrado entender.

No obstante, existen ejemplos de gran calidad que transmiten con exactitud el mensaje del texto original, que logran una auténtica paridad entre la traducción y el texto fuente, e incluso enriquecen y amplían la propia lengua del traductor, restituyendo y restableciendo un equilibrio y una equidad perfecta entre dos obras, dos lenguas, dos mundos de distinta experiencia histórica y cultural. Además, quizá lo que otorgue mayor importancia a la traducción es que le proporciona al original una esperanza de vida y le abre una zona de supervivencia geográfica y cultural que de otro modo carecería: los clásicos griegos y latinos deben al traductor haber escapado, al menos en parte, del silencio total, y ciertos textos redactados en lenguas de zonas geográficas reducidas se han elevado a la categoría de fuerza universal gracias a ser traducidos a una lengua de influencia mundial.

3.3. TEORÍA INTERPRETATIVA DE LA TRADUCCIÓN

Una consideración básica que hay que tener en cuenta en la teoría de la traducción es que el sentido de una palabra es su uso en el habla, no su significado semántico en la lengua. Como explica García-Landa:

> Toda reflexión sobre la praxis traductora es una meditación sobre la sutil frontera que separa a la *langue* de la *parole* puesto que el traducir sucede en el habla, no en la lengua. Se trata de dos mundos inseparables pero, no obstante, distintos, que todavía hoy se mezclan y confunden en lo que se suele llamar «lingüística» o «semántica», por ejemplo, en la «lingüística de texto», que tendría en rigor que llamarse «hablística del texto» puesto que el texto es habla también, escrita pero habla [22].

---

[22] GARCÍA LANDA, M. (1981): «La 'théorie du sens', théorie de la traduction», en *L'Enseignement de l'interprétation et de la traduction (de la théorie a la pédagogie)*. Ottawa: Editions de l'Université d'Ottawa, pág. 32.

Toda teorización que no tenga en cuenta más que las significaciones de la lengua es incapaz de describir las actividades de la traducción humana. No puede limitarse el análisis de una lengua a las variantes combinatorias de fórmulas preexistentes ni, dentro del campo de la traducción, a la búsqueda de equivalencias entre combinaciones de palabras de una lengua a otra. El hecho de que la práctica resuelva sin dificultad los problemas que produce este modelo teórico ha llevado a la escuela francesa de interpretación, encabezada por Seleskovitch y Laderer, a buscar otro modelo diferente del que le otorga su carácter de transcodificación, para atribuirle una función refleja que llaman «interpretativa».

Danica Seleskovitch [23], a partir de sus observaciones prácticas como intérprete de conferencia, elabora un esquema explicativo sumamente simple: en lugar de los dos únicos elementos que establece la teoría lingüística de la traducción —la lengua de partida y la lengua de llegada, y la transformación de la una en la otra— se contemplan tres elementos, como antes hemos indicado, que suponen una operación de comprensión y de reexpresión de las ideas, no de conversión de los signos:

1) el texto de la L1,
2) la aprehensión del sentido fuera de la lengua del texto,
3) la expresión de este sentido en la L2.

El punto central de la teoría interpretativa de la traducción consiste, por tanto, en establecer una etapa intermedia de desverbalización de las significaciones del texto original —entre la comprensión y la reexpresión—, en la cual se produce una síntesis de los elementos lingüísticos:

desverbalización

comprensión en L1   reexpresión en L2

Según Seleskovitch [24] la teoría de la traducción que se sitúe tan

[23] SELESKOVITCH, D. & LEDERER, M. (1984): *Interpréter pour traduire*. París: Didier, pág. 73.
[24] Ibíd., pág. 90. El comienzo de su teoría parte del concepto de que la interpretación de conferencia y la traducción de textos escritos no difieren en los aspectos fundamentales: las dos tienen como misión principal trasladar el sentido de un texto a otro y las dos se

sólo en el plano de la lengua está condenada a un callejón sin salida, ya que la transposición de los significantes es imposible en muchos casos y, en los que puede realizarse, por muy correctamente que se hayan ajustado a la lengua, nunca se asegura la transmisión del mensaje: por muy cuidadosamente que se establezca la equivalencia significativa de dos frases, nada indica los medios lingüísticos que se van a utilizar para expresar una misma idea en otra lengua.

Por el contrario, una teoría de la traducción que se preocupe exclusivamente de transmitir los mensajes se fundamenta en que toda lengua posee la capacidad de expresar con claridad lo que claramente piensa, desatendiendo el problema de las equivalencias en el plano de los significados: cuando sea necesario traducir una expresión difícil, tan sólo habrá que imaginarse una situación real, para así poder expresar sin ninguna dificultad todo lo que se desee.

En la teoría interpretativa de la traducción —según Seleskovitch [25]— se tiene en cuenta principalmente el papel importante que juega el conocimiento que posea el traductor sobre el tema y la intención del autor, y se confrontan la transcodificación, que se ha venido propugnando por los teóricos de la traducción, y la reexpresión, que se preconiza como solución a la mayor parte de los problemas que plantea la traducción. Para la primera, el estudio de las lenguas y su comparación es lo que proporciona el instrumento necesario a fin de establecer las equivalencias; los diccionarios bilingües o las gramáticas contrastivas son traducciones donde hallamos equivalencias de lexemas o de marcas gramaticales (*he is reading* = está leyendo/lee); el estudio comparativo de las lenguas permite descubrir también sus virtualidades semánticas, o sea, las diferentes significaciones que pueden tomar las palabras o frases, de las cuales sólo una se actualiza dentro del contexto, en detrimento de las otras (*he may not come* = no tiene

---

liberan del marco lingüístico del original. Son las modalidades de reexpresión las que difieren en la interpretación y en la traducción, al igual que las modalidades de expresión en el discurso oral y en el texto escrito. La primera, que ha de realizarse en un reducido espacio de tiempo, debe preocuparse ante todo del contenido de las formas lingüísticas evanescentes, mientras que la segunda, teniendo en cuenta la permanencia de las formas, se esfuerza por reencontrar la expresión adecuada dentro de su lengua, después de haber captado el sentido. Por ello, una teoría lingüística que se contente con comparar los estados de la lengua no puede entender un fenómeno que sólo aparece en el discurso, donde cada frase toma un sentido inédito.

[25] Ibíd. pág. 91.

permiso para venir, puede que no venga, etc.). Por tanto, la transcodificación no es más que un componente de la traducción, no *la*
traducción.

Sin duda es el estudio de la lengua escrita el que justifica la idea
de que para traducir conviene comparar los diferentes niveles de las
estructuras lingüísticas y establecer equivalencias entre ellas, ya que
es la lengua escrita la que permite descomponerla en sus elementos
constitutivos.

No obstante, las equivalencias establecidas entre las lenguas no son
aplicables a la traducción de textos sin una previa discriminación. Sabemos que los elementos transcodificables son infinitos, pero la transcodificación que reclaman es siempre puntual; sólo pueden ser trans-
codificados de manera automática dentro del texto o del discurso los
elementos, términos o expresiones cuya significación permanezca
siempre igual, tanto si se examinan a nivel de la lengua como si se
actualizan dentro de un discurso. Estos términos son equivalentes per-
manentes, como las cifras cuando designan cantidades (*ten* = diez),
los nombres propios (*London* = Londres) o las palabras técnicas. Para
que el resto de los elementos puedan ser reexpresados con claridad,
el texto del que forman parte debe ser siempre interpretado gracias a
otros conocimientos además de los lingüísticos. Es decir, las equivalencias contienen ideas que las lenguas solas no contienen, y estas
ideas aparecen gracias a la complementariedad de los conocimientos
no lingüísticos, junto con los lingüísticos, que posean el autor y el
lector.

Por tanto, ya que no se reexpresan las ideas como se traducen las
lenguas, para proporcionar equivalentes a los textos hace falta —según
Seleskovitch y Laderer— una operación interpretativa que se centre
en las ideas expresadas por los enunciados en lugar de en los propios
enunciados; no existe una transcodificación válida en abstracto para
todos los elementos lingüísticos, sólo lo es puntualmente dentro del
texto. Una traducción que quiera conseguir la clara comprensión del
texto no puede ser igual a la que se dirige al conocimiento de las
lenguas, pues la aplicación indiscriminada de todas las equivalencias
lingüísticas provocaría un fenómeno de rechazo por parte de los lectores.

Por otro lado, en la mayor parte de las ocasiones no existen equivalencias preestablecidas entre las lenguas para expresar los sentidos
que se desprenden de los textos, o dicho de otra manera, las equivalencias preestablecidas en las lenguas no coinciden con las equivalencias de sentido, pues el texto es una creación constante en vez de la
aplicación de las significaciones de la lengua. Esto exige, por tanto,

salir de la lengua y —sin pararse en la noción de estructura profunda que no va más allá de las significaciones lingüísticas— servirse del modelo de la interpretación para tratar de establecer un esquema explicativo de la articulación del sentido dentro del empleo de la lengua.

En ese paso intermedio entre la comprensión y la reexpresión —según Seleskovitch— es donde se produce el fenómeno que proporciona la clave de los mecanismos del lenguaje, las formas lingüísticas del original se desvanecen para no dejar subsistir más que la esencia del sentido, evitándose con ello la «laboriosa transposición». El texto se descompone en unidades de sentido que un traductor fiel a la articulación del pensamiento original debe restituir totalmente.

Esta misma teoría de que «traducir no consiste más que en reexpresar el sentido sin preocuparse de la forma» la mantiene también Mildred L. Larson [26] y García Landa, para quien «traducir no es reproducir espacios formales, sino sólo espacios sénsicos» [27]. Sin embargo, cuenta con muchos oponentes. Julio-César Santoyo —con el que coincidimos plenamente— así lo declara, después de transcribir la intervención de Peter Newmark en el VII Congreso Internacional de Lingüística Aplicada celebrado en Bruselas en 1984:

«Professor Seleskovich, I congratulate you on your most innovating lecture, but you will not be surprised to know that I disagree with a lot of it... You are a brilliant interpreter, but I do not think you should assume that translation consists first of comprehension, then the words disappear from your mind and then re-express them. That, oversimplified, is the impression that you are giving... I am going to make this brief: I could say the more colloquial the expression, the more different the translation will be. Whenever there is cultural overlap, universal language, the translation is likely to be closer. When somebody expresses himself, the translation must be as close as possible. The miracle of poetic translation, for instance, lyrical translation of Hopkins or Shakespeare, is precisely how closely they cling to the words, these words that you seem to despise... Translation is linguistic, which you seem to deny; it is also pragmatic, which you do not seem to realize, it is a part of linguistics... Translation is also psychological. It is a great mixture, it is artificial, it is complicated, and so on... But if we are going to be accurate in translation, then DO NOT ABANDON THE WORDS, Professor Seleskovitch!» [28].

---

[26] LARSON, M. L. (1984): *Meaning-Based Translation: A Guide to Cross-Language Equivalence.* Lanham MD.; University Press of America, pág. 3.

[27] GARCÍA LANDA, M. (1981): Ibíd., pág. 2.

[28] SANTOYO, J. C. (1988): «Los límites de la traducción», en *Jornadas de traducción e interpretación*. Granada: Universidad de Granada, pág. 204.

3.4. TEORÍAS DE LA RECEPCIÓN Y DE POLISISTEMAS: EL NUEVO PARADIGMA

En la década de 1970 aparece otra nueva tendencia de los Estudios de Traducción, denominada el *nuevo paradigma*, que hace uso de teorías modernas literario-lingüísticas; por un lado del formalismo literario, con las teorías de la recepción y de polisistemas y, por otro, de la pragmática, con la gramática funcional y la lingüística del texto.

La nueva teoría ha surgido de un grupo internacional de estudiosos que intentaba salir del punto muerto en que se encontraban los estudios de traducción literaria. Su acercamiento difiere de los trabajos más tradicionales en este área en algunos aspectos fundamentales, siendo su propósito simple: establecer un nuevo paradigma para el estudio de la traducción literaria, sobre la base de una teoría comprensiva y la consiguiente investigación práctica.

Este grupo no constituye una escuela, sino un conjunto de investigadores, geográficamente dispersos y con intereses diversos, pero que están de acuerdo básicamente en unas ideas fundamentales, a pesar de que esos puntos de afinidad sólo sean relativos y se trate de un campo común de discusión en vez de materia de doctrina. En resumen, lo que les une es:

1) su visión de la literatura como un sistema complejo y dinámico;

2) su convicción de que debe existir una interacción continua entre los modelos teóricos y los estudios de los aspectos prácticos;

3) su acercamiento descriptivo, funcional y sistémico a la traducción literaria, orientado hacia el producto;

4) su interés en las normas y cánones que rigen la realización y aceptación de la traducción en relación con otros tipos de procesamiento de textos, y en el lugar y el papel de la traducción tanto dentro de una literatura dada como en la interacción entre literaturas.

Theo Hermans [29] afirma que la concepción de la literatura como

---

[29] HERMANS, T. (1985): Introduction to *Manipulation of Literature: Studies in Literary*

un sistema, es decir, como un conjunto de elementos jerárquicamente estructurados, se remonta al formalismo ruso (Tynianov, Jakobson) y al estructuralismo checo (Mukarovsky, Vodicka). Hoy hay que buscarlo en las obras de estudiosos como Yury Lotman, Claudio Guillén, Siegfried Schmidt, Itamar Even-Zohar y otros. Sobre todo, el trabajo que viene realizando Itamar Even-Zohar, de la Universidad de Tel Aviv, está directamente asociado con el nuevo acercamiento de los estudios de traducción, reformulando en una serie de ensayos varias ideas procedentes de Tynianov y desarrollando la noción de la literatura como un *polisistema*, esto es, como un *conglomerado de sistemas* diferenciado y dinámico que se caracteriza por oposiciones internas y cambios continuos.

La teoría de polisistemas que propugna Even-Zohar [30] ve la traducción literaria como un elemento entre otros muchos dentro de la lucha constante por dominar los diversos estratos y subdivisiones del sistema. En una época y una literatura determinadas, las traducciones pueden constituir un subsistema separado, con sus propias características y modelos, o estar más o menos integradas dentro del sistema originario; pueden formar parte del centro básico del sistema o permanecer como un fenómeno periférico; pueden usarse como armas polémicas *primarias* para desafiar a la poética dominante, o pueden reservarse y reforzar las convenciones establecidas. Desde el punto de vista de la literatura término, toda traducción implica una forma de proceso del texto fuente para un determinado propósito. Además, la traducción representa un ejemplo crucial de lo que ocurre en la interacción entre diferentes códigos lingüísticos, literarios y culturales, y

---

Translation. London-Sidney: Croom Helm, pág. 13. Dentro de esta teoría se establece una oposición entre los modelos y tipos «primarios» (o innovadores) y los «secundarios» (o conservadores); entre el centro del sistema y su periferia; entre los estratos canonizados y no canonizados; entre las formas más o menos fuertemente codificadas; entre los diferentes géneros, etc. Ese aspecto dinámico resulta de las tensiones y conflictos generados por estas oposiciones múltiples, de manera que el polisistema como conjunto, y sus sistemas y subsistemas constituyentes, se encuentran en un estado de flujo perpetuo, siempre inestables. Y puesto que el polisistema literario se correlaciona con otros sistemas culturales, y se inserta en las estructuras ideológicas y socioeconómicas de la sociedad, su dinámica está lejos de ser mecanicista.

[30] EVEN-ZOHAR, I. (1981): «Translation Theory Today. A Call for Transfer Theory», *Poetics Today*, II, 4, Summer-Autumn, págs. 1-7. En relación con esta teoría, es importante la aclaración de J.J.A. Mooij («The Nature and Function of Literary Theories», *Poetics Today*, I, 1-2, Autumn 1979, pág. 133) sobre la noción de «teoría». En este caso, el término designa un marco sistemático para recoger, ordenar y explicar los datos. Es decir, aunque una teoría sea ante todo un modelo conceptual, y sea más atractiva cuando genera nuevas formas de observar e interpretar, también puede funcionar como instrumento de exploración y, por tanto, tener valor heurístico y cognoscitivo.

puesto que las nociones de interferencia, transformación funcional y cambio de código son aspectos esenciales de la teoría de polisistemas, la traducción también puede proporcionar las claves para el estudio de otros tipos de transferencia intra e intersistémica. Como modelo teórico, la teoría de polisistemas parece proporcionar un marco adecuado para el estudio sistemático de la literatura traducida. Es lo bastante simple y claro para resultar atractivo como instrumento cognoscitivo y, sin embargo, lo bastante flexible y completo para adaptarse a los diferentes casos y situaciones.

En el «nuevo paradigma» son necesarias tanto la práctica como los estudios realizados sobre casos concretos de traducción, ya que fundamentalmente la teoría sigue siendo un concepto experimental que necesita de aplicaciones. De manera ideal, el proceso funciona de dos formas: los estudios sirven del marco teórico, y los resultados de la investigación práctica lo ratifican o modifican. En la práctica, la relación entre los dos elementos es menos directa. Los estudios varían mucho en alcance y objetivos y pueden desarrollar su propio ritmo de trabajo. Por otro lado, la teoría consiste en un conjunto de hipótesis que los investigadores particulares utilizan de forma selectiva, y que incluso en conjunto sólo ofrecen un modelo abstracto y simplificado, bastante alejado del mundo real.

Sin embargo, en general, la teoría de polisistemas —no menos que la traducción literaria— parece suficientemente vigorosa y adaptable para estimular a la investigación en varios campos. En contraste con la mayoría de los trabajos convencionales sobre traducción, resulta menos prescriptivo un acercamiento basado en el concepto de sistemas literarios, ya que en lugar de proporcionar las directrices para futuras traducciones, aplicando este criterio a las ya existentes, el método descriptivo toma el texto traducido según está y trata de determinar los diversos factores que pueden afectar a su propia naturaleza. Esta posición implica que el investigador tiene que trabajar sin una noción preconcebida de lo que realmente constituye la traducción: como afirma Gideon Toury, la investigación de los fenómenos de la traducción debería partir del hecho empírico, es decir, del propio texto traducido:

> Any research into translation, whether it is confined to the product itself or intends to proceed to the reconstruction of the process which yielded it (and on from there), should start from the hypothesis that translations are facts of one system only: the target system. Not only have they left the source system behind, but they are in no position to affect its linguistic or textual rules or norms, its textual history, or the source text as such. On the other hand, they may well influence the recipient culture and language,

if only because every translation is initially perceived as a target-language utterance [31].

En consecuencia, una gran parte de los trabajos prácticos realizados en este contexto descriptivo, orientados al producto, son también de naturaleza histórica, porque tratan de los textos existentes que, en realidad, son (o lo fueron en su época) considerados como traducciones por la propia comunidad cultural. Este nuevo acercamiento trata de explicar, en términos funcionales, las estrategias textuales que determinan la forma en que una traducción dada funciona y, de manera más general, la forma en que funcionan las traducciones en la literatura del receptor (o meta). En el primer caso, el centro está principalmente en las normas transaccionales y en las diversas condiciones y suposiciones, de cualquier tono que sean, que pueden haber influenciado el modo de traducir y el producto subsiguiente. En el segundo caso, se trata de buscar explicaciones al efecto que produce la traducción en el nuevo entorno, es decir, la aceptación o rechazo de una determinada traducción (o un número de traducciones) en el sistema de llegada.

Aquí debemos recordar brevemente la teoría de la recepción, que tanto ha influido en la teoría de la traducción, y que se relaciona de manera directa con la equivalencia dinámica, según la cual la reacción producida en el lector del texto traducido ha de ser similar a la que el texto original produce en su lector.

Lo que interesa a la teoría de la recepción es la cuestión de cómo y bajo qué condiciones un texto tiene significado para el lector. En contraste con la interpretación tradicional, que trataba de hallar el sentido oculto en el texto, ve el significado como el resultado de una interacción entre el texto y el lector, desviando el foco de atención desde el texto como objeto, el acto de leer como proceso: la obra literaria no forma por sí sola el texto ni tampoco éste depende exclusivamente de la subjetividad del lector, sino de una combinación o unión de ambos, ya que, según Robert C. Holub, cuando leemos un texto, estamos continuamente evaluando y percibiendo imágenes e ideas de conformidad con nuestras expectativas de futuro, enmarcadas en las experiencias del pasado; es decir, mientras leemos estamos

---

[31]   TOURY, G. (1985): «A rationale for descriptive translation studies». en *The Manipulation of Literature*. London and Sydney: Cross Helm, pág. 35.

—continuamente y de manera inconsciente— construyendo imágenes en un proceso de «passive synthesis» [32].

Los resultados conseguidos con estos nuevos acercamientos a la traducción parecen muy positivos. Suponen, por un lado, un considerable ensanchamiento del horizonte, puesto que cualquier fenómeno referido a la traducción, en el sentido más amplio, se convierte en objeto de estudio y, por otro lado, proporcionan un tipo de investigación más coherente y dirigido al producto, ya que opera dentro de un concepto definido de literatura, y son conscientes de la interacción entre la teoría y la práctica [33].

En resumen, a pesar de la importancia de la teoría de la traducción, y de las aportaciones lingüísticas y literarias que ha recibido para su actual desarrollo, ésta no tiene sentido y es estéril si se separa de los problemas de la práctica de la traducción: de la necesidad de volver hacia atrás y estudiar el texto, de reflexionar y considerar uno por uno todos los factores, dentro y fuera de ese texto, para después tomar la decisión que se considere más acertada.

---

[32]   HOLUB, R. C., 1985 (1984): *Reception Theory: A Critical Introduction*. New York: Methuen, Inc., págs. 83-84. Analiza varios puntos de vista, principalmente el de Wolfgang Iser, que se deriva de Roman Ingarden.

[33]   Para mayor información sobre este tema, consultar las Actas de los Simposios sobre traducción literaria: el primero en la universidad de Lovaina en 1976 (las actas se publicaron en 1978 bajo el título *Literature and Translation: New Perspectives in Literary Studies*, editadas por J. S. Holmes, J. Lambert & R. van den Broeck), el segundo en la Universidad de Tel Avid en 1978 (las actas aparecieron en una edición especial de *Poetics Today*, verano-otoño de 1981, editadas por I. Even-Zohar y G. Toury), y el tercero en la Universidad de Antwerp en 1980 (actas en la edición de traducción de *Dispositio*, 1981, editores A. Lefevere y K. D. Jackson). Entre los textos teóricos más importantes del grupo está el ensayo de Even-Zohar sobre la «teoría de polisistemas», en *Poetics Today* (1979), *Literary Knowledge* de Lefevere (1977) y *In Search of a Theory of Translation* de Toury (1980). Muchos de los estudios llevados a cabo por los miembros del grupo han aparecido en revistas de gran alcance o en reimpresiones y otros sólo han aparecido en forma de tesis doctorales que no están publicadas. Los lugares donde estos trabajos aparecieron son Bélgica, Holanda e Israel y están escritos en holandés, francés y hebreo.

Capítulo IV

Lingüística Aplicada a la Traducción

La Lingüística Aplicada a la Traducción es quizá la disciplina que mejor puede resolver los problemas que se presentan al traductor durante el proceso, puesto que «engloba todos los campos de investigación que resultan de la intersección de la ciencia del lenguaje con otras disciplinas, entre ellas la teoría de la traducción» [1]. No obstante, para que la lingüística aplicada a la traducción pueda conseguir sus objetivos, ha de centrar sus estudios en los conceptos que son básicos para la actividad traductora, debiendo reunir —según Pergnier [2]— las siguientes características:

1) ser no sólo una lingüística de la lengua sino también una lingüística del habla,

2) incluir en sus estudios una teoría de la lengua junto a una teoría del mensaje que estudie las condiciones esenciales de la comunicación, y

3) definir las relaciones entre el sistema de signos y el contenido conceptual.

Antes de analizar por separado estos temas, comenzaremos con algunas ideas sobre el concepto de lingüística aplicada, cuyos estudios empezaron a delimitarse en centros de investigación y departamentos

---

[1] EBNETER, T., 1982 (1974): *Lingüística Aplicada*. Madrid: Ed. Gredos (trad. F. Meno), pág. 9.
[2] PERGNIER, M. (1978): *Les fondements socio-linquistiques de la traduction*. Paris: Librairie Honoré Champion, pág. 35.

universitarios en la década de 1940, como respuesta a un sentimiento bastante generalizado entre los lingüistas de que la didáctica de lenguas extranjeras no sólo era una cuestión de «arte», sino también de «ciencia», como ocurre con la teoría de la traducción. Estos estudiosos de la lengua pensaban que debían tratarse sus problemas específicos basándose en las aportaciones directas de la lingüística, y en seguida empezó a hablarse del «linguistic method», cristalizando el término de «applied linguistics» en títulos de revistas y estudios monográficos [3].

La obra de Robert Lado *Linguistics Across Cultures* [4] despertó el interés por los estudios comparativos en otras universidades americanas, llevándose a cabo un estudio comparativo de las estructuras en los campos fonológico y morfosintáctico, e intentando averiguar qué estructuras eran parecidas a la lengua nativa del estudiante y cuáles ofrecían «interferencia» debido a la falta de similitud. Se inició así el análisis de contrastes que tanto ha contribuido a la teoría de la traducción, y que gozó de gran popularidad durante las décadas de mil novecientos cincuenta y sesenta.

Esta rápida expansión del ámbito de la lingüística aplicada se patentiza en la lista de las áreas temáticas del II Congreso Internacional

---

[3]   Han contribuido a los avances experimentados en la lingüística aplicada figuras como Henry Sweet (*A New English Grammar*. Oxford: Clarendon Press, 1903), Otto Jespersen (*A Modern English Grammar*. Heidelberg: Carl Winters Universitätsbuchhand-lung. Vol. II, 1928 págs. 312-18; *Analytic Syntax*. London: Allen & Unwin, 1937. Reimpreso por Holt, Rinehart & Winston, New York, 1969; *Analytic Syntax*. London: George Allen & Unwin, Ltd., 1973), y Harold Palmer (*A Grammar of Spoken English*. Cambridge: W. Heffer & Sons, Ltd., 1927; *The Principles of Language Study*. Oxford: Oxford University Press, 1964 [1921]) (1921) a quienes se considera los fundadores de los métodos modernos de enseñanza, ya que han proporcionado las técnicas conducentes al desarrollo de la enseñanza de lenguas en las últimas décadas. Algunos lingüistas como Hockett, Hall y Bloch escribieron manuales sobre el aprendizaje de lenguas, siendo las obras de Bloomfield *Language*. London: Allen & Unwin, 1935 (1933); *Outline Guide for the Practical Study of Foreign Languages* (1942) y *Outline of Linguistic Analysis*, publicado por B. Bloch y G. Trager ese mismo año, las que sentarían los principios generales de la utilización del análisis lingüístico. Charles Fries, director del English Language Institute de la Universidad de Michigan, se encargó de llevar a la práctica las teorías de los estructuralistas para la enseñanza del inglés como lengua extranjera, preparando múltiples materiales didácticos con los que trató de interpretar «in a practical way of teaching, the principles of modern linguistic science and to use the results of scientific research» (*Teaching and Learning English as a Foreign Language*. Ann Arbor, Michigan: Univ. of Michigan 1945, pág. 1).

[4]   LADO, R., *Linguistics Across Cultures: Applied Linguistics for Teachers*, 1957. También, bajo la dirección de Charles Ferguson, se iniciaron una serie de trabajos en los que se comparaban el inglés y el español: *The Sounds of English and Spanish* (1965) y *The Grammatical Structures of English and Spanish* (1965), de P. Stockwell y D. C. Bowen. El English Language Institute también comenzó a editar desde 1948 la revista *Language Learning: A Journal of Applied Linguistics*, que tan gran influencia habría de ejercer.

de Cambridge, que tuvo lugar en 1969 [5], en el que la teoría de la traducción figura en el número 12.

Desde entonces la expansión de sus campos temáticos ha sido constante, como puede comprobarse por las Actas de los Congresos internacionales que se vienen celebrando, organizados por la Asociación Internacional de Lingüística Aplicada [6], o por los trabajos publicados en revistas especializadas [7]. Esto muestra que se trata de una disciplina dinámica que supone, según S.P. Corder, «the point at which all the branches of linguistics come together» [8], pues aunque algunos conciban la lingüística aplicada como una pura praxis y la reduzcan a un agregado de aplicaciones técnicas y útiles, debería considerarse una ciencia que abarca desde la teoría hasta la práctica, pasando por la ciencia aplicada. Según Culioli, «el dominio de la lingüística aplicada es la aplicación de la ciencia del lenguaje a un campo determinado. Por eso hay una teoría y una praxis de la aplicación de la lingüística» [9].

El interés por abordar el lenguaje desde perspectivas diferentes se ha traducido también en la aplicación con fines prácticos de los conceptos, hallazgos y resultados de la lingüística a unas áreas determinadas, llegando Ebneter a considerar la lingüística aplicada una «ciencia de intersección» donde se integran las diversas disciplinas en una imagen global, que se ocupa de «la presentación detallada de la transformación de las teorías lingüísticas modernas o de los conocimientos de la moderna ciencia del lenguaje directamente en material de enseñanza» [10].

---

[5] Fue publicado en tres volúmenes en 1971 por Perren y Trim, Pimsleur y Quinn, y Nickel.

[6] ACTES (1966): *Actes du premier colloque international de linquistique appliquée. Université de Nancy 26-31 oct. 1964.* Nancy: Annales de l'Est, núm. 31.

[7] Pueden citarse *Applied Linguistics, International Review of Applied Lingustics* o *Annual Review of Applied Linguistics.*

[8] CORDER, S. P. (1973) *Introducing Applied Linguistics. Harmondsworth: Penguin Books, pág. 57.*

[9] CULIOLI, A. (1976): «La comunicación verbale», en *Encyclopédie des Sciences de l'homme,* vol. 4. Branche Bateliére, pág. 226.

[10] EBNETER, T., 1982, (1974): op. cit., pág. 13. Esta concepción de la lingüística aplicada como una ciencia de intersección también se encuentra en la teoría de Back («Was bedeutet und was bezeichnet der Ausdruck 'angewandte Sprachwissenschaft'»?, en *Die Sprache. Zeitschrift für Sprachwissenschaft,* 16, 1970, pág. 22), que parte del esquema: 1) ciencia pura, 2) ciencia aplicada y 3) praxis. El primero y el segundo aspectos aparecen como complementarios, se consideran como un recurso «para procurar con sus métodos y resultados conocimientos que no pertenecen a su propia temática».

La lingüística aplicada tiene, pues, la responsabilidad de asimilar la teoría de la lingüística descriptiva y de producir unos modelos que la presenten de forma más asequible a los estudiantes y profesores de lenguas. Ha de tratar constantemente de establecer un puente entre las preocupaciones teóricas del lingüista descriptivo, que presenta unos modelos altamente abstractos, y las necesidades prácticas, de tal manera que sin dejar de representar las ideas expresadas por los teóricos, puedan ser utilizadas como fuente de datos sobre el lenguaje.

En su obra *Principles of Language Study* [11], Palmer describe el orden en que tiene lugar el aprendizaje de la lengua, siendo las técnicas que más han ayudado al avance de la enseñanza: a) la aceptación de la oración, en vez de la palabra, como unidad de aprendizaje; b) la necesidad de una selección y graduación de los elementos para colocarlos en los niveles adecuados; c) la preferencia por algún tipo de método directo según el cual se evita la L1 del alumno.

Aunque haya todavía un largo camino por recorrer, el avance experimentado por la Lingüística Aplicada en la década de 1960, y más claramente en la siguiente, ha llevado a un nuevo acercamiento: el funcionalismo, que considera el lenguaje como un sistema abierto y dinámico, por medio del cual los miembros de la comunidad cambian información. Esta postura contrasta básicamente con el concepto del sistema del lenguaje cerrado y estático que se propugnaba desde Saussure y que consideraba a la lengua un código formado de elementos y de sus relaciones entre cada uno de ellos.

Como puede apreciarse, los lingüistas descriptivos crearon unos modelos del lenguaje que se iban centrando cada vez más en la semántica —totalmente olvidada por el estructuralismo—, llevándoles a aceptar que la parte del significado de una palabra o de una oración depende de la situación en que se usa. Esto es esencial para la teoría

---

[11]   PALMER, H. Harold Palmer (1927): *A Grammar of Spoken English*. Cambridge: W. Heffer & Sons, Ltd.; y *The Principles of Language Study*. Oxford: Oxford University Press, 1964 (1921). El orden que propugna es el siguiente: 1) el estudiante aprende a reconocer y producir los sonidos y los tonos de la L2 solo y en grupo; 2) el estudiante memoriza, sin analizarlas, un gran número de oraciones completas que han sido seleccionadas por el profesor o el redactor del libro de texto; 3) el estudiante empieza a construir para sí mismo las oraciones —regulares e irregulares— que se acostumbrará a pronunciar. Este orden es totalmente contrario al «tradicional», que comenzaba con palabras escritas, y tan sólo en la fase final leía en voz alta y practicaba diálogos cortos, en lo que se llamaban clases de conversación.

de la traducción, que debe distinguir entre los dos aspectos fundamentales del lenguaje que le incumben: el habla y la lengua.

4.1. PLANO DE LA LENGUA Y PLANO DEL HABLA

En este apartado, queremos reiterar la importancia para los Estudios de Traducción de estos dos conceptos de lengua y habla, ya que
somos conscientes de la imposibilidad de comprender la lengua más
que a través de manifestaciones individuales; de ahí que la traducción
opere sobre actos de habla, al no existir en el plano de la lengua
equivalencias fijas más que en ciertas expresiones como son los nombres propios, las cifras o las designaciones técnicas.

Esta distinción en la dicotomía lengua-habla no ha sido unánime-
mente aceptada por todos los lingüistas: Eric Buyssens llega a una
división tripartita de la dicotomía saussuriana a partir de su planteamiento semiológico, que justifica por la necesidad de recurrir a la
comparación con otros sistemas de comunicación debido a la imposibilidad en la que se halla todo lingüista de conocer el conjunto de las
lenguas del mundo o incluso un número representativo de ellas. Descubre la insuficiencia de la formulación saussuriana a partir de la comparación del acto sémico con la descripción hecha por Saussure de la
doble vertiente del lenguaje. Todo hecho semiológico comprende el
acto sémico concreto, en cuanto realización material, y el *sema* o conjunto de elementos funcionales contenidos en el acto sémico; lo que,
aplicado al lenguaje humano, le lleva a hablar de *parole* o mecanismo
de exteriorización y *discurso* o sucesión de los elementos que aseguran
la comunicación [12].

---

[12] BUYSSENS, E. (1967): *La communication et l'articulation linguistique*. Bruxelles:
Presses Univ. de Bruxelles. París: P.U.F., pág. 40. Puede discutirse la elección de un
término tan cargado de sentidos diversos como discurso o decurso, mas no dudamos de la
conveniencia de distinguir ambas nociones. Añadiremos, sin embargo, que esta distinción
estaba ya implícitamente incluida en el *Curso de lingüística general parole, langue* y en la
lingüística derivada de él, al considerar la realización material del acto comunicativo ajena
al estudio lingüístico propiamente dicho, por pertenecer a lo que Hjelmslev llamaría el
plano de la sustancia. Pese a ello sería conveniente analizar las relaciones entre la parole
y el discurso, en el sentido que le da Buyssens, y la parole y la langue saussurianas.

Haciéndose eco de intentos anteriores [13], Eugenio Coseriu [14] propone sustituir la dicotomía saussuriana *lengua-habla* por *sistema-norma-habla*. La distinción de un doble grado de abstracción —el de la norma y el del sistema— ofrece abundantes aplicaciones, especialmente al plantear el estudio de una lengua extranjera [15]. No obstante, habría que señalar que la distinción entre ambas acaso sea menos absoluta de lo que supone Coseriu. El problema, en nuestra opinión, se plantea a la hora de decidir el rasgo que debe ser considerado relevante. El objeto de la lingüística es, para nosotros, analizar el *sistema* de una lengua dada, incluyendo la consideración de la *norma*. Para ello tendremos que partir de la *lengua*, concretamente realizada, y recurrir al *habla*, teniendo en cuenta los aspectos socializados de la realización concreta de la actividad lingüística.

La Sociolingüística nace de los estudios de geografía lingüística y especialmente de la dialectología. Aborda el estudio del lenguaje en relación con factores sociales, es decir, clase social, nivel educativo y tipo de educación, edad, sexo, origen étnico, etc. Se suele hacer una distinción entre *microsociolingüística*, que se ocupa del estudio de la comunicación interpersonal y se centra en aquellos factores que juegan un papel en los procesos de interacción verbal (relación hablante/oyente, función y tema de conversación, etc.), y *macrosociolingüística*, que analiza y trata los fenómenos de conservación de la lengua, del cambio y conflicto de lenguas, de la estandarización, de la actitud

---

[13]　En la Conferencia de semántica organizada por E. Benveniste en 1951 en Niza, Hjelmslev y Lotz propusieron una consideración tripartita de la lengua.

[14]　COSERIU, E. (1962): «Sistema, norma y habla», en *Teoría del lenguaje y lingüística general*. Madrid: Gredos, pág. 28. El término sistema, preferible al de lengua, goza de la ventaja de evitar la polisemia de este último concepto, principalmente en empleos tan difundidos como los de «lengua española, inglesa», etc., para designar tanto el sistema como sus realizaciones concretas, o la «lengua de un escritor», indicando un conjunto de peculiaridades idiomáticas individuales que, en la terminología saussuriana, corresponderían al habla. La antinomia del *Curso de lingüística general*, según Coseriu (pág. 54), se debe a la confusión de nociones distintas a partir de las que define su concepto de lengua: 1) en cuanto acervo lingüístico; 2) en cuanto institución social; 3) en cuanto sistema funcional. Así, partiendo de esta confusión, Saussure delimita los conceptos de lengua y habla según tres principios diferentes: 1) social-individual; 2) sistemático-asistemático; 3) abstracto-concreto. Halla, además, en el *Curso* mismo una doble concepción de la lengua, como institución social —que incluye elementos no funcionales— y como sistema abstracto de oposiciones formales (pág. 59), por lo que establece —dentro de la noción saussuriana de lengua— un doble plano, el de sistema y el de norma. «La lengua, en el sentido amplio del término, no es sólo sistema funcional, sino también realización normal.» (pág. 68).

[15]　Frente al sistema, la norma incluye los rasgos no pertinentes pero constantes y «normales» (en el sentido de más frecuentes) de la lengua.

frente a las lenguas, del bilingüismo o plurilingüismo, de la planificación lingüística, etc. [16] El sociolingüista está interesado en quién habla, de qué habla y a quién se dirige, así como del cuándo, dónde y porqué; por ejemplo, del contexto social del uso de la lengua. Puede adoptar una postura teórica hacia la enseñanza y el aprendizaje de la lengua y concentrarse en los modelos abstractos del uso de la lengua, pero su compromiso con los aspectos sociales de la lengua le obligan a verse implicado a algún nivel en la creación de programas de capacitación del lenguaje.

Por lo que se refiere a la traducción, la sociolingüística reviste una vital importancia, ya que al contrario de la lingüística general, que trata las lenguas como sistemas inmanentes de significantes y significados, esta rama de la lingüística considera los mismos sistemas dentro de su existencia histórica y sociológica, de su relación entre los sujetos hablantes y la comunicación, y de las condiciones del cambio lingüístico, sin olvidar que los problemas lingüísticos de la traducción son más frecuentemente problemas de identificación de unidades idiomáticas que de unidades estructurales.

4.2. EN TORNO A LA TEORÍA DEL MENSAJE: EL TEXTO

En primer lugar, parece necesario destacar que la traducción es, sin duda, la mejor lectura que puede hacerse del mensaje contenido en un texto, aunque este mensaje sólo exista a través de la lengua, su intermediaria, por medio de la cual se manifiesta. El traductor opera sobre una pluralidad de códigos yuxtapuestos que se insertan los unos en los otros, no pudiéndose, por tanto, hablar de «traducción» de una manera abstracta que se base sobre la traducibilidad de las formas lingüísticas de una lengua dentro de otra, ya que toda traducción supone un traductor, y es el traductor el que se encuentra dentro de una relación dada con la lengua en que está formulado el mensaje y con la otra lengua a la que lo traduce.

El mensaje enunciado puede descifrarse por todo lector nativo. Esta capacidad procede del conocimiento adquirido del código, que le permite interpretar enunciados no escuchados con anterioridad. Salvo

---

[16] BELL, R. T., 1987 (1981): *An Introduction to Applied Lingustics*. Londo: B.T. Bastsford Ltd., pág. 26.

algunas excepciones, los enunciados lingüísticos que constituyen los significados de los mensajes no son unívocos sino susceptibles de traducciones múltiples, según las condiciones en que se emitan. Es decir, el sentido de un enunciado está estrechamente unido a las condiciones de su emisión; por tanto, la traducción nunca debe operar sobre el enunciado en cuanto tal, sino sobre el mensaje.

Las características esenciales del mensaje son su transmisión y la recepción por el destinatario, con un contenido casi idéntico al que le otorgó su emisor. La condición para que las dos funciones se cumplan es que el destinatario y el emisor utilicen un código común. No hay mensaje sin código, y lo propio del código es ser común a todos los individuos que intercambian el mensaje: estas dos nociones de código y mensaje están en el centro de la problemática de los Estudios de Traducción, si pensamos que la actividad traductora implica transmitir un mismo mensaje por medio de un código lingüístico diferente. Si, además, el objetivo primordial de la traducción consiste en suprimir las barreras que separan a dos lenguas, no podemos negar la importancia del mensaje, a través del cual lo lleva a cabo.

La comprensión de un enunciado requiere que todos los términos se refieran correctamente a la situación que los ha originado y que les confiere su sentido. Sin esta referencia, el enunciado resultará ambiguo para los receptores. Por tanto, puede afirmarse que el objeto de un mensaje condiciona su enunciación, que ha de designar, por medio de los términos que se consideren más adecuados, aquello de lo que se habla. Desde este punto de vista, la enunciación consiste, por tanto, en una adecuación de los términos a los objetos designados [17].

Una vez establecida la misión primordial que tiene el traductor —además de conocer las dos lenguas— de comprender el mensaje contenido en el texto, prestaremos una atención especial a su descripción, por considerar que el conocimiento de cómo funciona el texto ayuda a enfocar las dificultades de la traducción desde una perspectiva diferente, aportando alguna luz al especial tratamiento que la actividad traductora debe llevar a cabo para extraer el mensaje. Por el contrario, si pensáramos que el proceso de traducción se realiza a nivel de las palabras o de las frases —sin tener en cuenta que todas

---

[17]   Esta adecuación al objeto no es el único factor que condiciona la apropiación de los términos al enunciado, ya que el emisor enunciará de forma diferente según el interés de los otros parámetros, que son en efecto los que también van a condicionar la adecuación de los términos.

ellas responden a una argumentación determinada—, a la selección de unos recursos expresivos concretos o una única intención comunicativa, el resultado sería un producto falseado e incomprensible. Sin embargo, situados en una perspectiva que supera las unidades mínimas del texto, nos hallamos ya en el terreno de la lingüística textual, pues los modelos que desarrollaron las principales escuelas anteriores no eran aplicables más que a la palabra y a la frase, mientras que en la lingüística del texto la unidad fundamental de un mensaje es todo el texto considerado como un gran signo de comunicación.

La lingüística del texto o gramática textual presenta un gran número de estudios en los países germánicos [18], y en España está siendo estudiada, entre otros, por Enrique Bernárdez. Los objetivos de la Lingüística del texto, como indica Tricás [19], se asemejan perfectamente a las necesidades del traductor, que podemos sintetizar en:

1) integrar elementos semánticos y pragmáticos con los puramente gramaticales;

2) analizar, desde la perspectiva del texto coherente, un conjunto de fenómenos que no pueden enfocarse desde las frases aisladas, y

3) utilizar una serie de recursos no lingüísticos para profundizar en la problemática del significado.

Partir de la comprensión textual global permite entender mejor las distintas secuencias que componen el texto, que es el resultado de unas estrategias de lenguaje concretas y posee una morfología que lo caracteriza, conteniendo la unidad textual principios implícitos y presuposiciones que superan el nivel de lo lingüístico: los estudios textuales, algunos de cuyos postulados están más próximos al campo literario o estilístico que al propiamente lingüístico, permiten enfocar un conjunto de problemas que escapan a otras concepciones lingüísticas y que constituyen puntos clave para la traducción,

> ... esta necesidad de no limitarse a la frase se ve con mayor claridad aún en el campo de la traducción, sea automática o humana, que en los demás terrenos de la lingüística. Partiendo de la problemática específica de la tra-

---

[18] (I. Ihwe, H. Isenberg, W. Kummer, E. Lang, W. Thummel, J. Petöfi, H. Rieser, S. J. Schmidt, etc.).

[19] TRICAS, M. (1988): «Lingüística textual y traducción», en *Problemas de la traducción*. Madrid: Fundación Alfonso X el Sabio. Pág. 151.

ducción se llega a consideraciones de interés no meramente metodológico, sino también teórico [20].

La lingüística del texto, a diferencia del análisis del discurso, atento a fenómenos de índole psicológica y social, ha preferido permanecer dentro de los límites de la lingüística, sin recurrir a otras disciplinas. Surgió de una toma de conciencia de las limitaciones de una lingüística de la frase, sin pretender romper con la tradición lingüística anterior [21]. Se trata de una corriente nueva, por tanto con una historia reciente, pero de una importancia considerable y totalmente integrada en los estudios lingüísticos e incluso gramaticales y específicos de la lengua inglesa. El objeto de la gramática textual es completar la lingüística de la frase, añadiendo a la gramática un componente textual capaz de explicar la coherencia de un texto, ya que actualmente se distinguen dos unidades lingüísticas superiores a la frase: el *enunciado* y el *texto*. A pesar de que no exista un concepto unívoco de ambos términos, podemos definir el enunciado como una palabra, una frase o un conjunto de frases que constituyen una unidad semántica y se sitúa entre dos silencios.

Sabemos que todo texto no es una mera sucesión de oraciones sino que responde, en último término, a una *base textual* o *plan macroestructural* (las denominaciones varían según los diversos modelos de análisis), que constituye la estructura más profunda del texto. Además de esta estructura profunda textual se distingue la estructura superficial textual *(microestructura),* en la que se distingue, a su vez, la estructura profunda oracional y la estructura superficial oracional.

La gramática textual intenta formular las reglas que gobiernan el paso progresivo desde la estructura profunda textual al nivel superficial del texto, constituido por la sucesión de oraciones, contando con diversos modelos de análisis. Algunos se limitan a la realidad lingüística del texto propiamente dicha, mientras que otros amplían el modelo para abarcar la realidad extralingüística denotada por el texto. En general los diversos modelos toman en consideración el componente pragmático del texto.

---

[20] BERNÁRDEZ, E. (1982): *Introducción a la Lingüística del Texto.* Madrid: Espasa Calpe, pág. 29.
[21] En general los partidarios de la lingüística del texto parten de los análisis de la gramática generativa y con frecuencia del grupo heterodoxo de los semánticos generativistas.

En los últimos seis u ocho años se han producido unos cambios bastante considerables respecto a lo que era el campo de estudio de la lingüística del texto todavía en los años setenta. Entonces existía toda una serie de escuelas y tendencias y de grandes figuras reconocidas internacionalmente, pero que trabajaban de una manera bastante aislada, sin apenas contacto, de manera que no se deslizaban las investigaciones entre las distintas escuelas fuera de los miembros de cada grupo. Esto se ha modificado desde el principio de los años ochenta, y existe una unidad de trabajo de lingüística del texto que no existe en otras tendencias lingüísticas actuales, ni en la gramática generativa ni en las escuelas estructuralistas que aún quedan. De esta manera, las teorías desarrolladas por un especialista de una determinada escuela [22], pueden ser tratadas por lingüistas de escuelas muy distintas.

Según ha expuesto Enrique Bernárdez [23], el motivo fundamental de que exista esta unidad de trabajo se debe a que los lingüistas textuales tienen un solo objeto de estudio, el texto, y una forma muy específica de ver el texto: como un fenómeno comunicativo. Por otro lado, tenemos la propia complejidad del texto, muy superior a la complejidad de la oración y, desde luego, de la palabra, que obliga a que tengamos que estudiar el texto desde perspectivas muy diferentes, no siendo posible su estudio desde una única perspectiva. Esto se puede apreciar por los estudios tan diversos que aparecen en las revistas especializadas [24], y esta diversidad dentro de un campo limitado por un objeto único y por una única manera de ver ese objeto como elemento comunicativo ha llevado ya desde hace años a que se hable y se proponga una ciencia del texto, que sería una especie de macrodisciplina que englobaría a las diferentes disciplinas que estudian el texto desde diversos puntos de vista [25].

Sin entrar en consideraciones sobre el cambio de denominación propuesto, al decir que estudiamos el texto como unidad comunicativa se implica que no sólo nos interesan las estructuras textuales, sino que lo principal es el uso comunicativo que se hace del texto.

---

[22]   Por ejemplo Halliday, con sus estudios sobre coherencia y cohesión.
[23]   Congreso de AEDEAN (diciembre 1988).
[24]   Por ejemplo *Text*, donde hay trabajos sobre estructuras microtextuales, sintaxis textual, uso de determinantes, sintagmas verbales, orden de las palabras, estudios psicolingüísticos, estudios de lingüística computacional o de inteligencia artificial, estudios teóricos de metodología y de epistemología del lenguaje, etc.
[25]   De ahí que haya muchas revistas que aparecen ya bajo el título de *Ciencia del Texto* y no *Lingüística del texto*.

Antes de iniciar el acto de comunicación, un hablante o un escritor tiene en su mente un proceso «textual» de lo que desea expresar. La elaboración de un texto no depende tan sólo de unas reglas gramaticales y retóricas sino también de un conjunto de factores —semánticos y pragmáticos— que determinan la coherencia del mismo y lo convierten en una unidad comunicativa. Un productor —emisor o generador— de textos, va a usar ese texto para un determinado objetivo y, para ello, utilizará un medio lingüístico y tendrá en cuenta las peculiaridades del receptor [26]. Todo esto conduce a la macroestructuración del texto, o a su estructuración retórica. No se refiere todavía a la forma final que va a tener el texto, pero lo importante es que no hemos funcionado a base de reconocer unas estructuras profundas o superficiales que se van realizando, sino simplemente con unas estrategias que se van utilizando en determinados niveles, en una constante selección de unos elementos frente a otros de los posibles de que se dispone y la forma de organización más normal de combinación de los elementos de un esquema.

De aquí hacia abajo el proceso funciona de una manera similar; cada nivel pasa a otro inferior, existiendo una serie de procesos posibles que pueden actuar en ese nivel. Cuando se está en el proceso de planificación del texto, ya se está seleccionando el vocabulario o se están estableciendo opciones sobre la estructura de las relaciones, orden de las palabras, y cuando estamos redactando una oración determinada, es posible volver a las fases anteriores o incluso a las siguientes: pensar cómo suena esa frase —nivel fonológico— al igual que el lector que quiere obtener una idea general sobre el texto y la finalidad de ese texto; a continuación se desarrolla esa idea inicial en esquemas y marcos, lo que puede obligar a interacciones.

La idea básica que distingue a la lingüística textual de otras tendencias existentes es que en ningún momento estamos refiriéndonos a estructuras finales del texto, sino que hacemos el estudio del texto fundamentalmente a partir del intento de reconocer las distintas estrategias, los procesos que han dado lugar a ese texto final; esto es,

---

[26] Puede considerarse el texto como una herramienta de la que se vale el hablante para convencer al oyente y el instrumento del que se sirve el oyente para conocer los objetivos del hablante. Aunque el estudio del instrumento en sí mismo pueda producirnos placer, no tendrá objetivo a menos que lo relacionemos con la función para la que sirve, porque tendrá determinadas estructuras en función precisamente de los fines para que ha sido producido y no simplemente como resultado de las hipotéticas reglas de una gramática textual. De aquí que toda lingüística del texto sea hoy de una u otra forma funcional, nunca simplemente estructural.

estamos moviéndonos en un terreno distinto al que se movían los estructuralistas y los generativistas.

Existe algún intento de construir una lingüística total, que incluya la *actividad discursiva* del sujeto, el proceso de enunciación, sin limitarse al análisis de los enunciados. Uno de los más interesantes es, sin duda, el de Antoine Culioli[27], para quien el objeto de la lingüística es la actividad discursiva del sujeto en situación de discurso con todas sus características y todos los factores que la determinan. En su obra se refleja la influencia de la primera formulación de la gramática generativa, aunque en algunos conceptos parece aproximarse a los semánticos generativistas. Rechaza la distinción chomskyana entre estructura profunda y estructura superficial, convencido de que el lenguaje humano actúa a través de una sucesión de niveles distintos: desde el nivel más profundo de índole extralingüística, al más superficial. Al nivel más profundo la distinción entre semántica y sintaxis pierde su pertinencia. El nivel extralingüístico profundo se compone de nociones (entidades cognoscitivas) organizadas en relaciones primitivas, que se insertan en la estructura lingüística dentro del marco de una situación de discurso particular, mediante la construcción de una *lexis*. La lexis es el núcleo gramatical que adopta la forma de una *relación predicativa*. La lexis se inserta dentro de la situación de enunciación o situación de discurso, que consta de diversos parámetros: sujeto enunciador, tiempo de la enunciación, tematización, modalización, cuantificación y aspecto. Los dos primeros parámetros (persona y tiempo) son los parámetros principales. Las operaciones de enunciación definen las relaciones entre estos parámetros y el enunciado. El enunciado realizado depende de las imposiciones de la situación de discurso y de las reglas de formación de las oraciones de cada lengua (esquema de oraciones).

Una premisa que hay que tener muy en cuenta en la Lingüística del texto —según Tricás[28]— es su especial hincapié en el nivel pragmático del discurso: las relaciones entre la estructura textual y los elementos de la situación comunicativa, estrechamente vinculados con aquélla, que integran el contexto. Esto se deriva de que todo signo está incluido en un proceso de comunicación concreto y, fuera de este contexto, su significación es muy diferente. El nuevo receptor ha de

---

[27] (1967, 1968, 1971, 1973, 1974). El autor es poco conocido, fuera del dominio universitario francés, debido esencialmente a que el número de sus publicaciones no es elevado y a que la mayoría de sus trabajos son artículos de difícil acceso.

[28] TRICÁS (1988): op. cit., pág. 149.

captar el mensaje con la misma intensidad que aquél a quien iba dirigido el texto original. Al variar el contexto situacional que completaba el sentido de los elementos implícitos del enunciado, el traductor tiene que procurar recuperar esas pérdidas semánticas mediante los procedimientos que aconseja la lingüística o, caso contrario, la comunicación será incompleta y no equivalente. Como afirma Beaugrande, «...the success of a communicative act based on language (a "speech act") depends on whether the recipient of the message not only understands the information, but also the intention that motivated the sending of the message» [29].

Por otro lado, muchos teóricos han dividido el texto de acuerdo con sus características (literario, técnico-científico, etc.), pero quizá sea más productivo —según Peter Newmark [30]— comenzar con la teoría de Bühler (1934) sobre las funciones del lenguaje, que tan gran influencia tuvo en la Escuela de Praga y que ha sido utilizada por algunos teóricos de la traducción [31]:

Partiendo del análisis de los factores presentes en la comunicación, Jakobson [32] ha reformulado las funciones del lenguaje de Bühler:

A	B	C
EXPRESSIVE FUNCTION (or self-expressive, creative, subjective)	INFORMATIVE FUNCTION (or cognitive, denotative, representational, intellectual, referential, descriptive, objetive)	VOCATIVE FUNCTION (or social injunctive, emotive, rhetorical, affective, excitatory, conative, dynamic, directive, connotative, seductive, stimulative, operative, suggestive, imperative, persuasive, rhetorical)

Consideraremos el problema con cierta atención dada la importancia que presenta no sólo para la lingüística sino también para la teoría de la traducción ya que ésta, según George Steiner, es un caso especial en el proceso de comunicación que concluye en todo acto de habla

---

[29]   BEAUGRANDE, R. (1978): *Factors in a Theory of Poetic Translation*, Assen: Van Gorcum, pág. 36.
[30]   NEWMARK, P. (1981): op. cit., pág. 13.
[31]   Entre ellos Reiss (1971), Hartman y Vernay (1970).
[32]   JAKOBSON, R. (1960): «Linguistics and Poetics», en *Style in Language*, ed. T. A. Sebeok, New York, págs. 209-48.

realizado dentro de una lengua dada: «Inside or between languages, human communication equals translation and a study of translation is a study of language» [33]. El modelo *emisor-receptor* que representa cualquier proceso semiológico y semántico es ontológicamente equivalente al modelo *lengua fuente-lengua receptora* usado en la teoría de la traducción, ya que en el centro de ambos esquemas hay una operación de desciframiento interpretativo, una función de codificación-descodificación [34].

La concepción tripartita de Bühler es el punto de partida de los principales estudios lingüísticos sobre el tema. Distingue una función representativa (transmisión de un contenido), una función apelativa (destinada a llamar, atraer la atención del interlocutor) y una función expresiva (manifestación del estado psíquico del hablante); la función comunicativa es considerada una función general, punto de partida de las restantes funciones [35]. Mukarovsky [36] añadió una cuarta función, centro de interés del lenguaje poético, la función estética, que Jakobson denominaba función poética [37]. El autor ruso veía en esta función, no exclusiva de la lengua literaria aunque siempre predominante en ella, una de las tendencias más constantes del lenguaje poético de todas las épocas. Años después reelabora la teoría de las funciones de Bühler completada por la Escuela de Praga, elevando a seis el número de funciones, definiendo cada una de ellas a partir del factor de la comunicación sobre el que se centran. La orientación hacia el contexto o referente constituye la función denotativa, referencial o cognoscitiva. La función expresiva o emotiva se centra sobre el remitente y halla su expresión más pura en la interjección. La función conativa se centra sobre el destinatario (aparece representada en la lengua por el

---

[33] STEINER, G. (1975): op. cit., pág. 47.
[34] ROCA PONS, J. (1973): *El lenguaje.* Barcelona: Teide, pág. 16: «el tema de las funciones del lenguaje goza de larga tradición en los estudios filosóficos occidentales. Esbozado por Platón y Aristóteles —quien reconoce dos funciones, la función representativa y la función expresiva— logró con Tomás de Aquino su formulación más persistente: el lenguaje posee tres funciones, una función indicativa, una función imperativa y una función optativa, predominando la primera sobre las dos restantes.
[35] BUHLER, K., 1967 (1933) *Teoría del Lenguaje.* Madrid: Rev. de Occidente, págs. 69-72 (trad. esp. de Julián Marías del alemán). La Escuela de Praga tomó la formulación de Bühler y la aplicó al estudio de la fonología y de la lengua literaria. Sobre ellas basa Trubetzkoy (1964 [1939] *Principes de phonologie.* Trad. del alemán J. Cantineau. París, Klincksieck págs. 16-29, trad. española, 1974, *Principios de fonología.* Madrid: Cincel) su división de la fonología en tres ramas diferentes.
[36] MUKAROVSKI, J., 1970 (1938): «La dénomination poétique et la fonction esthétique de la langue», en *Poétique,* 3, págs. 392-8.
[37] JAKOBSON, R. (1973): *Questions de poétique.* Paris: Seuil, págs. 145-51.

vocativo o el imperativo). La función fática tiende a establecer o acentuar el contacto entre el emisor y el receptor (responden a ella frases en las que la intención comunicativa está prácticamente ausente, únicamente destinadas a llamar la atención, a verificar si un circuito funciona, etc.: ej. *Hello;* en el teléfono; *One, two, three,* para probar un altavoz, etc. Es la primera función que adquieren los niños y la única poseída por los animales parlantes). En la función metalingüística la atención se concentra sobre el código mismo (ej.: todo intento de verificar la comprensión o el significado de una palabra, frase, etc. responde a esta función: *¿Qué quiere decir esta palabra?*). Finalmente, la función poética que —según Jakobson [38]— atiende al mensaje mismo y Riffaterre [39] propuso sustituirla por estilística o formal, para evitar su posible reducción al dominio de la poesía versificada.

Se han presentado diversas objeciones a la teoría de las funciones de Jakobson [40], y existe algún intento de construir una teoría de las funciones del lenguaje atendiendo únicamente a aquellas funciones que poseen rasgos específicos en las lenguas [41] que son no tanto opiniones contradictorias como elaboraciones diferentes, según la perspectiva adoptada. I. A. Richards [42] descubre hasta ocho funciones comunicativas lingüísticas: «indicating, characterizing, realizing, valuing, influencing, controlling, purposing, e incluso venting», que en líneas generales, pueden agruparse en una función comunicativa básica, una función de instrumento del pensamiento lógico, una función de exteriorización de los estados afectivos y una función estética; todas ellas

---

[38]   JAKOBSON, R. (1963): *Essais de linguistique générale.* Paris: Ed. de Minuit, págs. 214-21.

[39]   RIFFATERRE, M. (1971): «La fonction stylistique», en *Essais de stylistique structurale.* Paris: Flammarion, págs. 145-58.

[40]   FRANÇOIS, F. (1968 «Le langage et ses fonctions», en *Le Langage,* dir. por André Martinet. Paris: Gallimard, Enc. de la Pléiade, pág. 18) presenta tres objeciones principales a Jakobson: 1.ª, que fuerza la realidad buscando una rigurosa coincidencia entre los factores de la comunicación y las funciones del lenguaje; 2.ª, que prescinde de toda jerarquización de estas últimas, y 3.ª, que enumera funciones a las que no corresponden rasgos lingüísticos específicos. El problema radica, en nuestra opinión, en que la teoría de las funciones del lenguaje, aunque reelaborada por lingüistas, conserva innumerables restos de su origen filosófico; en general no se parte de los usos específicamente lingüísticos.

[41]   François distingue: 1) un nivel propiamente lingüístico; 2) un nivel expresivo o utilización de los rasgos expresivos facultativos dentro de una lengua dada; 3) un nivel de elaboración lingüística que comprende tanto la literatura como el juego de palabras, el retruécano, etc. (Ibíd., págs. 18-9).

[42]   RICHARDS, I. A. (1953): «Towards a Theory of Translating», en WRIGHT, A. E. ed. *Studies in Chinese Thought* (Am. Anthropol. Assoc., Vol. 5) Chicago: Univ. Chicago Press, págs. 253 y 261-2, nota 7.

fundamentales para la labor que ha de realizar el traductor previa a la clasificación del texto que va a traducir.

Por último, la estilística comparada que preconizan Vinay y Darbelnet [43] quizá pueda considerarse una tentativa de fundamentar la teoría de la traducción sobre la base del texto, ya que como indicaba Bernárdez, es difícil enfocar la traducción desde el principio comparativo de dos estructuras lingüísticas. Tendremos que plantearnos los problemas de transposición de unidades mayores al tratar de dar forma nueva al mensaje: siempre nos encontraremos con la necesidad de recrear otro tipo de relaciones entre los elementos del discurso, para lo cual tendremos que haber asimilado totalmente las reglas textuales y así acceder a esa correspondencia perfecta entre escritor y traductor, como es el conjunto semántico, las marcas estilísticas o la forma sintáctica en la medida que sea posible, a fin de no desvirtuar excesivamente el texto original.

4.3. RELACIONES ENTRE SISTEMA DE SIGNOS Y CONTENIDO CONCEPTUAL

Otra característica importante del lenguaje para el traductor es que se trata de un sistema de signos usados para la comunicación entre los seres humanos en la sociedad. No es que suponga ésta una definición perfecta del lenguaje, pero —según Isadore Pinchuck— «ofrece una explicación adecuada del proceso lingüístico que es esencial para la traducción» [44].

Dos grandes tendencias han desarrollado la noción de signo: la lingüística saussuriana y la semiótica norteamericana. Saussure definió el signo como la «combinación del concepto y de la imagen acústica» [45] o la unión de un significante y un significado, y destacó en él dos caracteres principales: su arbitrariedad y la linealidad del significante. «El lazo que une el significante al significado es arbitrario» [46].

---

[43]   VINAY y DALBERNET (1973): op. cit.

[44]   PINCHUCK, I. (1977): *Scientific and Technical Translation*. London: Andre Deutsch Limited, pág. 22.

[45]   SAUSSURE, F., 1965 (1916): *Curso de lingüística general*. Traducción, prólogo y notas de Amado Alonso, 5.ª ed. Buenos Aires: Losada, pág. 129.

[46]   Ibíd., pág. 130.

Es arbitrario en el sentido de que la relación que une ambos componentes del signo carece de base natural; el significante *table* carece de relación con el concepto de *table* evocado. Saussure rechaza el término símbolo puesto que éste no es nunca *completamente arbitrario*, «hay un rudimento de vínculo natural entre el significante y el significado. El símbolo de la justicia, la balanza, no podría reemplazarse por otro objeto cualquiera, un carro, por ejemplo» [47]. No por ello habría de interpretarse *arbitrario* en el sentido de sujeto a la libre elección del hablante sino en el sentido de *inmotivado*, puesto que nos es impuesto por la comunidad [48]. Ni las onomatopeyas, ni las interjecciones constituyen obstáculos serios a la arbitrariedad del signo, puesto que las primeras no constituyen un elemento orgánico dentro del sistema y conllevan, como las segundas, una carga de convencionalismo que aparece incluso en las que, en principio, podrían ser más fieles al sonido simulado como las reproducciones de gritos de animales. En cuanto a las interjecciones, en muchos casos son meramente arbitrarias: *Good heavens!*, (¡Dios mío!), etc. [49]. La motivación fonética es, pues, poco importante: la motivación morfológica se basa, en último término, sobre signos convencionales. El signo lingüístico es, por otra parte, lineal ya que sólo posee una dimensión: su desarrollo en el tiempo [50]. Finalmente, el signo es *inmutable* para el hablante, al estar fuera del alcance de su voluntad, y *mutable* desde el punto de vista histórico [51].

El concepto de signo es uno de los aspectos más debatidos y analizados del pensamiento saussuriano [52]. Paul Miclau, otro autor que se ha ocupado extensamente del tema, cree que «on a tant écrit sur le signe linguistique qu'il est difficile à l'heure actuelle de préciser exactement où est le problème» [53]. La abundante reflexión moderna en torno a este concepto se centra en dos cuestiones:

a)   El análisis del concepto de signo en relación con los diversos sistemas sustitutivos: señales, símbolos, iconos, etc.

---

[47]   Ibíd., pág. 131.
[48]   Ibíd.
[49]   Ibíd., págs. 132-3.
[50]   Ibíd., págs. 133-4.
[51]   Ibíd., págs. 135-42.
[52]   KOERNER, E. F. K. (1972) *Contribution au débat postsaussurien sur le signe linguistique.* La Haye: Mouton, pág. 103.
[53]   MICLAU, P. (1970): *Le signe linguistique.* Paris, Klincksieck, Bucarest: Ed. de l'Académie., pág. VI.

b)   La composición del signo en dos vertientes —significante y significado—, su arbitrariedad y su linearidad.

La primera formulación de la concepción triangular fue realizada por Odgen y Richards [54] quienes propusieron el esquema:

Pensamiento o referencia

símbolo   referente

Los autores emplean la terminología de la escuela de Peirce. Hoy es frecuente utilizar la adaptación de este esquema realizada por Ullmann [55], utilizando la teoría saussuriana del signo: sentido / nombre / cosa, señalando la dificultad que suponía el prever una relación directa entre el sentido y la cosa exterior.

Sin embargo, el signo concreto —el único real— está no sólo definido por los elementos anteriores, sino también por su función, entendiendo por función su relación con los restantes signos. Todo enunciado posee un sentido unitario no reducible a la mera suma de los signos inferiores que lo componen. Este sentido unitario de cada uno de los niveles del lenguaje explica la disparidad entre las lenguas —una lengua puede indicar mediante un sintagma lo que otra indicará mediante una palabra— y el empleo de unidades complejas para expresar realidades simples: *a big house* no indica *a house* a la que haya añadido la cualidad de *big* sino una realidad única de la que, por comparación con otros objetos, extraemos dos características, *house* y *big*.

Un segundo problema relacionado con el anterior es el carácter lineal del signo. La realización de la cadena verbal es lineal, al estar sujeta al desarrollo sucesivo en el tiempo. Ahora bien, desde el punto de vista de la comprensión del mensaje o del impulso inicial para

---

[54]   OGDEN, C. K. & RICHARDS, I. A., 1960 (1923): *The Meaning of Meaning.* London: P. Kegan, pág. 11 (trad. esp. Buenos Aires Paidós 1954, 2.ª ed. 1964).
[55]   ULLMANN, St., 1970 (1962): *Semantics. An Introduction to the Science of Meaning.* Oxford: Basil Blackwell, pág. 65 (trad. esp. J. M. Ruiz-Werner. Madrid: Aguilar, 1965). La validez de estos esquemas es hoy problemática debido a la desconfianza de la lógica y la psicología moderna frente a la existencia de «nociones» o «conceptos» perfectamente definidos. No permiten, por otra parte, distinguir el signo virtual o potencial y el signo concretizado, sacrificando este último en aras del primero.

emitirlo, esta linearidad se ve comprometida ya que, como señala Rodríguez Adrados [56], definimos una unidad según lo que le precede o le sigue: la interpretación es global y no limitada a la suma de los valores de los signos inferiores aislados. Se ha señalado la necesidad de considerar como signo todas las unidades lingüísticas que conllevan un significado y de tener en cuenta las modificaciones que sufren al integrarse en una unidad de orden superior, partiendo de la idea de que «la lengua se compone de unidades jerárquicamente organizadas» [57]. Por ello, tarea preliminar del traductor —en su constante intento de analizar la lengua fuente que ha de traducir, junto con la lengua término a la que traduce— es dividirla en unidades y establecer las relaciones que existen entre los diversos tipos de unidades aisladas mediante el análisis adecuado.

No obstante, tratar de reflejar exclusivamente las equivalencias de la lengua extranjera en la lengua materna por medio de los equivalentes de las palabras supondría ignorar aspectos importantes del proceso de traducción. Creemos que conviene tratar de encontrar la unidad menor identificable en las dos lenguas, aunque el procedimiento que normalmente siga el traductor sea estudiar el texto como conjunto antes de comenzar a traducirlo.

La unidad mínima significativa se identificaba, a partir de Aristóteles, con la *palabra*. Sin prescindir de este concepto, relegado por algunos lingüistas, se ha visto la necesidad de distinguir unidades inferiores a la palabra que reciben nombres diferentes según las escuelas. La lingüística norteamericana (Bloomfield) emplea el término *morfema* —hoy mundialmente difundido— para la unidad significativa mínima, mientras que la escuela de Martinet distingue el *monema* (cualquier unidad mínima significativa), dividido en *morfema* (unidad significativa de orden gramatical) y *lexema* (unidad significativa de orden semántico), como anteriormente Vendryes distinguía *morfema* y *semantema*.

El concepto de *sintagma*, utilizado por la lingüística europea, ha cobrado, bajo la denominación de *phrase*, una importancia extraordi-

---

[56]   RODRÍGUEZ ADRADOS, F. (1969): *Lingüística estructural*. Madrid: Gredos, 2 vols., págs. 58-9.
[57]   SAUSSURE, op. cit., pág. 136. Las limitaciones de la concepción saussuriana del signo respondían en parte a que se apoyaban en presupuestos lógicos o psicológicos hoy superados y, en parte, a que partía del análisis de la palabra aislada en cuanto signo lingüístico.

naria en los estudios norteamericanos, tanto en la lingüística bloom-fieldiana o postbloomfieldiana, como en Harris, Chomsky o los demás representantes de la gramática generativa y transformacional.

A un nivel superior, en cuanto a la unidad lingüística considerada, se analizan las marcas de relación dentro de la *oración*, y los tipos o subtipos de oraciones. A partir de oraciones básicas elementales —cada lengua tiene preferencia por uno u otro tipo— puede construirse un número ilimitado de frases complejas, lo que confiere a la lengua su capacidad para expresar cualquier contenido antes nunca expresado. Pueden, sin embargo, presentarse dos casos divergentes:

1. Un enunciado puede remitir al enunciado anterior (en ocasiones únicamente a un contexto anterior) que lo completa. Ocurre, por ejemplo, al emplearse pronombres personales o cualquier forma deíctica en general: *it is necessary to do it* requiere un contexto o enunciado anterior que determine el valor de *it*. Lyons [58] habla en este caso de *frases derivadas* e incluye dentro de ellas al estilo indirecto libre.

2. Un enunciado puede presentar una forma divergente en relación con las estructuras básicas predominantes en la lengua: es el caso de las llamadas *frases segmentadas, incompletas* o *elípticas*. Ahora bien, bajo este término se incluyen dos tipos de oraciones con características muy diferentes:

   a) Comprende frases u oraciones que, pese a no adaptarse a las estructuras básicas de la lengua, tienen un significado completo, sin necesidad de remitir a un enunciado anterior o a una situación concreta, es decir, estructuralmente independientes (ej.: *Got the tickets?*). Es difícil hablar en estos casos de oraciones incompletas. El número de ejemplos análogos es muy limitado en todas las lenguas; no son frases productivas [59].

   b) Frases u oraciones que sólo permiten ser empleadas en determinados contextos y remitiendo a un enunciado anterior: *For me; this evening; twenty pounds*, etc., sólo

---

[58] LYONS, J., 1970 (1968): *Introducción a la lingüística teórica*. Barcelona: Teide, pág. 135 (trad. esp. de *Introduction to Theoretical Linguistics*. Cambridge University Press), pág. 58.

[59] LYONS, J. y ROBINS, R. H., 1971 (1964): *Lingüística general*. Madrid: Gredos (trad. de *General Linguistics*. London: Longman) págs. 200-1.

son posibles en respuestas del tipo de *For whom is this?: When are you going to visit her?; How much is it?,* etc. [60]. En este caso habría que hablar de frases truncadas o elípticas puesto que requieren un enunciado anterior, un contexto para ser completadas.

Del estudio de estos problemas surgieron las tendencias lingüísticas que intentan partir de una unidad superior a la frase. La frase era la unidad lingüística máxima tanto para las diversas corrientes estructurales —para Saussure la oración pertenece al *habla* y no a la *lengua*— como para la gramática generativa y transformacional. Ya Z. S. Harris había intentado analizar secuencias superiores a la frase pero sólo años después se desarrollaría la lingüística transfrástica o transoracional o lingüística del texto que, como hemos indicado en el apartado anterior, reviste una gran importancia para el traductor.

---

[60]   Ibíd.

Segunda parte

PRÁCTICA

CAPÍTULO V

Proceso de la Traducción

Las fronteras o límites de la traducción no están bien definidos, mostrando un mero análisis superficial que el término «traducción» abarca varios conceptos diferentes, según hemos explicado apoyándonos en el célebre ensayo de Jakobson [1]. Este célebre lingüista distingue tres tipos de traducción: la traducción interlingüística —de una lengua a otra lengua—, la traducción intralingüística —en el interior de una misma lengua— y la traducción intersemiótica —de una lengua a otra clase de sistema semiótico, o viceversa—. Por nuestra parte, pues, vamos a estudiar exclusivamente el primer aspecto por ser el campo que abarca los Estudios de Traducción, y ya dentro de la traducción interlingüística, pueden hacerse igualmente otras matizaciones, desde el punto de vista de los elementos que pueden servir para definirla y estudiarla.

El proceso de la traducción puede describirse —según J. Bigelow [2]— como el procedimiento de buscar equivalencias entre las oraciones de una lengua con las de otra, de manera que compartan en la mayor medida posible sus propiedades: las propiedades que tratamos de conservar en la traducción son muchas y diversas, pero la más importante es el significado de la oración; y no sólo es la más importante, sino también la más difícil de caracterizar. La operación

---

[1] JAKOBSON, R., 1971 (1959): «On linguistic aspects of translation» en *Roman Jakobson-Selected Writings*, vol. II, La Hague: Mouton. (Publicado inicialmente en BROWER, R. A. ed. *On Translation*. Cambridge, Mass.: Harvard University Press.)

[2] BIGELOW, J. (1978): «Semantics of Thinking, Speaking and Translation», en *Meaning and Translation*, ed. Guenthner et al., pág. 134.

traductora, por tanto es, el proceso de buscar un equivalente en la lengua término para una frase de la lengua fuente, esto es, la reproducción en la lengua receptora del mensaje de la lengua original. No hay que olvidar que la traducción forma parte del proceso de comunicación y éste nunca es estático, por tratarse del procedimiento según el cual una persona transmite información a otras con la intención de conseguir algún efecto sobre sus posibles lectores. En este sentido, la equivalencia que importa principalmente es la que ayude a producir ese efecto, de tal manera que el lector de la traducción reciba el mismo impacto que el lector del texto original, debiendo estar subordinado el uso del lenguaje —el establecimiento de los paralelos lingüísticos— a conseguir ese efecto equivalente. Para ello, normalmente el traductor debería: 1) estudiar el texto como un todo, antes de empezar a traducirlo y, después de que haya obtenido una idea de la totalidad, podrá descomponerlo en sus partes; la medida y el tipo de las unidades dependerá de la naturaleza del texto, de su extensión y dificultad, del temperamento y la habilidad del propio traductor; 2) elegir su campo de trabajo, cuestión crucial de cuyo acierto dependerá en buena medida el éxito de la traducción, ya que no puede traducirse correctamente un texto que esté totalmente alejado de las preferencias o gustos del traductor con el que, por tanto, no pueda sentirse identificado, y 3) plantearse la necesidad de ser honesto consigo mismo y dedicar a su trabajo los esfuerzos que sean necesarios, sin preocuparse del tiempo que haya de invertir en ello.

En el caso de que el campo de trabajo de la actividad traductora sea una obra literaria, las etapas a seguir son: conocer perfectamente la obra del mismo autor; ampliar sus conocimientos sobre las obras más sobresalientes de esa escuela o movimiento literario, y acercarse al contexto histórico-cultural donde ha surgido. Y si se trata de una traducción técnica o científica, el traductor debe poseer conocimientos específicos de las correspondientes materias, independientemente de las lingüísticas, ya que difícilmente se pueden traducir los términos que pertenecen a un campo determinado si se desconocen sus conceptos.

Cada época reúne unas especiales características, no sólo de tipo literario, sino también lingüístico: el significado léxico es uno de los que más transformaciones sufre, ya que una expresión cambia de significado según las épocas y también según las situaciones. Esto explica la dificultad de la actividad traductora y la necesidad de que el traductor complete su formación a fin de poder llevar a cabo su tarea, cuyo fin principal es hacer accesible un mensaje a los receptores que no están capacitados para acercarse al texto original, procurando que éste no pierda ninguna de sus características:

Translation is just like chewing food that is to be fed to others... If one cannot chew the food oneself, one has to be given food that has been already chewed. Such food however is bound to be poorer in taste and flavour than the original [3].

Para que la traducción de dos oraciones de diferentes lenguas sea exacta, es obvio que deben tener, en primer lugar, el mismo significado. Según la hipótesis de la traducción exacta ETH, «anything that can be said in one natural language can be translated exactly into any other language» [4]. Hay varios argumentos a favor de esta hipótesis: Steklis y Harnad (1975) afirman que «in order to justify the claim that a sentence S in some language L cannot be adequately translated into e.g. English we must be able to explain (in English) what properties S has which fail to be capured in English». Keenan lo rebate diciendo que el lenguaje utilizado para explicar el significado es, en la mayoría de los casos, metalingüístico; esto es, se refiere a las palabras o frases del original o a sus significados, siendo diferentes de la oración verdadera. Por tanto, los criterios que se utilizan para determinar si la traducción es exacta son básicamente los mismos que se necesitan para ver si dos oraciones de una lengua son paráfrasis [5] —ej., *a felony* = un delito/crimen de mayor cuantía—. Y en cuanto a la afirmación de que no es posible la traducción entre lenguas porque a veces no existe el término exacto en una de ellas —p.e., *to gape at somebody* = mirar boquiabierto; *to loiter* = perder el tiempo, rezagarse—, se trata de un argumento falso, ya que puede explicarse ese concepto usando una estructura más compleja [6].

Parece difícil que pueda existir la traducción exacta, pues en general una lengua está enraizada en el entorno de esa comunidad y los entornos pueden ser muy diferentes. Sin embargo, podrían buscarse muchos ejemplos: *to corner somebody* se corresponde exactamente en nuestra lengua (arrinconar o acorralar a alguien). Esas características particulares son precisamente las que determinan si una traducción es mejor que otra. Una buena traducción tiene que preservar ciertos elementos globales del discurso, pero también los elementos particulares: «one cannot always read off the best translation of a sentence (at an occurrence) simply by understanding the sentence itself. It is necessary to understand the wider context in which the sentence is used — the

---

[3] Traducción del texto budista *Kumarajive* al chino; Fung Yi-Lan, 1948.

[4] KEENAN, E. (1978): «Some Logical Problems in Translation», en *Meaning and Translation*, ed. Guenthner et al., pág. 157.

[5] Ibíd., pág. 167.

[6] Ibíd., pág. 174.

presupositions and intentions of the user, and the character of the passage or argument in which the sentence is embedded» [7].

5.1. PROCEDIMIENTOS TÉCNICOS Y ORGANIZATIVOS

Los procedimientos fundamentales que son relevantes para la realización de la función del traductor los divide Eugene Nida [8] globalmente en dos categorías: técnicos y organizativos. Los procedimientos técnicos implican los procesos seguidos por el traductor a fin de convertir el texto de la lengua fuente en el texto de la fuente receptora, y los procedimientos organizativos implican la organización general de este trabajo, tanto si se trata de un traductor individual como —lo que ocurre en muchos casos— de un grupo o comisión de traductores.

Los *procedimientos técnicos* comprenden esencialmente tres fases: 1) análisis de las lenguas respectivas, fuente y receptora; 2) estudio minucioso del texto de la lengua fuente, y 3) determinación de los equivalentes apropiados.

Los *procedimientos organizativos* revisten tal variedad que resultaría virtualmente imposible definir todos los que pueden utilizarse para los diferentes tipos de traducción. Sin embargo, algunas de las etapas principales del proceso son las siguientes: 1) lectura del documento completo: antes de comenzar a traducir e incluso antes de la investigación que haya de llevarse a cabo, es esencial leer todo el *mensaje*; 2) obtención de información sobre las fuentes: es importante que el traductor obtenga toda la información existente sobre el documento en cuestión, incluyendo las circunstancias de la composición, la publicación y la distribución; su relación con otros documentos de tipo similar (vengan o no de la misma fuente), y cualquier otro estudio detallado del documento por especialistas competentes; 3) comparación de traducciones existentes sobre ese texto: un traductor no debe copiar simplemente el trabajo de otros, pero al estudiar lo que han realizado otros traductores tiene la gran oportunidad de aprove-

---

[7] BURGE, T. (1977): «Self-Reference and Translation», en *Meaning and Translation,* ed. Guenthner et al., pág. 142.

[8] NIDA, E. (1964): *Towards a Science of Translating. With Special Reference to Principles and Procedures Involved in Bible Translating.* Leiden: E. J. Brill, págs. 241 y ss.

char su experiencia así como de evitar los errores que hayan cometido; 4) hacer un boceto de las unidades de comprensión necesarias: ningún traductor debe proceder palabra por palabra ni incluso frase por frase, sino que tomará como unidad mínima las oraciones o párrafos. Al reexpresar tales unidades, el traductor no debería dudar en usar cierta audacia y libertad de expresión. Además, el primer borrador debe tratar de captar toda la plenitud de la expresión, no un escueto o mínimo grado de equivalencia; 5) revisar el primer borrador después de un corto lapso de tiempo. Es importante dejar que *repose* el primer borrador al menos durante un día, para poder ver así el trabajo con mayor objetividad y distanciamiento. Durante el proceso de revisión se pueden suprimir las palabras innecesarias, estructurar las partes componentes, corregir errores en el significado y el estilo, y prestar atención especial a la conexión entre las unidades básicas; 6) leerlo en voz alta para ver el estilo y el ritmo: a causa de la primacía oral sobre las formas escritas del lenguaje, es esencial que leamos la forma de la traducción para comprobar cómo es su estilo y ritmo; 7) estudiar las reacciones de los receptores por medio de la lectura del texto por otra persona: las reacciones que se produzcan son indicadores importantes de la validez de la impresión general que produce la traducción. El propio traductor puede darse cuenta de los puntos en que dudan los lectores (a menudo marcan un estilo poco natural debido a la elección de las palabras), así como de la comprensión de los oyentes. Además, el traductor puede preguntarles sobre los puntos que no quedan claros y los elementos que pueden inducir a confusión. Esto puede hacerse por medio de preguntas directas sobre el contenido o pidiendo que expliquen en líneas generales lo que han escuchado; 8) someter la traducción al escrutinio de otros traductores competentes: estas personas pueden ser conocedores de los factores estilísticos de la lengua receptora o expertos en el significado del documento de la lengua fuente; 9) revisión del texto para su publicación: el último paso del procedimiento no sólo implica la atención a los comentarios realizados por otros, sino que debería incluir una gran atención a los detalles ortográficos.

5.2. ACTIVIDAD SEMASIOLÓGICA-ONOMASIOLÓGICA

Según hemos venido indicando, la traducción puede definirse como el proceso para hallar un equivalente en la lengua término de una expresión de la lengua fuente; esto es, el proceso de la traducción comienza con la descodificación del texto extranjero, analizando este texto en su estructura semántica y termina con su codificación en la lengua materna o receptora, reorganizando esa estructura semántica en las formas más apropiadas, a fin de crear un texto que resulte equivalente.

Ortega y Gasset hace suya la teoría de Schleiermacher, según la cual este proceso puede orientarse en dos direcciones opuestas: «o se trae el autor al lenguaje del lector o se lleva al lector al lenguaje del autor. En el primer caso traducimos en un sentido impropio de la palabra: hacemos, en rigor, una imitación o una paráfrasis del texto original. Sólo cuando arrancamos al lector de sus hábitos lingüísticos y le obligamos a moverse dentro de los del lector hay propiamente traducción» [9]. En ambos casos, sigue básicamente el siguiente esquema: un autor A ha transmitido su mensaje M por medio de un código determinado C a un receptor R que es el traductor T, o nuevo autor, quien transmitirá el mismo mensaje por medio de un código diferente a otros receptores [10]:

$$A \rightarrow M^1 \rightarrow (C^1) \rightarrow R^1/T/A^2 \rightarrow M^1 \rightarrow (C^2) \rightarrow R^2$$

Por tanto, hay dos fases bien definidas en la tarea del traductor: descifrar el mensaje original del autor como receptor, y componer este mensaje para otros receptores. En la primera fase, según García Yebra [11], el traductor desarrolla una actividad semasiológica, en la que busca el sentido del texto original, y en la segunda la actividad que realiza es onomasiológica, ya que busca las palabras que precisa en la lengua término para reproducir el contenido del texto original.

Durante el proceso de la traducción hay que realizar, en primer lugar, el análisis del léxico, de las estructuras gramaticales, de la situación comunicativa y del contexto cultural de la lengua fuente, a fin de determinar su significado. Y, a continuación, reconstruir este mismo significado, utilizando el léxico y las estructuras gramaticales apropiadas a la lengua término y al propio contexto cultural —p.e., *The G.O.P. (Grand Old Party)* habría que traducirlo por el Partido Republicano de los EE.UU.; *they live in the suburbs* = viven en las

    [9] ORTEGA Y GASSET, J., 1980 (1937): *Miseria y esplendor de la traducción.* Universidad de Granada. (En *Misión del bibliotecario.* Madrid: Ediciones de la Revista de Occidente, 1967), pág. 33.
    [10] CATFORD, J. C. (1965): *A Linguistic Theory of Translation: An Essay in Applied Linguistics.* London: Oxford University Press.
    [11] GARCÍA YEBRA, V. (1982): *Teoría y Práctica de la Traducción.* Madrid: Editorial Gredos, pág. 30.

afueras y *God bless you!* = ¡Salud!—: una elección de palabras y de estructuras gramaticales diversas [12].

Pero ésta es una forma muy general de examinar el proceso de la traducción, que realmente es más complicado. Descodificar un mensaje supone mucho más que identificar lo que éste dice; significa identificar el objetivo del texto (para quién y para qué fue escrito) y su función social; saber si el texto es básicamente informativo y transmite información de material objetivo o conceptos abstractos de naturaleza no técnica; si es principalmente expresivo e intenta crear una impresión de belleza o comunicar lo más íntimo del autor; si es un texto fundamentalmente vocativo, estimulando las emociones del lector y tratando de persuadirle o de obligarle a reaccionar, o si reúne más de una de estas características. Descodificar un texto también significa analizar el estilo, el registro utilizado, el peculiar uso de la lengua del autor, el dialecto elegido y las formas lingüísticas adoptadas, la identificación de los fenómenos culturales implicados, pues el elemento cultural incluye vestigios de las características nacionales, locales, étnicas o de la época que el traductor ha de recoger. A fin de conseguir una comprensión global y detallada del texto, esta primera fase puede incluir algunas actividades paralelas, tales como estudio del vocabulario e investigación a fondo de los datos históricos, de los hechos científicos y del conocimiento literario.

La fase siguiente es la codificación del mensaje total en la lengua término. Teniendo en cuenta los factores que lleva consigo la fase de descodificación, el traductor debe reproducir en lenguaje correcto no sólo el contenido informativo, sino también los rasgos de la comunicación original. El traductor está obligado a respetar las características de la lengua término, adaptar los matices sociales y culturales cuando sea necesario y transferir el tono original creado por el texto de la lengua fuente, a fin de producir un efecto lo más parecido posible en el lector.

Por tanto, según George Steiner [13], el acto de comprender, asimilar, trasladar y formular la significación de un texto se inicia con un acto de confianza, de acercamiento al original; a esto sucede una eta-

---

[12] LARSON, M. L. (1984): *Meaning-based Translation: A Guide to Cross-Language Equivalence.* Lanham MD.: University Press of America, pág. 476.

[13] STEINER, G., 1981 (1975): *Después de Babel: Aspectos del Lenguaje y la Traducción.* Madrid: Fondo Cultural Económico (trad. de *After Babel: Aspects of Language and Translation.* London: Oxford University Press), págs. 341-2.

pa de incursión y extracción; después viene la incorporación del significado y de la forma, y por último se pasa a dar corporeidad a lo adquirido, lo que no supone un salto en el vacío, ya que el campo semántico de la lengua del traductor tiene una existencia previa y rotunda. La gama de matices innumerables que posee el material que acabamos de adquirir es altamente positiva para nuestra lengua, pero todo sistema que importa elementos ajenos corre el riesgo de contaminarse: las traducciones aumentan las disponibilidades expresivas de una lengua y se adquieren nuevos y valiosos recursos, pero también podemos vernos afectados por los términos.

La primera fase del desplazamiento hermenéutico, ese impulso inicial de confianza por el que el traductor se propone transmitir una significación entre dos lenguas y dos culturas diferentes, es el más arriesgado, y ninguna gramática o diccionario puede ser de tanta utilidad para el traductor como el contexto, que ayuda a completar la significación en cuanto al sentido cultural y lingüístico. El traductor tiene ante sí un texto-fuente que ha sido redactado en una lengua que proviene de un medio cultural muchas veces cercano al suyo; esa contigüidad puede ser histórica o geográfica, o también el resultado de orígenes etimológicos comunes que han tenido un desarrollo paralelo en las dos lenguas, la del traductor y la del texto original.

En la segunda fase, de incursión hermenéutica, el impulso de comprensión dirigido hacia la lengua y la cultura vecinas o hermanas se encuentra con que existe una herencia de contactos recíprocos, y la comprensión se ve asistida por un conjunto de hipótesis y de presentimientos casi instintivos: conocer una segunda lengua ayuda a profundizar en el dominio de la primera, pues las diferencias de la segunda lengua descubren lo que hay de importante en la primera. Lo único que tiene que hacer el traductor es actualizar y hacer visibles los contornos de su lengua, de su cultura y de la carga potencial de sensibilidad e intelectualidad.

En la tercera etapa, de incorporación del significado y la forma de la lengua original en la suya, el mal traductor elide o parafrasea en cuanto encuentra alguna dificultad; hincha donde no hay elevación de estilo o baja el tono donde cree que el autor exagera. Las malas traducciones tienen como consecuencia una elección de elementos equivocada o mecánica, muchas veces debida a la falta de afinidad entre el traductor y el texto, lo mismo que puede ocurrir en la propia lengua y cultura, donde existen innumerables obras con las que no tenemos nada en común.

En la cuarta etapa, el traductor efectúa para otros una tarea que ya no es necesaria para él, puesto que comprende el texto y no tendría que realizar ninguna labor sucesiva. Aquí es donde Steiner recurre al instinto de propiedad para explicarlo: el traductor se cree en plena posesión de *su* fuente; el original le pertenece ahora de manera especial, y desea demostrarlo con la reexpresión en la última fase o momento final del proceso de la traducción —la compensación o restitución—, en la que el traductor restablece el equilibrio que se había perdido entre la lengua fuente y la término, durante la incursión y la apropiación, por medio de los instrumentos de relación entre ambas lenguas.

En resumen, en el proceso de la traducción intervienen cuatro niveles diferentes [14]: el nivel del lenguaje del texto original, que es el comienzo de toda traducción y al que hay que volver continuamente; el nivel referencial, que el traductor tiene que comprender y construir al mismo tiempo; el nivel cohesivo, que es más general y gramatical, y traza la línea de pensamiento y el tono al que tenemos que ajustar nuestro lenguaje; el nivel de la naturalidad, que es la lengua apropiada a una situación real, y el campo dentro del que ha de trabajar el traductor.

Para realizar con éxito este proceso de la traducción, tanto en la comprensión como en la posterior composición o redacción, el traductor tendrá que efectuar investigaciones a fin de encontrar la terminología precisa y los equivalentes semánticos necesarios que logren recrear la idea del autor y transmitir el mensaje en su totalidad. Un cuidado especial requiere el uso correcto de la lengua: los rasgos semánticos y sintácticos, la ortografía y también la puntuación. Esta última no se corresponde entre las dos lenguas; por ejemplo, el guión explicativo inglés se convierte en (:), (;), (,) o (.) en español, según el contexto. Por tanto, el traductor necesita los instrumentos de ayuda necesarios —más adelante se estudian detalladamente— para poder llevar a cabo satisfactoriamente su misión.

---

[14]   NEWMARK, P. (1988): *A Textbook on Translation*. London: Prentice Hall International UK Ltd., pág. 19.

5.3. INTERPRETACIÓN DEL TEXTO ORIGINAL

El acercamiento a un texto reviste una gran importancia para los estudios de traducción, a fin de comprender todo el sentido que contiene el mensaje. Bühler describe la lectura como:

> ...the phase in the translation process that involves the understanding of the source text that deserves our special attention since it is here that problems specific to translation may arise. A translator apparently is a receptor sui generis and it can be assumed that the decoding of a source text required from translators in doing their work differs in some respects from that of a normal reader» [15]

5.3.1. IMPORTANCIA DEL PROPÓSITO Y LA MOTIVACIÓN

De lo que no hay duda es de que varía el proceso de comprensión, de acuerdo con el propósito o la motivación del lector. Widdowson [16] afirma que el texto sólo tiene significado potencial, que varía de un lector a otro, dependiendo de varios factores, principalmente del propósito y del conocimiento. (Según esto, el significado lo crea realmente el lector en su interacción con el texto.)

Un aspecto importante del proceso de lectura es el lingüístico-cultural. El principal objetivo que nos lleva a un texto literario es extraer su significado; por tanto, la lengua del texto es simplemente un medio para conseguir un fin, y este fin es la comprensión. Toda lengua está compuesta de señales arbitrarias, intensamente convencionalizadas, donde la significación no puede disociarse por completo de la forma expresiva. Incluso los términos más puramente externos y en apariencia neutros están incrustados en la particularidad lingüística de ese molde intrincado de hábitos históricos y culturales. Las palabras no son invulnerables y ninguna forma semántica es atemporal, ya que el lenguaje sólo entra en acción colocándolo en su marco específico. Como afirma George Steiner, «un texto está siempre inserto en un

---

[15] BÜHLER, H. (1979): «Suprasentential semantics and translation», en *Meta 24*, núm. 4, 455.
[16] WIDDOWSON, H. G. (1979): *Explorations in Applied Linguistics*. Oxford: Oxford University Press, pág. 22.

tiempo histórico, posee estructura diacrónica, y para extraer todo su contenido hay que dominar su entorno temporal y local» [17].

Desde el punto de vista psicolingüístico, el proceso de lectura contempla básicamente el proceso interactivo entre lengua y pensamiento, en el que son fundamentales tres factores: la habilidad conceptual, los conocimientos anteriores y las destrezas del proceso ya que —según Mc Kay [18]— para que culmine con éxito la lectura de un texto, el individuo debe poseer la habilidad intelectual básica, el conocimiento del mundo y las técnicas de lectura, teniendo en cuenta que leer no consiste sólo en descodificar símbolos sino en la interacción entre el conocimiento anterior del individuo y el texto.

Además, teniendo en cuenta los recientes desarrollos en psicología cognoscitiva, parece que la lectura de un texto, y su consiguiente comprensión, no puede equipararse al concepto de recordar fielmente lo que se ha leído ni de formarse una imagen pictórica en la mente del lector. Por el contrario, se ha comprobado que el lector tiene que hacer un esfuerzo consciente para transformar lo que lee a fin de extraer la substancia o la esencia del texto que será almacenado en la memoria. Es decir, la lectura no puede definirse como una recepción de significados: comprender un texto requiere una participación activa por parte del lector, que necesita organizar y evaluar la información que recibe mientras lee el texto. Para reconstruir el significado de un texto dado, el lector debe aportar el conocimiento que está almacenado en su memoria y relacionarlo con la nueva información contenida en el texto. La comprensión será posible tan sólo «a través de la constante confrontación entre el conocimiento conceptual preexistente y el texto» [19].

Los modelos psicológicos del proceso de lectura resaltan los factores lingüísticos básicos para la comprensión, distinguiendo los diferentes niveles lingüísticos que actúan en la lectura: textual, sintáctico, morfémico, léxico, grafofonémico o grafémico, que han sido puestos de manifiesto de forma experimental. Si interpretamos el proceso lin-

---

[17] STEINER, G., 1981 (1975): *Después de Babel: Aspectos del Lenguaje y la Traducción* Madrid: Fondo Cultural Económico (trad. de *After Babel: Aspects of Language and Translation.* London: Oxford University Press), pág. 32.

[18] MC KAY, S. (1987): «Cultural Knowledge and the Teaching of Reading». *Forum,* Vol. XXV, Number 2, April, pág. 18.

[19] BEAUGRANDE, R., «Reading skills for foreign languages: a processing approach», en A. K. Pug & J. M. Ulij (eds.) *Reading for Professional Purposes.* London: Heinemann, pág. 4.

güístico de la comprensión de la lectura como la realización de un programa de análisis textual, podemos distinguir en él diferentes niveles jerárquicos. Consideramos al lector como un sistema estructurado con diferentes subsistemas y nos interesa un proceso creciente de capacitación, por ejemplo, el segmento lingüístico que el lector puede procesar aumenta durante una determinada unidad de tiempo. Por tanto, llegamos a una descripción jerárquica estratificada de lo que está haciendo el lector. En el procesamiento del discurso, los diferentes niveles corresponden al proceso de frases que operan sobre los tipos característicos de materiales. Los materiales se dividen, según se indica en el esquema [20], en sonidos/letras, expresiones (incluyendo las palabras y los afijos), frases (incluyendo la sintaxis), conceptos/relaciones (incluyendo el significado y la referencia), ideas (centros de control conceptual) y objetivos (intención, propósito, etc. de los participantes comunicativos):

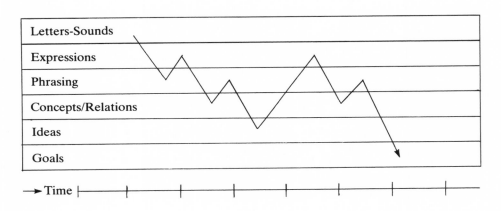

5.3.2. LECTURA CON FINES PROFESIONALES

La adquisición de ciertos conocimientos y técnicas, como puede ser la lectura con fines profesionales, es un ejemplo de lo que se denomina «solución de problemas» [21]. El problema existe siempre que en

---

[20] NEDOBITY, W. (1987): «Manual for multilingual abstracting: a method for content analysis», en *Tools for Multilingual Institutional Work in the Field of Vocational Training*. Berlin: CEDEFOP, pág. 5.

[21] Ibíd.

el camino desde la etapa inicial a la etapa meta haya alguna probabilidad razonable de fracasar. En la adquisición de la lengua extranjera, el estado inicial del lector sería un conocimiento activo de la lengua nativa; y la etapa meta un conocimiento activo de la lengua extranjera. Lo que constituye el *conocimiento activo* depende de los fines para los que vaya a utilizarse la lengua. En muchas situaciones de aprendizaje, estos fines están definidos de una manera tan vaga que el propósito general no proporciona una dirección o motivación convincente para analizar el texto. Por tanto, un paso importante sería la nueva definición de los objetivos y también de las técnicas para *solución de problemas*. La dificultad de poder solucionar un problema siempre depende de las condiciones predominantes, por lo que habrá que definir siempre el problema en términos de procedimientos, es decir, etapas ordenadas que conduzcan a un resultado específico.

Para interpretar un texto, el lector tiene que

- comprender las implicaciones del escritor,

- hacer inferencias,

- darse cuenta no sólo de la información dada sino de la que no aparece explícita, y

- evaluar el texto.

La forma de interpretar un texto puede practicarse tratando de descubrir el contexto en que ha sido escrito. Esto implica tomar en consideración aspectos como:

- el lector al que va dirigido,

- el escritor,

- el propósito del texto, y

- el tipo de presentación

Si el problema es complejo, habrá que dividirlo en partes, utilizando cualquier medio que esté a nuestro alcance para minimizar las interferencias. Ello requiere una gran motivación y la investigación necesaria dentro del campo específico. Esto puede aplicarse a la lectura como proceso activo, no pasivo, ya que requiere la interpretación del texto, no simplemente la recepción del mensaje.

5.4. ¿TRANSCODIFICAR O REEXPRESAR?

La expresión *transcodificar* significa para M. Lederer [22] traducir la
lengua, y *reexpresar* trasmitir el sentido, dentro de la teoría de traducción interpretativa que ya hemos presentado al final del capítulo
cuarto. Como hemos visto, la noción fundamental sobre la que esta
teoría basa el objeto de la traducción es el sentido, no la significación:
el primero pertenece al plano del habla y la segunda al plano de la
lengua.

En primer lugar se plantea la alternativa: método comparativo de
traducción de lengua a lengua y método interpretativo que va del habla al sentido y del sentido al habla. Es evidente que fuera de la
traducción automática —y también está programada por el hombre—,
ninguna traducción puede realizarse sin que intervengan un análisis
mínimo del sentido; inversamente, el método interpretativo no se rea-
lizará íntegramente en todas las circunstancias porque hará falta en
algunos casos que el traductor acreciente sus conocimientos de la lengua y del mundo exterior. Las diferencias teóricas entre los dos métodos son, no obstante, tan profundas, y son tales las repercusiones
sobre la práctica, que es indispensable señalarlas.

La lingüística ha abordado la traducción a través de las lenguas,
pero los problemas que ha detectado en su comparación no son los
problemas de la traducción sino los problemas de la transcodificación.
Así pues, es imposible disociar la operación de la traducción de las
operaciones mentales en general. Por el contrario el estudio del funcionamiento normal del lenguaje parece abrir a la investigación sobre
la traducción horizontes más fructíferos que los que ofrece la comparación de lenguas. En efecto, la comunicación humana se fundamenta
sobre un cierto número de mecanismos (expresión y percepción, comprensión y asimilación) que no parece correcto cambiar por un simple
examen comparativo de dos lenguas. Al igual que cuando se estudia
la comunicación se supone conocer la lengua de los sujetos observa-
dos, también es necesario partir en los estudios de traducción de la
situación ideal en que el traductor conoce las dos lenguas sobre las
que trabaja y el tema tratado. Es en esta situación en la que los
mecanismos de la traducción aparecen en estado puro. En la práctica,

---

[22] LEDERER, M. & SELESKOVITCH, D. (1984): *Interpréter pour traduire*. Paris: Didier
Érudition, págs. 17-36.

el conocimiento imperfecto de la lengua del texto inicial es a menudo el origen de las dificultades que han tenido origen en problemas teóricos.

Según Lederer, a fuerza de oír repetir que el sentido es inaprehensible, aquellos que se interesan por la teoría de la traducción en muchas ocasiones lo han dejado totalmente de lado, han hecho como si no existiera: «Nosotros hemos tratado de demostrar que el análisis lingüístico no sólo es insuficiente para la traducción, sino que ofrece el riesgo de ser un obstáculo»[23]. No obstante, aunque analizar la lengua no garantiza que podamos descubrir el sentido del mensaje, el conocimiento de la lengua original y el conocimiento del tema tratado son los dos pilares sobre los que se funda la comprensión del sentido del texto.

El sentido, por tanto, finalidad principal de la lengua, es el objeto de la traducción; la lengua atribuye una significación a las palabras, pero el habla las enriquece con nociones inimaginables que constituyen el sentido y que deben ser captadas por el lector de la traducción, al igual que lo son por el lector de la obra original. Por tanto el sentido, lejos de ser estático, es un proceso de desarrollo constante que se construye a lo largo del texto. Todos los conocimientos extralingüísticos que se poseen sirven para interpretar la significación de las palabras articuladas en frases, para extraer el sentido. Cuantos más conocimientos se posean, mayor precisión tendrá el sentido del enunciado.

En primer lugar, no hay que olvidar que la necesidad de la traducción se deriva directamente de la necesidad de comunicación primero entre el traductor y el texto original y después entre el lector y el texto traducido. Tanto la comprensión como la expresión pertenecen al dominio del habla. Nunca se habla sin una finalidad, sin la intención de comunicar, al igual que no se puede escuchar o leer sin comprender, es decir, sin interpretar. El traductor, en tanto que lector, para comprender o, en tanto que escritor, para hacer comprender lo que quiere expresar el texto inicial, sabe bien que no traduce una lengua sino un habla, que transmite a su propio mundo expresándola de manera que sea comprensible.

Otro aspecto importante es captar la intención del autor a través

---

[23]   Ibíd., págs. 35-36.

de las significaciones lingüísticas, llegar al sentido, que es el mensaje que el traductor debe transmitir a su propia lengua. Puede decirse que no hay un solo sentido ya que los lectores jamás lo conciben de forma idéntica. Para que el sentido sea el que ha querido expresar el autor, es necesario saber juzgar correctamente los conocimientos de aquéllos a quienes se dirige y que, en consecuencia, haya proporcionado lo explícito de su formulación con relación a lo que deja sin decir o implícito. También es necesario que el lector sepa que el conocimiento lingüístico no cubre más que una parte del mensaje, al que hay que añadir otros conocimientos no lingüísticos. Toda comprensión es, por tanto, subjetiva y el sentido no puede ser más que una aproximación a lo que ha querido decir el autor.

Además, para que la traducción sea comprensible al lector que se acerca a ella, hay que tener en cuenta que el sentido es individual pero las formas son sociales y el traductor ha de reexpresar su versión conforme al uso de la lengua. Según afirma J. P. Vinay, el problema de la traducción «no es en general descubrir un sentido ignorado por el traductor, sino descubrir el medio de trasladar ese sentido a su lengua materna» [24]. Las mismas ideas pueden ser expresadas en todas las lenguas, pero hay que respetar las convenciones de cada una. Hacer comprender el sentido de un enunciado dentro de una lengua es reexpresarla dentro de las formas que sean más claras para aquellos a quienes va dirigida, y por ello la principal idea que propugna Lederer [25] es disociar las dos lenguas una vez se ha captado perfectamente el sentido del mensaje, y reexpresarlo en la misma situación en su lengua.

Ya hemos expresado en el capítulo cuarto nuestro desacuerdo con la teoría de la interpretación, principalmente en el caso omiso que hace de las palabras para centrarse exclusivamente en el sentido. No es que defendamos la noción tan extendida de que la traducción implica simplemente reemplazar palabras de una lengua por palabras de otra; la sustitución palabra-por-palabra no es realista como método general de traducción, pues cada lengua tiene sus propias reglas gramaticales. No obstante, debe haber un punto medio entre estas dos posiciones extremas. Afirmar que el papel de las palabras es puramente instrumental y que no es relevante el conocimiento de la lingüística no sería de aplicación a la traducción literaria, donde la forma

[24]   VINAY, J. (1968): «La traduction humaine» en MARTINET, A. ed. *Le langage*. París: Gallimard.
[25]   LEDERER, M. (1984); pág. 34.

está estrechamente unida al significado. Puede decirse que las palabras son un vehículo de comunicación y sirven para expresar los significados, pero no podemos ignorarlas; las reglas de la gramática gobiernan el uso de las palabras y hay principios que determinan la elección de ciertos términos del vocabulario; la comprensión de estos términos, a veces intuitiva, es necesaria para transferir el contenido del mensaje de una lengua a otra, junto con los factores extralingüísticos que han de intervenir en el proceso, como pueden ser el tema del texto, la intención del autor, el tiempo y el lugar, sin olvidar el papel del lector. Por ello insistimos en que es la lingüística la que principalmente proporciona los medios de comprensión de los procesos que implica la traducción y los procedimientos adecuados para tratar sus problemas, y recurrimos a la lingüística, no para que nos proporcione el instrumento válido de producir una traducción puntual, lo que podría ser a veces erróneo, sino para que nos ofrezca una guía útil en algunos aspectos complejos de la actividad traductora; para que nos muestre lo que ocurre en el proceso de transferencia entre las dos lenguas y las condiciones generales en que tiene lugar el proceso; para que podamos discutir dentro de su campo los principales problemas y dificultades, y las mejores soluciones para resolverlos.

5.5. INSTRUMENTOS DE CONSULTA

Ya hemos visto las dificultades que lleva consigo la actividad traductora; por ello, dentro de este apartado del proceso de la traducción, consideramos necesario dedicar una atención especial a los instrumentos de que se sirve el traductor como ayuda para el desempeño de su función. El traductor utiliza principalmente materiales escritos, que constan de diccionarios bilingües y monolingües, repertorios terminológicos, gramáticas, información cultural, histórica y literaria, etc., tanto en la lengua fuente como en la lengua término. Todo este material de apoyo vuelve a necesitarlo el traductor en la fase siguiente, la revisión, cuya importancia es tal, que constituye la mitad de todo el proceso completo de la traducción. Entre estos elementos de consulta podemos citar: los repertorios terminológicos, los diccionarios y otras fuentes extralingüísticas.

5.5.1. REPERTORIOS TERMINOLÓGICOS

Cualquier actividad informativa depende de la disponibilidad de una terminología apropiada fidedigna. Los traductores quizá sean los primeros que sufren la escasez o carencia de términos al tener que reformular la información en otra lengua. Por ello, reconociendo la creciente importancia de la terminología para el desarrollo de la actividad traductora, se han celebrado varios coloquios sobre terminología aplicada a la traducción; p.e. el organizado por la Asociación de Traductores e Intérpretes de Ontario, en Ottawa [26] y la Federación Internacional de Traductores FIT [27] que incluyó en las sesiones de trabajo de su X Congreso Mundial diversas ponencias sobre este tema [28]. La UNESCO también ha venido subvencionando las actividades terminológicas durante los últimos veinticinco años, aunque sólo al comienzo de la década de 1970 surgiera la idea de crear un organismo que coordinara las actividades internacionales en el campo de la terminología (INFOTERM - International Information Centre for Terminology). Este organismo y la Asociación Internacional de Lingüística Aplicada (AILA) organizaron el Primer Simposio Internacional sobre Problemas Teóricos y Metodológicos [29].

La actividad terminológica consiste principalmente en establecer, a nivel internacional, las definiciones de los términos estandarizados sobre un campo específico y tratar de armonizar definiciones y sistemas de conceptos divergentes. Además del trabajo terminológico multilingüe, se ocupa de la comparación de conceptos de diferentes lenguas, la determinación del grado de equivalencia de estos conceptos y la búsqueda de términos equivalentes. La Teoría General de la Terminología GGT, desarrollada por Eugen Wüster —creador de la Escuela de Terminología de Viena— es una disciplina científica que se ha desarrollado a partir de la práctica y con fines prácticos. Proporciona la base científica para el trabajo terminológico, como puede ser para la aplicación de los principios y métodos terminológicos que permiten a las organizaciones nacionales e internacionales llevar a cabo la unificación de términos de la forma más eficaz.

El acercamiento lingüístico a la ciencia terminológica se basa en la idea de que, siendo las terminologías subgrupos del léxico de una lengua específica, son también subgrupos de una lengua determinada. La GGT está unida a la lingüística aplicada y a las lenguas especiali-

[26] «L'Actualité», en *Meta* vol. 19, núm. 4, décembre 1974.
[27] Creada en 1953, adoptó resoluciones dirigidas a una mejor colaboración internacional en terminología, justamente desde su fundación. Ya en 1959, el III Congreso de FIT aprobó el Proyecto ICCTA sobre este tema.
[28] *Proceedings: Translators and their Position in Society*, 1984.
[29] Moscú, 27-30 noviembre 1979.

zadas —la totalidad de los medios lingüísticos utilizados en el campo de una determinada profesión— cuyas áreas se han convertido en los campos de investigación más atractivos para los lingüistas. Mientras que la terminología se concentra en la unidad terminológica —un concepto representado por un término—, la lengua especializada se desvía de las unidades léxicas tradicionales hacia coherencias comunicativas más amplias que son la base para la formación del sistema.

Un principio básico de la ciencia terminológica es la economía del lenguaje; por tanto, cuando se establece un nuevo término, hay que procurar no ser más precisos de lo que requiera la situación, ya que una mayor precisión de expresión suele implicar una menor facilidad en el habla y en la comprensión.

Un banco de datos terminológico consiste en un conjunto de datos incluidos en el ordenador con el propósito de proporcionar el acceso directo o indirecto del usuario a los datos almacenados y permitir el procesamiento de estos datos siguiendo unas características específicas. Actualmente, los bancos de datos terminológicos orientados a la traducción almacenan los datos terminológicos y los datos asociados a conceptos individuales sin indicación de su relación con otros conceptos. Son bancos de tipo diccionario. Esta terminología por medio del ordenador supone una gran ayuda para el traductor, ya que almacena términos equivalentes en diferentes lenguas, que pueden recuperarse instantáneamente, haciendo la búsqueda de términos mucho más simple. No obstante, la ayuda más eficaz son los diccionarios especializados alfabéticos, donde aparecen listas de términos con sus equivalentes en otras lenguas.

Las tendencias de los últimos años muestran que es necesaria una mayor colaboración internacional en la investigación terminológica, y por ello está experimentando un gran desarrollo: simposios, congresos y otras reuniones internacionales se dedican a examinar desde todos los ángulos posibles esta disciplina; igualmente se vienen celebrando cursos en las universidades de todo el mundo, incluyéndose en los programas de formación de traductores.

5.5.2. DICCIONARIOS

Siendo el diccionario el libro de consulta que se asocia más directamente con la traducción, creemos que debemos dedicarle alguna atención en nuestros estudios, puesto que este instrumento de tan gran ayuda debe usarse con precaución y prudencia. Hay muchas personas que otorgan a los diccionarios una autoridad infalible en el uso del lenguaje, pero éste no es el punto de vista de los lexicógrafos, para quienes el diccionario consigna y describe el uso, no lo establece.

Desde el punto de vista del traductor, convendría recordar que el diccionario siempre es atrasado; que muchas de las expresiones que incluye ya no son de uso común; que las expresiones que se catalogan como coloquiales o *substandard* pueden haber cambiado a un uso más formal, y sobre todo, que hay nuevas expresiones en uso que aún no están consignadas en el diccionario.

Entre todas las clases de diccionarios —bilingües, monolingües, especializados, etimológicos, de sinónimos y antónimos, analógicos o thesaurus, etc.— quizá el más útil para el traductor sea el monolingüe. En inglés tenemos ejemplos extraordinarios de esta clase de diccionarios: el *Oxford English Dictionary* y el *Shorter Oxford,* el *Webster's Third International* y el *Webster's Seventh New Collegiate* y otros más reducidos, que son versiones condensadas del tipo standardizado de diccionario.

En un concepto ideal, el diccionario debería ser un instrumento de discriminación semántica; debería permitir al usuario elegir entre las palabras adecuadas para una aplicación dada, y debería ofrecer información sobre la posición de una palabra dentro de una serie y su valor dentro de la estructura léxica, pero en realidad el diccionario presenta el lenguaje como un inventario, una lista de palabras que, salvo excepciones, no tienen conexión unas con otras, en vez de ofrecer un sistema estructurado que es la forma en que las palabras se usan en la práctica. El método alfabético de organizar las entradas, a pesar de ser primitivo, se sigue utilizando por falta de otro mejor.

No obstante, algunos diccionarios monolingües de tipo convencional intentan estructurar el vocabulario de una manera más racional: el *Webster's* utiliza sinónimos; *Martín Alonso* realiza las definiciones por medio de citas que incluyen oposiciones y contraste, sinónimos, antónimos y paráfrasis.

También el *Roget's Thesaurus,* con su acercamiento onomasiológico que procede del concepto al nombre o palabra —al contrario de los diccionarios enciclopédicos, donde es semasiológico; es decir, parten del nombre para llegar a lo que designa— ha servido de inspiración a los lexicógrafos, como punto de partida para las investigaciones que se han llevado a cabo en relación con la máquina de traducir. La agrupación de elementos en términos de ideas ofrece una perspectiva muy atractiva, pero depende de la intuición. La clasificación refleja la visión de una persona; la elección de conceptos es arbitraria y las estructuras, siendo conceptuales, no describen directamente las relaciones lingüísticas. Por otro lado, no está claro en qué medida la clasificación depende de asociaciones lingüísticas inconscientes en lugar de conceptuales. Es muy difícil, quizás imposible, disociar los conceptos de las formas del lenguaje. En la posición que se encuentra actualmente, el thesaurus no puede reemplazar al diccionario para el traductor, aunque pueda muy bien ser un suplemento útil.

El diccionario bilingüe tiene una importancia especial para el traductor, pero también puede ser un instrumento peligroso. En general, cuando un traductor necesita recurrir a un diccionario para encontrar un equivalente, haría mejor en consultar un buen diccionario monolingüe en la lengua fuente y, si fuera necesario, otro en la lengua término también. El diccionario bilingüe parece que nos va a ahorrar tiempo su uso, pero esto sólo puede conseguir un diccionario bilingüe perfecto y éste no existe. Los hay bastante buenos, pero normalmente producen frustración al traductor, que trata de buscar un término y no encuentra la expresión precisa para una colocación determinada, después de revisar una serie de posibles alternativas, cuya selección se ha realizado según el juicio arbitrario del autor; es más útil el diccionario monolingüe, ya que además de la definición, proporciona sinónimos o palabras de significación cercana. Por ello, el diccionario bilingüe sólo debe utilizarse como último recurso, no como primera ayuda.

El diccionario más importante para el traductor es el técnico —se diferencia del terminológico en que éste sólo contiene términos estandardizados—, pues cubre todo el campo de la ciencia y/o la tecnología. El *Chambers Technical Dictionary*, el *Elementary Scientific and Technical Dictionary* y el *New Polytechnic Dictionary* incluyen una amplia gama de estas disciplinas. Los hay más especializados, que abarcan exclusivamente una rama determinada y sirven para despejar todo tipo de dudas sobre cualquier término. No obstante, la proporción de expresiones obsoletas suele ser muy alta, ya que los términos técnicos dejan de utilizarse con mucha más rapidez que en el lenguaje general. Entre este tipo de diccionarios los hay monolingües, bilingües y multilingües, que proporcionan definiciones en varios idiomas, acompañados de ilustraciones para aclarar la terminología.

La tecnología moderna promete mejorar notablemente la situación, ya que las ayudas electrónicas permiten recopilar materiales que antes resultaban difíciles de clasificar y en un espacio mucho más reducido. Los diccionarios con ayuda del ordenador están teniendo un efecto revolucionario en la traducción: el uso de los métodos modernos de proceso de datos permite, entre otras cosas, la posibilidad de incluir una amplia gama de términos técnicos. No obstante, habrá de pasar aún algún tiempo antes que la revolución lexicográfica surta todos sus efectos.

5.5.3. OTRAS FUENTES EXTRALINGÜÍSTICAS

No podemos imaginar a un traductor que no tenga acceso a una biblioteca; en caso contrario, aunque se trate de un especialista, siempre tendrá que enfrentarse con problemas que habrá de resolver con cierta rapidez. Por tanto, consideramos esencial contar con una buena documentación que esté puesta al día en el campo de que se trate.

El primer instrumento válido para acercarse a cualquier tema será la enciclopedia; puede ser general o especializada. La *Britannica* o la *Espasa Calpe*, por ejemplo, proporcionan información general y humanística, no siendo bastante específicas ni conteniendo suficientes detalles, según las necesidades de que se trate.

También pueden consultarse monografías, tratados, libros de texto. Los tratados son virtualmente enciclopedias, pero con información más exhaustiva en su área. Las monografías abarcan un campo más reducido y pueden contener material no publicado anteriormente. Los libros de texto se dedican a la enseñanza y tienen un acercamiento más limitado que los dos anteriores. Su función más útil es que proporcionan una visión rápida del tema y ayudan al traductor a decidir dónde estará localizada la información.

Los Directorios y Anuarios ayudan en la traducción de nombres de organizaciones y pueden proporcionar la terminología adecuada.

Los artículos publicados en una revista normalmente contienen referencias a trabajos previos publicados sobre ese campo. Su consulta puede proporcionar ayuda en cuanto a terminología, pero requiere dedicarles mucho tiempo. Los diarios contienen noticias de las últimas investigaciones en la materia, comentarios, evaluaciones, pero su búsqueda puede resultar laboriosa si no se conocen datos de fechas concretas.

No hay que desechar los Extractos e Índices; hay muchos y variados y son muy útiles para localizar fuentes de información. Igualmente las tesis y disertaciones, que normalmente pueden pedirse prestadas o sacar fotocopias; si se encuentra el tema que nos interesa y es relativamente reciente, sin duda nos proporcionarán un punto de vista nuevo y una información bibliográfica exhaustiva.

Por último, entre las fuentes adicionales de información están los mapas y atlas, importantes para localizar los nombres y situarlos debidamente, si queremos que nuestras definiciones sean exactas y adecuadas.

Capítulo VI

Diferentes modelos de traducción

La traducción como producto, esto es, las traducciones, pueden ser de temas tan diversos, que conviene estudiar sus diferentes tipos por separado, a fin de destacar las características que ayuden a establecer su metodología. Tradicionalmente, se ha aplicado al estudio de las lenguas clásicas y, gracias a ella, nos son conocidas las obras de tantos autores inolvidables que han sido la base y la fuente de nuestra historia literaria; pero actualmente la gran avalancha de traducciones técnicas y científicas supera con mucho el número de las traducciones de tipo literario, a pesar de que continúe siendo también muy numeroso.

6.1. TRADUCCIÓN LITERARIA

La teoría de la traducción mantiene que «la traducción de un texto que sólo requiera la transferencia de información escueta es perfectamente posible y posiblemente perfecta» [1]. No obstante, las dificultades aparecen cuando se trata de traducción literaria, debido a la forma y al contenido del mensaje, así como a la laguna cultural que puede existir entre los lectores de la lengua término y los de la lengua original, cuyo origen se deriva principalmente de las diferentes formas de pensar y sentir entre las diversas civilizaciones. Igualmente, como afirma Edmond Cary, es importante tener en cuenta la función de los

---

[1] NEWMARK, P. (1988): op. cit., pág. 162.

dos textos, su destinatario, la relación entre las culturas de los dos pueblos, su condición moral, intelectual y afectiva y demás circunstancias propias de la época y del lugar [2].

Para algunos traductores, la dificultad principal de la traducción literaria consiste en la famosa *barrera* de las lenguas que deben franquear para descifrar el texto y comprender lo que las palabras o frases quieren decir. Pero, según Cary, las verdaderas dificultades de la traducción literaria están en el contexto, y no en el contexto lingüístico, o parte formal de la operación, sino en el contexto cultural [3]. De ahí que cada traductor ofrezca una versión diferente, aunque se trate del mismo texto traducido, pues una gran obra literaria no revela en la lectura sus diferentes fases a todos por igual. Si se tratara de una simple operación lingüística podría conseguirse más fácilmente una perfección relativa. ¿Son más exactas las más fieles? Es difícil contestar a esta pregunta, pues cada una restituye ciertos aspectos, ciertos acentos que no aparecen en las otras y que son fruto de la propia creatividad del traductor. Por eso pensamos que la traducción literaria forma parte de la literatura, a pesar de que la teoría literaria rara vez se haya ocupado de ella y la considere «un fenómeno marginal en su campo específico» [4]. Las obras traducidas pertenecen a la literatura de un país y no puede negarse su influencia a lo largo de toda la historia, pues para leer a los escritores clásicos griegos o latinos, el público general ha tenido que valerse de traducciones, llegándose en muchos casos a no poder separar la traducción de la obra original. Por tanto, sin olvidar su cualidad de agradar, deleitar y entretener al lector, hay que considerar a la traducción una ayuda para el estudio de la literatura; gracias a la traducción se enriquece el lenguaje, al tratar de acercar el pensamiento y la cultura —la propia visión del mundo de un pueblo— a otra mentalidad totalmente diferente.

Una consideración importante que ha de tener en cuenta el traductor al acercarse a una obra literaria es que en primer lugar es lector y después escritor. Quizás el mayor avance de los estudios literarios llevados a cabo en el siglo xx haya sido la revalorización del lector, que ha llegado a ser considerado como un productor del texto,

---

[2] CARY, E. (1986): *Comment faut-il traduire?* (Introduction Michel Ballard). Paris: Presses Universitaires de Lille, pág. 85.
[3] Ibíd., pág. 35.
[4] GARCÍA YEBRA, V. (1983): *En torno a la traducción.* Madrid: Editorial Gredos, pág. 42.

más que un simple receptor, pues realiza la expansión del proceso de semiosis de la obra, al interpretarla o descodificarla *(vid. supra,* apartado 3.4). En su obra *Reception Theory,* Robert C. Holub [5] trata de descubrir bajo qué condiciones un texto tiene significado para el lector. En contraste con la interpretación tradicional, que se centraba en descifrar el significado oculto del texto, algunos críticos tratan de ver el significado como el resultado de una interacción entre el texto y el lector, como un *efecto a experimentar*, no un *objeto a definir*. Es decir, si el objeto estético u obra literaria sólo se crea a través de un acto cognoscitivo por parte del lector, entonces el punto de atención se desplaza desde el texto como objeto al acto de leer como proceso: la obra literaria no es un texto ni un elemento subjetivo del lector, sino la combinación o mezcla de los dos.

Ante un texto literario, el traductor primero lee-interpreta en la lengua fuente y luego, a través de un largo proceso de codificación, traduce el texto en la lengua término. Por tanto, no puede olvidarse la labor de interpretación que tiene que realizar el traductor. Según Susan Bassnett: «la traducción interlingüística refleja la propia interpretación creativa del traductor del texto, y por consiguiente la reproducción de la forma, la métrica, el ritmo, el tono, el registro, etc. de la lengua fuente estará determinada tanto por el sistema de esta lengua como por el de la lengua término» [6].

También depende de la función de la traducción, debiendo regir un criterio diferente si se dirige a lectores que no poseen ningún conocimiento de las convenciones literarias y sociales de la lengua fuente.

Una cuestión esencial en la traducción literaria es el viejo problema de literalidad y libertad, fidelidad y belleza. Realmente no hay contradicción entre belleza y fidelidad, el traductor literario tiene que ser lo más fiel posible, tiene que traducir todo el texto e intentar reproducir o reconstruir algo parecido al estilo del original, sin olvidar tampoco el contexto en que está enmarcado. Si aparece una forma enfática en la lengua fuente puede explicarse en la lengua término, aunque nunca producirá el impacto del original. En la traducción literaria, «la primera articulación básica de significado, la palabra, es

---

[5] HOLUB, R. C., 1985 (1984): *Reception Theory: A Critical Introduction.* New York: Methuen, Inc., pág. 83.
[6] BASSNETT-MC GUIRE, S. (1980): *Translation Studies.* London & New York: Methuen, pág. 80.

tan importante como la segunda, la oración o el verso en poesía, y la necesidad de que tengan cohesión la palabra y la oración con su unidad mayor, el texto, requiere un reajuste continuo» [7].

Al traducir una obra literaria, hay que tomar continuamente decisiones, a fin de encontrar las formas paralelas del texto de la lengua fuente en la lengua meta. Por tanto, a pesar de la importancia que hay que conceder a la teoría de la traducción, no pueden seguirse unos principios generales, sino que hay que analizar cada estructura individual, ya que ellas son las que indican el énfasis que el autor concede a los elementos lingüísticos. En caso contrario, puede llegarse a prestar demasiada atención a algunos aspectos particulares del texto a expensas de otros. Esto puede muy bien ocurrir con el *Ulysses,* de James Joyce, donde continuamente aparecen frases y expresiones cuyo sentido radica en las repeticiones y parodias de alguna frase que apareció antes en la narración, lo que exige del traductor «memoria verbal para haber reconocido la repetición en el original» [8].

Las dificultades que presenta la traducción de algunas obras literarias es tan grande, que en algunos casos parecen absolutamente insoslayables, y por eso los escritores suelen ser buenos traductores. Este es el caso de Miguel Ángel Asturias, que inició su producción literaria con la traducción de un texto religioso de la cultura maya-quiché, o José Luis Borges con sus admirables versiones de Virginia Woolf, Kafka y Faulkner, o las que hizo Julio Cortázar —traductor oficial de la UNESCO— de Edgar Allan Poe. Es preciso conocer a fondo y manejar con precisión, imaginación y belleza todos los resortes de la lengua propia; de ahí la diferencia que se produce entre una traducción que exclusivamente vierte la información contenida en el texto frente a una traducción rica y evocadora. Un buen traductor sabe que no puede elegir el primer término equivalente que se le ocurre, sino aquel cuyo ámbito de sugerencias sea más afin a la expresión original. Como ejemplo pueden citarse las versiones de Vázquez Montalbán y Ángel Luis Pujante de *Julio César.*

---

[7]   NEWMARK, P. (1988): op. cit., pág. 162.
[8]   GARGATAGLI, A. (1984): «Traducción y creación», en *Cuadernos de Traducción e Interpretación.* Núm. 4, pág. 140.

6.1.1. ¿ES POSIBLE TRADUCIR LA POESÍA?

En la clásica contienda sobre traducibilidad/intraducibilidad, no resuelta todavía, quizá sea la poesía la que más ha influido en la consistencia de la segunda hipótesis: «Es imposible traducir la poesía, aunque no hay traductor que se resista a intentarlo», afirma Gabriel Berns, añadiendo a continuación «y es doblemente imposible traducir los sonidos de una lengua a otra» [9].

La traducción de una obra en verso es la empresa más difícil que puede acometer el traductor, por ser la poesía la más personal y concentrada de las formas literarias. Para que resulte una traducción aceptable, según García Yebra, además de traducir el sentido,

> ...hay que reflejar también el sonido; la estructura rítmica, y los efectos verbales y musicales, pues en la poesía el significado y la forma son tan inseparables como el cuerpo y el alma [10].

En esto sí que están de acuerdo casi todos los traductores, en la relación existente entre el sentido y las estructuras formales: «In poetry, verbal equations become a constructive principle of the text. Syntactic and morphological categories, roots, and affixes, phonemes and their components (distinctive features) —in short, any constituent of the verbal code— are confronted, juxtaposed, brought into contiguous relation according to the principle of similarity and contrast and carry their own autonomous signification. Phonemic similarity is sensed as semantic relationship» [11]. Por ello T. Savory es contundente al afirmar que «adequate translation of a poem is impossible» [12], al igual que R. Jakobson: «Poetry by definition is untraslatable» [13].

Un traductor de poesía ha de tener, en primer lugar, sensibilidad y ser un buen conocedor de las formas poéticas. Además, ha de ser capaz de admirar y estar dispuesto a someterse al verso original y a traducir de cerca, tratando de buscar la equivalencia. Por eso los grandes poetas a veces son malos traductores, porque no saben respetar

---

[9] BERNS, G. (1982): «Sobre la traducción de poesía» en *Primer simposio nacional sobre el traductor y la traducción*. Madrid: APETI, pág. 143.
[10] GARCÍA YEBRA, V. (1983): op. cit., pág. 138.
[11] JAKOBSON, R., 1971 (1959): op. cit., pág. 266.
[12] SAVORY, Th., 1969 (1957): *The Art of Translation*. London: Jonathan Cape, pág. 75.
[13] JAKOBSON, R. (1971): pág. 265.

el poema original. En cambio, los poetas de segundo orden pueden ser buenos traductores de poesía, siempre que tengan sensibilidad para traducir y conocimiento de la lengua fuente.

La principal dificultad de la traducción poética es que no pueden alterarse las palabras sin alterar el significado, ya que en esta forma de literatura las palabras no son sólo símbolos de objetos, sino centros de asociaciones cuya capacidad para sugerir algo depende de su sonido. De ahí que haya tanto escepticismo sobre este tipo de traducción y se piense que, en el mejor de los casos, sólo puede llegar a conseguirse una imitación o reproducción del original, pero en muy pocos casos una buena traducción.

Para Newmark, la dificultad básica de la poesía es que «no tiene redundancia ni lenguaje fático», y la palabra, como unidad, adquiere mayor importancia que en cualquier otro tipo de texto: «Si la palabra es la primera unidad de significado, la segunda no es la oración o la proposición, sino normalmente el verso, lo que vuelve a demostrar una única concentración doble de unidades» [14]. Por tanto, es necesario conservar la integridad de las unidades léxicas y de los versos dentro del marco de la puntuación que corresponda, a fin de reproducir el *tono* del original y conseguir un equivalente acertado. Este es el elemento que controla todo el lenguaje creativo y evoca a través de una imagen visual no sólo signos sino los otros cuatro sentidos: la piel sugiere el tacto, el alimento el gusto, las flores el olfato, y las campanas o los pájaros el oído. Las cualidades humanas de bondad y maldad, placer y sufrimiento que estas imágenes pueden producir son las que transforman el lenguaje y lo hacen más vivo. La poesía quiere principalmente transmitir emociones y, a pesar de que el lenguaje sea concreto, cada palabra representa además: sentimientos, comportamientos, o puntos de vista particulares de la vida en general o del propio poeta.

El trabajo que precede a la traducción poética es crítico, y requiere una intensa penetración del sentido del autor. A continuación viene el trabajo técnico, en el que se realiza una proyección lo más exacta posible de los contenidos, de los conceptos captados por la mente. Newmark [15] aconseja al traductor que traduzca escrupulosamente las metáforas originales, a pesar de que puedan producir un choque cul-

---

[14]   NEWMARK, P. (1988): op. cit., pág. 163.
[15]   Ibíd., pág. 165.

tural, y con las imágenes que tengan antecedentes universales, culturales y personales, el traductor de poesía no puede hacer ninguna concesión al lector, ni transferir la cultura extranjera a su equivalente en la lengua nativa.

La cuestión básica de la traducción de una obra poética escrita en forma versificada es si debe traducirse en prosa o en verso. Hay argumentos a favor y en contra. Unos intentan justificar la traducción en prosa porque piensan que lo más importante es la fidelidad, conservar todo lo que se dice en el original, y otros, por el contrario, defienden que lo primero es ser capaz de crear un poema hermoso. Claude Pichois afirma que la poesía no puede pasar sencillamente por una «prosa sublimada», pues «es a la prosa lo que la danza es al andar, el canto a la palabra» [16]; es decir, la poesía tiene dos elementos esenciales, el ritmo y la belleza, que si se traducen en prosa desaparecen.

La solución a este problema, que parece insoluble, de si un poema ha de traducirse en prosa o en verso, la resuelve García Yebra aconsejando al traductor que estudie las posibilidades que ofrezca cada texto, pues el principal condicionamiento está en la proximidad de las dos lenguas, la fuente y la término, y en el carácter y la estructura de la obra que se va a traducir:

> Vale más una buena traducción en prosa que una mala traducción en verso; pero una buena traducción en verso vale más que una buena traducción en prosa [17].

En cuanto al proceso a seguir, recordaremos las reglas de Edmond Cary, quien recomienda comenzar como si se tratara de una obra en prosa: «On commence par traduire les sens des mots et des phrases, et, cela fait, on estime avoir fait l'essentiel. On passe bien entendu ensuite aux détails: détails linguistiques de nuances sémantiques d'une part, finesses de style, touches de couleur et subtilités de sentiment. Que reste-t-il encore à faire? Les plus exigeants font un pas encore: ils s'inquiètent de sonorités, de cadences, voire entreprennent de traduire en vers, parfois en vers rimés» [18].

---

[16] PICHOIS, C. et al. (1969): *La literatura comparada*. Versión española de G. Colón Doménech. Madrid: Ed. Gredos, pág. 193.
[17] GARCÍA YEBRA, V. (1983): op. cit., pág. 139.
[18] CARY, E. (1986): op. cit., pág. 43.

En todo caso, la traducción de una obra poética tiene valor de disciplina y de exploración, de invención y de descubrimiento: «Only creative transposition — from one poetic shape into another, or finally intersemiotic transposition - from one system of signs into another, e.g., from verbal art into music, dance, cinema, or painting» [19]. Por ello nadie puede discutir que la traducción en verso es más difícil que en prosa y que al hacer una buena traducción de poesía, además de multiplicar numéricamente los lectores, el traductor se convierte en poeta, inspirándose en la anterior. Este es el caso de Ezra Pound, para quien —según Hugh Kenner— la traducción no difiere en esencia de cualquier otro trabajo de tipo poético, excepto en que «mientras el poeta comienza *viendo*, el traductor lo hace leyendo, pero su lectura debe ser una especie de *visión*» [20].

Si un traductor da prioridad a la forma en vez de al contenido, y dentro de ésta a un determinado aspecto —métrica, ritmo, o estructura— esta prioridad no depende exclusivamente de los valores intrínsecos del poema, sino también del concepto que tenga el traductor sobre la poesía. Por tanto, no es posible crear una teoría general de la traducción poética sino únicamente llamar la atención sobre la posibilidad de sus variedades, señalando la práctica más adecuada. Es el traductor quien tiene que decidir, de forma deliberada o intuitiva, si es más importante la función expresiva de la lengua o la estética en un poema o un fragmento de éste.

Como ejemplo de una traducción en verso fiel a la expresión del autor, puede citarse la versión de Esteban Pujals de *El Paraíso Perdido* de Milton [21]. Principalmente las descripciones que se refieren a la creación de Eva son de una belleza extraordinaria y es en ellas quizás donde Pujals ha conseguido la mayor perfección:

> The rib he formed and fashioned with his hands,
> Under his forming hands a creature grew,
> Man-like, but different sex, so lovely fair
> That what seemed fair in all the world seemed now
> Mean, or in her summed up, in her contained
> And in her looks, which from that time infused
> Sweetness into my heart, unfelt before,

---

[19] JAKOBSON, R. (1971): op. cit., pág. 266.
[20] KENNER, H., 1984 (1953): Introduction to *Ezra Pound: Translations*. London: Faber and Faber Limited, págs. 10-4.
[21] Edición y traducción de Esteban Pujals de *Paradise Lost*, de Milton. Cátedra. Madrid 1986.

And into all things from her air inspired
The spirit of love and amorous delight.
(Versos 469-477)

Con sus manos dio forma, moldeando
La costilla; de su mano creadora
Surgía una criatura semejante
Al hombre, mas de distinto sexo,
Y tan encantadoramente hermosa
Que lo que en todo el mundo parecía
Bello, resultaba pobre, o compendiado
Y contenido en ella, en su mirada,
Que infundía desde aquel momento
Una dulzura en mi corazón jamás
Sentida antes, y su aspecto inspiraba
Sobre las cosas todas un espíritu
De cariño y deleites amorosos.

Es bien sabido que el éxito del traductor depende en gran medida de la elección del texto. Si no está de acuerdo con su sensibilidad, no será capaz de actualizar plenamente el sentido implícito de la obra, las connotaciones, deducciones, interpretaciones y asociaciones que contiene. Por ello Pujals, gran conocedor del poema *El Paraíso Perdido* y de toda la obra de Milton, ha podido trasladar a nuestra lengua los innumerables elementos que van surgiendo a través de sus versos: disquisiciones morales, pormenores mitológicos y científicos, conocimientos de tipo histórico, referencias personales y sociales, censuras de Milton a algunos detalles del anglicanismo y del catolicismo; a pesar de que reconozca los dogmas principales y la moral establecida. Ha trasladado, lo más literalmente posible, en versos blancos de base endecasilábica, no sólo el sentido, sino también el estilo y el lenguaje del original, sin suprimir repeticiones, cambiar la adjetivación, ni mucho menos enmendar el contenido de la obra.

6.1.2. RELACIÓN DIALÉCTICA TEXTO-REPRESENTACIÓN EN LA OBRA TEATRAL

En cuanto a la traducción de obras teatrales comenzaremos diciendo que los teóricos de la traducción han estudiado detenidamente todos los problemas que afectan a la poesía y han escrito sobre ella numerosos tratados de metodología, pero se han detenido muy poco en observar las características especiales de la traducción de textos dramáticos, como si la metodología a seguir tuviera que amoldarse a la prosa o al verso, según los casos. Sin embargo, el más ligero examen de los elementos que intervienen en una obra teatral pone de manifiesto las diferencias que forzosamente han de existir. Según Lars Hamberg, un texto dramático ha de reunir los siguientes requisitos:

> Debe caracterizar al hablante y, por tanto, ser genuino; debe caracterizar la época y el lugar, así como la clase social; no debe ser ambiguo; hay que darle el énfasis debido, para que atraiga la atención de la audiencia en la dirección deseada [22].

La esencia del teatro es su proximidad a la audiencia, superior a cualquier otro género literario, y el traductor debe tenerlo en cuenta si quiere conseguir una versión adecuada. En principio, el texto teatral sólo consigue todo su potencial comunicativo cuando se representa en el escenario, y esto plantea al traductor la grave disyuntiva de si traducirlo como un texto puramente literario o tratar de hacerlo teniendo en cuenta su función, como un elemento en otro sistema mucho más complejo. Según han mostrado los estudios de semiótica teatral, «el sistema lingüístico es tan sólo un componente opcional en un conjunto de sistemas interrelacionados que componen el espectáculo» [23].

En una obra teatral, el discurso —el signo principal de la situación social de un personaje— siempre va unido a los gestos del actor y a todo lo que aparece en el escenario, que está en consonancia con esa misma situación. Por tanto, es imposible separar el texto de la representación, ya que el teatro consiste en la relación dialéctica entre ambos, y si esta relación es efectiva, es cuando se produce esa comunicación privilegiada que desde los dramas más antiguos griegos atraía a las masas. De ahí que Manuel Ángel Conejero plantee la cuestión desde el punto de vista de la semiótica y sugiera la conveniencia de asociar los términos *retórica-teatro-traducción*, que no suelen considerarse como entidades relacionadas entre sí. Los diferentes sistemas semióticos que intervienen en el teatro:

> ...actores, escenógrafo y músicos comparten un centro significativo y lo traducen a sus respectivos sistemas de signos, atendiendo, para la efectividad del experimento como totalidad, a las indicaciones del director. Este, a su vez, comparte con el resto del equipo el esfuerzo por recrear el proceso de «traducción» que, en un principio, llevó a cabo el autor [24].

---

[22]   HAMBERG, L. (1969): «Some practical considerations concerning dramatic translation», en *Babel*, núm. 2, vol. XV, pág. 91.
[23]   BASSNETT-MC GUIRE, S. (1980): op. cit., pág. 120.
[24]   CONEJERO, M. A. (1983): *La escena, el sueño, la palabra: Apunte shakesperiano*. Valencia: Instituto shakesperiano, pág. 22.

En toda literatura, tanto si se trata de poesía como de prosa, la parte esencial es la palabra, pero el teatro no puede prescindir de esa fase que supone su propósito principal y que le convierte en un acto completo: la representación. De ahí que lo retórico en la escena pueda considerarse un modelo de traducción en el que significado y forma no pueden disociarse, constituyendo la forma la esencia del argumento, no el discurso narrativo de la obra. Anne Ubersfeld llama *equivalencia semántica* a la correlación que debe existir entre el guión escrito y la representación:

> ...sólo hay que alterar la «forma de expresión», tanto el contenido como el estilo deben permanecer idénticos al ser transferido del sistema de signos del texto al sistema de signos de la representación [25].

Conejero sugiere un concepto retórico de traducción que incluya: «la semiótica de la conducta, la variabilidad de significación de una realidad teatral concreta y el interlingüismo como fórmula idónea para llegar a la comprensión o reelaboración del drama». Dentro de este esquema «un personaje lo es realmente si, al usar las figuras de estilo, el procedimiento ha sido correcto», pues los personajes son entidades creadas por palabras ordenadas sintácticamente sobre el escenario [26]. Esto hace del texto escrito un componente funcional en el proceso total que constituye el teatro, por lo que, según Veltrusky [27], ha de reunir unas características que le distinguen de otro que haya sido escrito para ser leído. Estos signos distintivos son muy diversos:

1) la relación entre el diálogo y la situación extralingüística es intensa y recíproca;

2) la situación suele proporcionar al diálogo un elemento subjetivo, interfiere en el diálogo, afecta a la forma en que se desarrolla, produce cambios y a veces lo interrumpe;

3) el diálogo, por su parte, ilumina de forma progresiva la situación y, a veces, la modifica y transforma;

4) el sentido real de las unidades individuales de significado depende tanto de la situación extralingüística como del contexto lingüístico.

Un ejemplo claro de las diferencias que el autor se ve forzado a

---

[25] UBERSFELD, A. (1978): *Lire le théatre*. Paris: Editions Sociales; págs. 15-16.
[26] CONEJERO, M. A. (1983): op. cit. págs. 28-9.
[27] VELTRUSKY, J. (1977): *Drama as Literature*. Lisse: Peter de Ridder Press, pág. 10.

introducir entre novela-drama nos lo ofrece Henry James con su obra *Daisy Miller*. A pesar de que en la versión novelística James describa minuciosamente a sus personajes, en la obra teatral reproduce esas descripciones, pero además introduce otros signos que son esenciales para la representación:

> Daisy entra por la derecha, avanzando lentamente, como si no tuviera nada que hacer, y pasa a lo largo del escenario enfrente de Winterbourne, quien la observa en silencio. Ella también le mira mientras pasa y va hacia la izquierda, en la dirección contraria al hotel [28].

Otro elemento de significación profunda que revela la diferencia de fondo entre la novela y la pieza teatral —lo cual confirma al teatro como arte independiente—, son los enunciados de descripción insertados por el autor. Mientras que en la novela *Daisy Miller* los cuatro capítulos se introducen con una descripción detallada del lugar de la acción, en la obra teatral sólo aparecen al comienzo de sus tres actos unas líneas, formadas por grupos nominales sin ningún tipo de nexo: «Jardín de un hotel. Pórtico a la izquierda con escalones. Naranjos. Unas cuantas mesas pequeñas y sillas...»[29].

El signo teatral, para Umberto Eco, «pertenece a los signos clasificados como naturales, motivados y analógicos, ya que el elemento primario de una representación teatral está dado por un cuerpo humano que se ostenta y se mueve»[30]. Por ello la función kinésica requiere especial atención y Henry James se la dedica a lo largo de toda la obra dramática: «Mme. de Katroff, avanzando como si estuviera algo sobresaltada». «Mrs. Cotello y Miss Durant salen del hotel mientras Mme. de Katroff entra, mirándola atentamente». «Mrs Costello rehusa con un gesto el ofrecimiento». «Randolph escoge cuidadosamente el terrón de azúcar más grande, metiéndose otros en el bolsillo. Al saborearlo, hace un gesto de placer».

El factor más importante del diálogo de una obra tetral es su naturalidad. El traductor tiene materialmente que «oír» la voz de los actores mientras realiza su adaptación, lo que es extensivo al productor y al director. Esta nueva dimensión que hay que añadir al texto

---

[28] JAMES, H. (1949): *Daisy Miller*, en *The Complete Plays of Henry James* (León, EDEL ed.) Philadelphia y New York: J. B. LIPPINCOTT, 1949, pág. 126.

[29] Ibid, pág. 3.

[30] ECO, U. (1975): «Elementos pre-teatrales de una semiótica del teatro», en *Semiología del teatro*. Barcelona: Ed. Planeta, pág. 96.

escrito obliga al traductor a determinar las estructuras que lo configuran y a continuación trasladarlas a la lengua término, aunque tenga que realizar cambios importantes, tanto lingüísticos como estilísticos. La forma de actuar y el concepto del teatro varía notablemente según el contexto, el tipo de obra de que se trate —tragedia o comedia—, y de la época o el lugar en que se desarrolle.

El análisis de una obra dramática requiere prestar atención no sólo a lo que se expresa en los diálogos, sino a la intención del autor: en una comedia el autor permite a la audiencia saber más sobre los hechos que a los personajes, a fin de que el espectador estudie los efectos que producen los episodios en el actor. Por tanto, el traductor tiene que prestar atención especial a las insinuaciones del autor, al simbolismo, al lenguaje, etc., e indicar en notas a pie de página cualquier observación necesaria, para que el productor pueda hacer la aclaración oportuna al actor.

La labor del traductor en la adaptación de una obra teatral es esencial, ya que la representación se basa en la expresión escrita, principalmente si se trata de obras clásicas. Por ello un traductor dramático tiene que ser honesto en cuanto a que no puede dejar nada sin explicar, a pesar de que pueda creer que, en su versión, el tema se va a convertir en algo prosaico, perdiendo parte del poder mágico del original. No puede pasar por alto el patetismo, la ironía, el énfasis: las palabras producen impresiones e impulsos de diferentes clases en la imaginación, y estas características tienen que aparecer de alguna forma en la traducción. A veces hay pausas indicadas por el autor y otras que el traductor tiene que imaginar leyendo entre líneas, pues las sugiere el ritmo de la obra. Estas pausas a veces completan la caracterización de un personaje, al igual que las entradas y las salidas, los conectores y los contrastes que aparecen en el diálogo, las asociaciones, las repeticiones, etc.; todo ello tiene que captarlo y expresarlo el traductor en su propia versión.

En resumen, traducir una obra teatral requiere diversas técnicas y el traductor que lo intente habrá de tener bien presente cómo va a sonar en el escenario, ya que este texto se ha escrito pensando en signos auditivos y visuales. Tiene que saber si una frase va a resultar afectada, poco natural o irreal, y tener en cuenta el efecto que puede producir en la audiencia. Puesto que el texto ha sido escrito pensando en la voz que lo va a pronunciar, ya contiene en su interior un conjunto de sistemas paralingüísticos en el cual tanto la entonación como el acento o la velocidad en que se pronuncien las palabras tiene significado. Esto quiere decir que el texto está también formado por un subtexto que orienta los movimientos que han de realizar los actores,

lo que —al igual que cualquier otro tipo de traducción— requiere
dedicar la máxima atención a la función del texto, que en este caso
opera a niveles distintos de los estrictamente lingüísticos, teniendo el
papel de la audiencia una dimensión pública que no comparte el lector
individual, cuyo contacto con el texto es esencialmente privado. El
aspecto de la representación del texto y su relación con la audiencia,
por tanto, son las premisas básicas; el texto ha sido escrito por y para
ser representado, y ello exige del traductor conocer con absoluta claridad cómo se expresan las distintas situaciones conversacionales, el
tono, el registro, etc., a fin de poder trasladar fielmente el guión dramático de la lengua fuente en la lengua receptora.

6.1.3. PROSA LITERARIA: EL ESTILO Y EL TONO DEL AUTOR

Por lo que se refiere a la traducción de novela, al igual que ocurre
con el teatro, pocos han estudiado los problemas específicos de la
traducción literaria en prosa, quizá debido a que se han menosprecia-
do las dificultades que entraña la estructura de la novela.

No pueden hacerse generalizaciones sobre la traducción de la novela, sino que únicamente el propio traductor es quien tiene que establecer los problemas que pueda plantear cada texto, decidiendo las
unidades léxicas que son centrales y desempeñan una función importante, y las que son periféricas: la importancia de la cultura de la
lengua fuente y del propósito moral del autor hacia el lector, la
traducción de los nombres propios y del idiolecto del autor o la distinción entre estilo personal, convenciones literarias y normas de la
lengua fuente. Por otro lado, si el autor presenta su obra deliberada-
mente con un estilo ambiguo y oscuro, el traductor debe respetarlo,
a pesar de que intente hacerlo comprensible para los lectores que no
tengan acceso al texto original.

Aunque la traducción literaria comprenda aspectos extralingüísticos, en esencia consta de una serie de análisis y operaciones que pertenecen a la lingüística y si ésta se aplica correctamente puede ayudar
al traductor. La traducción puede ser un arte, pero fundado en la
ciencia de la lengua. Por tanto, el traductor ha de tener un dominio
total de las lenguas fuente y receptora y también de las dos culturas.
Las palabras sólo tienen significado dentro del marco cultural, y un
discurso hay que relacionarlo con la esfera más amplia de la acción y
el pensamiento humanos, procurando la mayor fidelidad posible en la
lengua receptora de la forma, el contenido y el espíritu del mensaje
original.

Traducido en reglas, Hilaire Belloc las resume en las siguientes: 1.ª no hay que traducir palabra por palabra, sino considerar la obra como una unidad completa e ir traduciendo por secciones, planteándose antes el verdadero sentido que quiere trasladar; 2.ª los modismos deben reproducirse, en lo posible, con otro modismo equivalente de la lengua término, y lo mismo hay que hacer con los tiempos verbales, que deben traducirse con el correspondiente del nuevo sistema de la lengua; 3.ª otro factor a tener en cuenta es la intención del autor, que el traductor tiene que captar y reflejar lo más fielmente posible, procurando que no sea ni más ni menos enfática que el original; a veces puede ser necesario modular la frase, añadiendo o restando elementos, para ajustarla a la propia lengua; 4.ª un factor peligroso son los «falsos amigos», esas palabras o estructuras que puede parecer se corresponden en ambas lenguas, pero que realmente no es así; 5.ª nunca hay que tratar de perfeccionar el texto original [31].

El traductor tiene que conocer las estructuras lingüísticas de las dos lenguas, tanto superficiales como profundas, y conocer los tipos de transformaciones que ocurren dentro de una lengua; ha de saber generar frases y relacionarlas unas con otras, para poder hacerlas funcionar a su conveniencia. Es esencial también que conozca los significados de las estructuras sintácticas, y que sea sensible al estilo, para poder penetrar en la parte más compleja del texto y después ser capaz de reproducir —tanto si se trata de un estilo clásico como moderno— el tono propio de cada escritor. Según Bernard Bloch, el estilo de un discurso

> ...es el mensaje transmitido por la frecuencia de distribuciones y por las probabilidades transicionales de sus rasgos lingüísticos, especialmente cuando difieren del mismo tipo de rasgos que aparecen en la lengua [32].

Añadiendo Enkwist que si puede definirse el estilo como la desviación de una norma, entonces, cuando dos textos difieren de una misma norma, pueden pertenecer al mismo estilo [33]; pero también es necesario distinguir entre estilo en general y categorías estilísticas específicas, pues el estilo puede definirse en términos de lengua, género, escuela, época, lugar, etc.

---

[31] BELLOC, H. (1931): *On Translation*. Oxford: The Claredon Press, pág. 116.
[32] BLOCH, B. (1953): «Linguistic Structure and Linguistic Analysis», en HILL, A. A. ed. *Report on the Fourth Annual Round Table Meeting on Linguistics and Language Teaching*, Washington: Hill, pág. 42.
[33] ENKVIST, N. E. (et al.), 1978 (1964) *Linguistics and style* O.V.P., pág. 25.

El traductor opera en un sentido inverso al autor, que inventa y crea personajes. Va de la parte al todo; las frases las sitúa en un contexto: época, país geográfico, histórico, social, cultural, etnológico. Del párrafo pasa a los capítulos y después a la obra en su conjunto, que ha de situar dentro del resto de la obra del autor. Si quiere traducir con éxito, el traductor ha de documentarse perfectamente y conocer a fondo todos estos elementos antes de comenzar a dar su versión. El mensaje es el verdadero sentido que posee un enunciado, teniendo siempre en cuenta la realidad extralingüística, por lo que es preciso comprender la situación en que se produce y apreciar todos sus registros; es decir, se tiene que plantear la cuestión de la fidelidad sin sobretraducir, dar unidad y elegir un registro que no sea diferente del estilo del autor. Incluso tiene que saber cómo se construye una novela, conociendo las reglas de su estructura; tiene que conocer el proceso creador de la obra literaria para rehacerlo él, pues un cambio de estilo es un cambio de sentido. Al igual que el escritor, el traductor debe conseguir la suspensión de la incredulidad del lector, lograr que el lector que lea en esa lengua crea que está comprendiendo el texto original; tiene que levantar una fachada delante del lector, pues si éste no se cree lo que el traductor le presenta, mira detrás, lo que no hace si es convincente. Para ello, hay que ir delante del texto, conociendo la obra y siguiendo un proceso de identificación con el autor, siempre sin olvidar las marcas estilísticas que definen la personalidad de cada escritor y que el traductor ha de respetar.

El estilo es una manera de ver el mundo; no se trata de peculiaridades retóricas o formales, sino del tono del autor; cada escritor tiene un estilo característico y el traductor ha de reflejarlo. Este estilo se compone de varios elementos: elección del léxico, estructura de la frase, sintaxis y construcción. Es difícil analizar científicamente el estilo, ya que se compone de elementos que tienen que ver con la música —melodía de vocales y consonantes, ritmos, acordes—, principalmente en la poesía.

La investigación del estilo es, en esencia, una descripción científica de ciertos tipos y grupos de estructuras lingüísticas que ocurren en un texto, junto con su distribución. Para lograrlo, se precisa conocer la lengua de tal manera que se pueda distinguir entre los elementos comunes y los no comunes del comportamiento lingüístico en un texto y situaciones dados. El orden de la lengua implica consideraciones gramaticales y estilísticas: la elección es inicialmente gramatical, debe ajustarse a las estructuras correctas, pero dentro de estas estructuras, el escritor prefiere unas a otras según el tema, el contexto y su gusto subjetivo.

El traductor sólamente ha de limitarse a realizar una interpretación, no a desentrañar, de acuerdo con el género de la obra. Si hay palabras en un idioma extranjero en la novela original, el traductor tiene que recurrir a la nota de pie de página o intentar la transposición, resolviendo lo más conveniente en cada caso, pero sin olvidar que el autor ha preferido utilizar el término extranjero en vez del suyo propio, por lo que hay que procurar resaltarlo en la versión traducida.

Es bien sabido que el éxito del traductor depende en gran medida de la elección del texto. Si no está de acuerdo con su sensibilidad, no será capaz de actualizar plenamente el sentido implícito de la obra, las connotaciones, deducciones, interpretaciones y asociaciones que contiene.

Muchas son las dificultades que lleva consigo la traducción literaria, pero hay algo que también ha de dejarse muy claro y es que debe existir una identificación entre el autor y el traductor, pues sólo puede traducirse bien lo que gusta: la empatía, la proximidad del escritor es básica para resolver con éxito su empeño. Si al traductor se le considera un falsificador, que construye con otros materiales lo mismo que recibe, puede también afirmarse que el proceso de la creación literaria y el proceso de la traducción son semejantes, aunque vayan en direcciones opuestas.

Por otro lado, el traductor rara vez queda totalmente satisfecho de su obra, porque está haciendo algo que teóricamente es imposible:

> Transferir el significado total de una lengua a otra no puede hacerse a menos que se den simultáneamente en las dos lenguas interpretaciones lingüísticas similares de la realidad y del pensamiento [34].

Pero, aunque las dificultades de la traducción indiquen la imposibilidad de su realización, la práctica ha demostrado sobradamente su posibilidad, si pensamos en la gran cantidad de traducciones que se están llevando a cabo, incluso de autores tan oscuros y sutiles como Henry James. En su relato *The Turn of the Screw* (Madrid: Anaya, trad. R. Buckley, 1982 [1888]), contrastando algunas frases del texto original con la traducción, vemos los recursos que ha utilizado el traductor, tanto desde el punto de vista semántico como sintáctico o

---

[34] LORENZO CRIADO, E. (1980): *El español y otras lenguas*. Madrid: Sociedad Española de Librería, S.A., pág. 168.

estilístico, para ofrecer una versión que transmita todo el mensaje contenido (ver Capítulo 11.1).

6.2. TRADUCCIÓN TÉCNICO-CIENTÍFICA

Entre la traducción literaria y la traducción técnica y científica existen bastantes diferencias y, por tanto, el planteamiento a la hora de traducir debe también ser diferente.

Como definición de la traducción técnica y científica podemos comenzar diciendo que forma parte del proceso de difusión de información a escala internacional, que resulta indispensable para el funcionamiento de la sociedad moderna: una civilización tecnológica como la nuestra depende para su supervivencia de un intercambio de conocimientos muy diverso y a muchos niveles, que suele explicarse como «a flow that starts with the pure scientist and ends in the products of industry» [35].

6.2.1. CLASES DE TEXTOS DE TIPO TÉCNICO

El tipo de documentos que debe manejar el traductor técnico y científico varía enormemente, pudiendo hacerse una clasificación general en tres grandes grupos:

1) los resultados de la ciencia pura, que suponen una contribución al acervo de conocimientos sin pretender ninguna posible aplicación práctica;

2) los resultados de la investigación científica aplicada a resolver un problema particular, y

3) los resultados de la tecnología dirigidos a un producto o proceso industrial que pueda venderse en el mercado.

Estas tres clases de documentos no pueden limitar claramente sus

---

[35] PINCHUCK, I. (1977): *Scientific and Technical Translation*. London: Andre Deutsch Limited, pág. 13.

campos de aplicación, ya que lo que hoy consideramos ciencia pura mañana puede ser tecnología, y los descubrimientos de la ciencia aplicada y la tecnología repercuten en la ciencia pura. La traducción de cada uno de estos tipos de documentos tiene sus propias dificultades, por lo que el problema de la lengua también debe considerarse como otro aspecto del problema general de la transferencia de información, si queremos resolver los problemas de la barrera del lenguaje.

El traductor es un especialista de la lengua, pero en muchas ocasiones la traducción de trabajos de tipo técnico se realiza por los propios científicos o técnicos, que a pesar de su saber y de su ciencia, no siempre tienen la debida formación lingüística o literaria o el suficiente conocimiento del idioma extranjero. Por tanto, lo más frecuente es que traduzcan con exactitud las palabras propiamente técnicas pero no elijan correctamente las estructuras adecuadas. Otras veces, la traducción de estos trabajos se confía a oficinas de traducción que no siempre cuentan con el traductor idóneo en el momento oportuno, o que carecen del material o asesoramiento técnicos necesarios. Esto nos hace ver con claridad «el distanciamiento que se está produciendo entre la lengua literaria y la lengua técnica» [36]. La lengua literaria, además de las voces que el pueblo acuña espontáneamente, cuenta con el apoyo de una legión de escritores que, salvo casos excepcionales, normalmente cultivan y enriquecen nuestro idioma. Existen numerosos premios literarios y premios a la mejor traducción, pero no así con respecto a la traducción técnica. Los académicos velan por la pureza, integridad y desarrollo de la lengua, mientras que la lengua técnica tiende a desarrollarse sola, sin someterse a reglas y criterios estrictos.

Por otro lado, a primera vista, los textos de tipo técnico o científico parecen ininteligibles para el lector que no conoce la terminología específica de la materia, a pesar de que sea su misma lengua. La oposición principal entre el lenguaje ordinario y el término técnico es que este último no tiene connotaciones; por ello suele aceptarse que la traducción técnica es más fácil que la literaria. Ortega y Gasset se pregunta cuál es la razón de esta facilidad, llegando a la conclusión de que

...previamente el autor ha efectuado una traducción en una pseudolengua

---

[36] ARRIMADAS SAAVEDRA, J. (1988): «Préstamos, barbarismos y neologismos en la traducción científica y técnica», en *Problemas de la traducción* (Mesa redonda-noviembre 1983). Madrid: Fundación Alfonso X el Sabio, pág. 69.

de vocablos lingüísticamente artificiosos y términos técnicos; es decir, se ha traducido a sí mismo, teniendo que ponerse después de acuerdo con el lector sobre el significado de esos signos [37].

No obstante, si —como Ortega acaba reconociendo— la traducción no es un afán utópico, tanto en las obras literarias como en las científicas, el traductor tiene que comprender perfectamente el texto original y estar seguro de que no le ofrecen problemas los detalles antes de empezar a traducir.

Durante los últimos decenios la traducción técnica ha avanzado extraordinariamente, quizá incluso más que la literaria en cuanto a importancia cuantitativa, aunque siga la literaria todavía ocupando el primer puesto, casi con un sesenta por ciento de las traducciones mundiales. Sin embargo, no son estos datos exactos, porque probablemente hay muchas traducciones técnicas que no se publican y si se sumaran todas las traducciones científicas no publicadas formarían un número superior.

El término *técnica,* en un sentido amplio, además de la científica abarca también la traducción jurídica o filosófica; incluye los textos de divulgación científica y técnica de carácter periodístico o de difusión en libros y cualquier clase de publicaciones; manuales de funcionamiento; proyectos de instalaciones industriales, de arquitectura, de ingeniería, de obras públicas, etc.; medicina en general; descripción de procesos tecnológicos de todo tipo, así como textos de creación de tecnología pura en sus campos científicos.

6.2.2. LA TRADUCCIÓN CON FINES ESPECÍFICOS

La traducción para Organismos internacionales es un tipo especial dentro de la traducción con fines específicos; se precisa exactitud y celeridad, y es una de las mejores escuelas para el traductor, ya que en ella aprende disciplina y rigor. Hay una gran diversidad de textos: políticos, sociales, económicos, jurídicos o estadísticos; hay que traducir informes, actas resumidas de las reuniones, correspondencia, publicaciones, tratados, acuerdos fiscales, etc. Los requisitos formales que se exigen son estrictos y es necesario conocer el contexto para

---

[37] ORTEGA Y GASSET, J., 1980 (1937): pág. 13.

resolver satisfactoriamente la equivalencia de cualquier documento; un Órgano ha de llamarse exactamente como figura registrado su título oficial y hay que utilizar los neologismos propios de ese Organismo que se hayan aceptado en la práctica. Las citas hay que transcribirlas exactamente, de conformidad con las normas ya establecidas, por lo que traductores literarios experimentados pueden fracasar si intentan utilizar su intuición, en vez de ajustarse exactamente al contenido y a la forma impuestos.

La traducción técnica, según Newmark, forma parte de la traducción con fines específicos, junto con la traducción institucional, que abarca el campo de la política, del comercio, de las finanzas, del gobierno, etc. Al contrario de los nombres de las instituciones —excepto los que se refieren a organizaciones internacionales—, la traducción técnica «entra dentro del concepto de términos universales, no particulares de una cultura, ya que los beneficios de la tecnología no están confinados a una comunidad de lenguaje» [38].

El traductor debe tener muy en cuenta el desarrollo tecnológico, ya que la traducción con fines específicos se diferencia de otras formas de traducción principalmente por la terminología específica, a pesar de que ésta sólo ocupe del cinco al diez por ciento del texto. La importancia de los tecnicismos es que muestran la evolución y el desarrollo teórico alcanzado en una disciplina, y, a partir de un nivel determinado, exigen la aparición de diccionarios técnicos especializados. Alcoba afirma que para incorporar a la lengua un nuevo tecnicismo, se precisa que exista «necesidad, porque la lengua carezca realmente del término o del concepto específico; precisión, porque ha de ser unívoco y distinto, suficientemente diferenciado, y adecuación, para que esté conforme al nuevo concepto y sea lo más transparente posible respecto a la nueva acepción designada» [39]. Estas características, junto con sus elementos gramaticales, forman las variedades del lenguaje: para el inglés, la construcción pasiva, las nominalizaciones, la tercera persona en los tiempos presentes, etc.

Para ser un buen traductor dentro de un campo específico se precisa rigor, exactitud y estar informado sobre la materia que se va a traducir, recurriendo a los diccionarios especializados cuando no se conozca con seguridad un término. Hay un principio fundamental en

---

[38] NEWMARK, P. (1988): op. cit., pág. 151.
[39] ALCOBA RUEDA, S.: (1983): «La adaptación de tecnicismos lingüísticos», en *Cuadernos de Traducción e Interpretación*, núm. 3, pág. 151.

toda normalización de un vocablo científico o técnico en estos diccionarios, y es que las definiciones hay que colocarlas antes que los términos, por lo que en primer lugar debe aparecer la relación de las características que describen la noción correspondiente. La traducción de los términos científicos o técnicos ha de basarse en definiciones y no en los sencillos equivalentes que nos dan los diccionarios abreviados bilingües. Los diccionarios especializados deben siempre incluir las definiciones de los términos siguiendo un orden semántico, partir de una estructura conceptual o nocional y después ofrecer el término sinónimo. La semántica es quizá la parte de la lengua que más claramente permite el paso de estructuras lingüísticas cerradas a las estructuras siempre abiertas de la experiencia; se pasa de la lengua al mundo y del mundo a la lengua, y se pueden establecer estructuras de ciertas partes del léxico que reflejan las otras no lingüísticas de la experiencia del mundo. Por medio de la definición semántica de las propiedades o características del término puede determinarse sin posibilidad de error cuál es ese término, ya que nos lleva directamente al objeto que denota.

Para la traducción con fines específicos, hay que conocer el significado exacto de ciertos términos clave, según el campo de su especialidad. El vocabulario técnico está directamente vinculado al progreso de las técnicas y de las ciencias. Para ser conscientes de este progreso, según Arrimadas [40], conviene recordar que la humanidad, después de haber vivido una era agrícola de varios siglos y pasado por una era industrial —muy importante por cuanto ella ha implicado la revolución social pero que apenas ha durado unas décadas— ha entrado con impetuosidad en la era ya bautizada con el nombre de *era de la informatización y de la robótica*, en la que posiblemente nos tocará asistir a descubrimientos y progresos insospechados. Hace tan sólo unos pocos años ni siquiera los expertos podrían soñar con el nivel alcanzado por los microprocesadores. Estamos iniciando la andadura de una era totalmente tecnificada. Los arrolladores progresos científicos y técnicos de estos últimos veinte años han superado con creces al conjunto de los descubrimientos de todos los tiempos.

---

[40]   ARRIMADAS SAAVEDRA, J. (1988): op. cit., págs. 60-1.

6.2.3. Niveles del Lenguaje Técnico-Científico

No obstante, es necesario tratar de estructurar el campo de la traducción técnica y científica. Por su parte Newmark, basándose en el vocabulario médico, establece tres niveles en el lenguaje técnico:

1. *Académico:* incluye las palabras transferidas del latín y el griego, asociadas con estudios académicos, p.e., *phlegmasia alba dolens.*

2. *Profesional:* términos formales usados por los expertos, p.e. *epidemic parotitis, varicella, scarlatina, tetanus.*

3. *Popular:* vocabulario utilizado por el profano, que puede incluir términos alternativos, p.e., *mumps, chicken-pox, scarlet fever, stroke* [41].

Sin embargo, éstas son categorías generales a las que muchas veces es arbitrario asignarles uno u otro términos. En algunos sectores, la nomenclatura está llena de terminología obsoleta o regional. También existe la tendencia frecuente a llamar a los productos por su última marca —Schweppes (agua tónica) o BIC (bolígrafo)—, por lo que el traductor, además de manejar los diccionarios correspondientes, tiene que conocer perfectamente ciertos conceptos.

Las cualidades que se exigen al traductor técnico, en esta edad de tan rápido proceso tecnológico, es que sea un auténtico especialista en el campo al que se dedica, además de conocer la lengua fuente y saber escribir correctamente en la suya propia. El principio de que «no puede traducirse lo que no se comprende» [42], resulta evidente que no sólo se refiere a la forma externa del lenguaje, sino también al contenido del texto que se va a traducir. Por tanto, para enfrentarse con textos altamente especializados, es necesario poseer unos sólidos conocimientos técnicos o, en todo caso, tener acceso a obras que le sirvan de referencia o al científico que le encarga el trabajo, a fin de poder solucionar problemas aparentemente insolubles.

Lo primero que hay que hacer al acercarse a un texto técnico,

---

[41] NEWMARK, P. (1988): op. cit., pág. 153.
[42] BRAWLEY, J. (1969): «The Technical Translator in Industry and the Problems Surrounding his Profession, en *Babel*, núm. 4, vol. XV, págs. 213-5.

según Newmark [43], es subrayar las palabras difíciles y luego juzgar su naturaleza: su grado de formalidad, su intención —si trata de ejercer algún tipo de persuasión o si simplemente es un texto informativo—, y las posibles diferencias culturales y profesionales entre el lector y el del texto original. Es necesario que la traducción se ajuste al estilo que requiera el destinatario, tanto si es el formato de una memoria o un informe técnico, como un artículo o una conferencia, cuidando de traducir absolutamente todo lo que figure en él: palabras, números, letras, puntuación, nombre de la publicación, su referencia y fecha, así como el encabezamiento, para que no haya problemas de localización. También deben traducirse las notas a pie de página, si lo permite el estilo y se piensa que el cliente o lector lo encontrará útil, principalmente en los casos en que no se trate de una palabra *transparente*.

Igualmente, el traductor tiene que cambiar el título. Todos los títulos son o descriptivos o alusivos: en un texto no literario, lo más apropiado es un título descriptivo que recoja el tema y aclare el propósito. La ventaja del título de un artículo científico es que normalmente anuncia el tema, pero no siempre el propósito o la intención del proceso descrito, por lo que el traductor tiene que conocer exactamente lo que implica. A veces se encuentra con títulos que, al ser traducidos, resultan demasiados largos y hay que reducirlos, aunque procurando que no pierdan el sentido.

Los problemas que Newmark anuncia pueden surgir en el texto son de varias clases:

1) Palabras desconocidas, aparentemente transparentes, con morfemas griegos o latinos, que el traductor tiene que comprobar, pues no deben reproducirse neologismos en una traducción técnica (a menos que se pongan entre comillas o con una nota a pie de página). Lo que sí puede permitirse es algún prefijo, como por ejemplo *anti-*, *pre-* o *post-*, pero los sufijos hay que comprobarlos detalladamente.

2) Cifras y símbolos. Hay que cotejar su equivalencia y orden en la lengua término.

3) Palabras semivacías, como *according to* o *with reference to* que hay que simplificar lo más posible en la versión de la lengua término.

---

[43] NEWMARK, P. (1988): op. cit., pág. 156.

4)   Verbos que requieren normalmente una transformación para que resulte un lenguaje natural [44].

A continuación, se puede empezar a traducir oración por oración, haciendo los cambios sintácticos que sean necesarios, evitando repetir adverbios terminados en *-mente* y otras formaciones pesadas de palabras. En una traducción técnica está permitido recrear la gramática (cortar frases largas y complicadas, cambiar de orden cláusulas, convertir nombres en verbos: this paper has just begun *publication* = este periódico acaba de empezar a *publicarse*; he was accused of *concealment* = le acusaron de *encubrir* los hechos), al igual que en cualquier otro tipo de texto informativo o vocativo. El traductor es un escritor profesional y debe producir un texto mejor que el original. No obstante, hay que ser muy cuidadoso con la terminología y lo mejor es respetarla.

Desde el punto de vista léxico, la principal característica del lenguaje técnico es su riqueza y su potencial infinito. En muchos sectores científicos, los términos grecolatinos se utilizan para clasificar; en la traducción sirven como palabras internacionales y pueden usarse como equivalentes funcionales cuando no exista un término en la lengua meta, lo que quiere decir que no se conoce en ese ámbito (la flora, la fauna o los nuevos minerales, se designan por la Comisión internacional de nomenclatura). El transcribir los términos grecolatinos tiene la ventaja de que estamos seguros de conservar el mismo registro.

No obstante, si —como indica Arrimadas— [45], comparamos los léxicos científicos y técnicos modernos con los de las ciencias y técnicas más antiguas veremos que poseían un vocabulario propio, con muy pocos extranjerismos, porque se trata de técnicas nacidas en épocas en las que los medios de comunicación —escritos o hablados— entre los distintos países eran prácticamente inexistentes. Las técnicas o los hallazgos científicos originaban un lenguaje específicamente propio, enriquecedor del idioma. Actualmente, los medios internacionales de comunicación, los centros de investigación y de normalización, las numerosas publicaciones especializadas existentes hacen que una técnica descubierta o puesta a punto hoy en un país sea conocida o experimentada mañana en países de distinta lengua. Esta rapidez de la comunicación y de los intercambios obliga actualmente a traducir y a

---

[44]   Ibíd., pág. 158.
[45]   ARRIMADAS SAAVEDRA, J. (1988): op. cit., págs. 68-9.

crear nuevas palabras y expresiones que comuniquen dichos conocimientos.

Nuestros idiomas, que trataron de ir siguiendo el desarrollo de las primeras épocas, y crearon y adaptaron léxicos acordes con el avance de las ciencias, se ven incapaces de secundar este progreso. Ni los técnicos, ni los lingüistas, ni los traductores son capaces de crear, particularmente en nuestro país, el vocabulario que debe acompañar al desarrollo científico. Los traductores técnicos lo saben muy bien. Saben que trabajan sin diccionarios porque éstos no existen, saben que los técnicos en las empresas se esfuerzan por crear terminologías propias que les distingan de sus competidores —por incoherentes y ridículas que éstas resulten— lo que aumenta más la dificultad; saben que cuando encuentran un diccionario, incluso de publicación reciente, el vocabulario ha perdido actualidad, porque mientras lo editaban salían al mercado modelos de nueva gama que arrinconaban a los primeros y con ellos al vocabulario que los arropaba. No existe, exceptuando la prensa diaria, ninguna publicación que se desfase con la rapidez del diccionario técnico.

Ante esta situación y considerando que la mayoría de los progresos científicos nos llegan del extranjero, tanto los técnicos como algunos traductores, las revistas especializadas o los medios de comunicación adoptan la solución más fácil: emplear en español términos extranjeros sin hacer el menor esfuerzo por traducirlos o por realizar una adaptación correcta capaz de elevarlos a la categoría de préstamos. Esta es nuestra preocupación, que al manejar la literatura científica y técnica no sabemos, en muchos casos, si estamos leyendo español o una especie de híbrido grotesco que bien podría ser catalogado, con una buena dosis de humor o de indulgencia, de esperanto técnico. El préstamo pasa normalmente por la fase de barbarismo o cuando menos de extranjerismo, pero si éste es adecuado y se adapta e incorpora con espontaneidad al lenguaje se convierte, con el uso, en el primero. No obstante, gran parte de las voces técnicas y científicas modernas no pasarán de puros y simples barbarismos que empobrecen y ridiculizan nuestra lengua.

Debemos tener siempre presente que la lengua científica es precisa y exacta, pobre en redundancia, dirigiéndose tan sólo al entendimientopor medio del concepto desnudo y de las situaciones reales. La terminología de la ciencia utiliza nombres que son comunes a varias lenguas, derivándose casi exclusivamente de raíces griegas. Por tanto, el fin u objetivo de la traducción científica debe centrarse en lograr la equivalencia más exacta posible en cuanto a contenido y a estructuras, y de ahí que el concepto central de la teoría de la traducción científica, según García Yebra [46], sea la *invariancia*.

6.3. TRADUCCIÓN MECÁNICA

No pretendemos desarrollar la historia relativamente breve de la máquina de traducir, marcada por la aparición de pronósticos altamente optimistas contrarrestados por la incredulidad de otros, sobre los intentos de sobrepasar al traductor humano. Sólo pretendemos revisar algunos aspectos de esta modalidad traductora, a fin de analizar el problema de la máquina de traducir, que consiste esencialmente en convertir los fenómenos de la lengua en una forma que pueda ser procesada por un computador digital electrónico, esto es, en una forma numérica.

Dado que tanto la mecánica como la humana son formas de traducción de lenguajes naturales, puede establecerse entre ambas algún paralelismo, pero lo que predominan son las diferencias. En la primera, las instrucciones hay que formularlas de forma inteligible, determinando cada detalle con la mayor precisión, sin dejar nada al azar. El ordenador, por muy complejo que pueda ser, es una máquina sin iniciativa ni imaginación, sin creatividad. La única ventaja de la máquina es su capacidad de almacenaje y su velocidad.

Las expectativas que produjo la máquina de traducir eran tan grandes, que ya en la década de 1950, A. D. Booth estaba convencido de que «not only does it now appear possible that translation of good quality can be made from both scientific and literary texts, but also that some of the recent developments in machine technology will make it possible to read directly from the printed or typewritten page» [47].

6.3.1.　¿AYUDA O SUSTITUCIÓN DEL HOMBRE?

Después de estos años pasados a la espera de un inminente avance de la traducción mecánica, resulta claro que los primeros experimen-

---

[46]　GARCÍA YEBRA, V. (1983): op. cit., pág. 47.
[47]　BOOTH, A. D. (1959): *Electronic Engineer's Reference Book*. London: L.E.C. Hughes ed., pág. 5.

tos no apreciaron la complejidad de estos fenómenos. Vieron la lengua como un código, en el sentido de que era un sistema limitado de signos, y pensaron que traducir era reemplazar cada signo del sistema original por un signo equivalente del nuevo sistema. Por ello, hoy se han limitado las demandas a la máquina traductora y generalmente se considera una ayuda, más que un sustituto, del traductor humano.

Las disciplinas que han unido sus esfuerzos para llevar a buen fin la traducción mecánica son la lingüística, las matemáticas y la ingeniería. Los lingüistas han tratado de proporcionar una descripción estructural de la lengua que pueda expresarse en términos de la teoría de la información y a su vez se pueda usar por la computadora de proceso de datos. Para ello había que encontrar una base lógica en el lenguaje, y después de desecharse los experimentos de científicos e ingenieros —que no consideraron, en principio, difícil la reducción del lenguaje a datos numéricos y creyeron que los hechos podían almacenarse en una máquina de capacidad suficiente— se comenzó a trabajar sobre frases, en vez de sobre palabras.

Un hito importante en 1952 fue la famosa «Georgetown-IBM demonstratión» de Leon Dostert y Paul Garvin —según Pinchuck [48]— con la programación de 250 palabras y seis simples reglas sintácticas. Este mismo año, Víctor Yngve comenzó a publicar la revista *Mechanical Translation* en el Instituto de Tecnología de Massachusetts. En 1956 se celebró el primer Congreso Internacional, seguido por otro en Oslo en 1957, en Los Angeles en 1960, en Teddington en 1961, etc.

Si las lenguas fueran códigos compuestos de signos tan fáciles de captar como los de los sistemas conceptualmente cerrados o susceptibles de transformación en significados elementales, la máquina de traducir habría conseguido su propósito después de tanto tiempo.

Se ha venido creyendo que la dificultad de la traducción automática podría resolverse como la polisemia de las palabras o la ambigüedad de las frases y que sería posible reducir las lenguas a las estructuras semánticas más simples, más próximas a los códigos establecidos y, por tanto, más utilizables.

Los esfuerzos realizados no han sido vanos por lo que respecta a los elementos de la lengua que, al pasar de este plano al del habla,

---

[48]   PINCHUCK (1977): op. cit., pág. 240.

conservan un mismo valor denotativo: las cifras, los nombres propios, etc., por no citar más que las invariantes más simples. Parece posible, por otra parte, superar la complejidad de las estructuras superficiales de los innumerables textos que hay que traducir a estructuras significativas mucho más simples y codificables en una máquina en la que se integre el léxico invariante, pero esta operación no podría ser más que el resultado de un trabajo de interpretación del texto orientado, de una forma u otra, al hombre, a sus conocimientos y a su capacidad de comprensión.

6.3.2. La Inteligencia Artificial: Principios Básicos

Las noticias que nos llegan sobre la última concepción de la traducción automática, llamada *inteligencia artificial*, son muy alentadoras, ya que han superado las concepciones puramente lingüísticas y gramaticales que habían venido inspirando todas las investigaciones sobre la máquina de traducir durante más de treinta y cinco años. A lo largo de todo ese período, parecía haberse ignorado que hablamos y nos comunicamos las ideas por medio de una lengua que se traduce transmitiendo los mensajes contenidos en un texto y no transformando solamente las lenguas.

Las investigaciones anteriores partían de la hipótesis de que, una vez controlados los mecanismos de funcionamiento de los signos lingüísticos, podrían proporcionar a la máquina las instrucciones necesarias para el paso de una lengua a otra y, por tanto, —y de aquí parte el error— de un texto a otro. No es que el interés actual por la lingüística encuentre ahí su única explicación, aunque la necesidad de análisis lingüísticos nacidos de las investigaciones sobre la máquina de traducir no sean ajenos a ello. Lo que extraña es el poco rendimiento de los esfuerzos realizados, en una época en que la necesidad de traducir crece en proporción a la necesidad de información, y la interpenetración económica y comercial ha estallado en el mundo de tal forma que si la traducción no sirviera para satisfacerla, se implantaría inevitablemente un monolingüismo utilitario, que iría rechazando poco a poco las lenguas y culturas nacionales.

Pero, ¿podremos llegar a conocer la aparición de una máquina eficaz para traducir? Generación tras generación, los sistemas se suceden al ritmo de desarrollo de los análisis semánticos y sintácticos; diccionarios cada vez más ricos (palabras aisladas y expresiones hechas) son incorporados a la memoria; los subprogramas sintácticos y morfológicos se multiplican, mientras que los lógicos permiten cada vez mejor suprimir la ambigüedad de las polisemias y los homógrafos, de eliminar las proposiciones, etc.

Los traductores saben que en el proceso juega el conocimiento extralingüístico un papel tan importante, si no más, que las estructuras lingüísticas y que estos elementos son, en consecuencia, determinantes para la producción y la comprensión de los cambios verbales del adulto. Los últimos desarrollos informáticos han aportado una gran ayuda. El mismo nombre del sistema *inteligencia artificial* es un símbolo de la nueva orientación en materia de traducción automática. C. K. Riosheck y R. C. Schank fueron los promotores de esta nueva orientación en el XXI Congreso Mundial de Psicología celebrado en París en 1976, pudiendo destacarse los siguientes principios:

1. El sentido de una frase en situación de interlocución no puede ser deducida de su significación fuera de la situación. La traducción adopta formulaciones diferentes según el sentido que tome un mismo enunciado; los sentidos no están únicamente determinados por la composición lingüística del enunciado, lo que muestra que una traducción que se preocupe únicamente de los signos lingüísticos no expresará correctamente el sentido de los mensajes: «To talk about the meaning of a sentence out of context is a nice, abstract linguistic exercise, but it has little to do with how people actually function» [49].

2. Ambigüedades y univocidad. Todas las investigaciones han mostrado que el habla es unívoca; la traductología no se tropieza casi nunca con las ambigüedades que persigue el lingüista y que interpreta el psicoanalista. Al contrario, la necesidad de pasar por el sentido para traducir impone una aprehensión coherente del discurso, que excluye la polisemia y las ambigüedades como excluye la transcodificación.

3. La memoria ayuda a la comprensión. La competencia lingüística nunca actúa sola en la interpretación de una frase real; hace falta siempre una parte de conocimientos que no está unida directamente al enunciado. Como afirman Riesbeck y Schank: «Parsing is really a memory process» [50].

---

[49]   RIESBECK, C. K. & SCHANK, R. C. (1978): «Comprehension by computer: Expectation-based analysis of sentences in context», en LEVELT, W. J. M. & FLORES-D'ARCAIS, G. B. (eds.) *Studies in the Perception of Language*. New York: John Wiley & Sons.
[50]   Ibíd.

4. El sentido se comprende antes y se analiza después. «The order of processing is backward», y para la máquina de traducir, «parsing is expectation-based», observan Riesheck y Schank, añadiendo que «a parser must take care of syntactic considerations only when required to do so by semantic considerations» [51]. Todo texto comprendido abre a la vez un campo semántico y un campo cognoscitivo; el campo semántico lo forman las palabras que evoca habitualmente el tema abordado y el campo cognoscitivo reagrupa las experiencias y los conocimientos que se posean sobre ese tema. El campo semántico hace que las palabras sean reconstituidas. La comprensión de la lengua se explica así no sólo por la existencia de recuerdos cognoscitivos, sino también por las constantes anticipaciones semánticas.

La informática descubre la diferencia que existe entre lengua y texto: los textos dicen a través de la lengua todos los conocimientos, las informaciones, las ideas que enuncian las palabras. Los textos poseen sentido debido a una asociación fugitiva entre los enunciados y los contenidos conceptuales, y la lengua posee significaciones debido a una asociación estable entre los signos y su contenido semántico.

Los principios del sistema de inteligencia artificial no significan que ya haya nacido la máquina de traducir pero, teóricamente al menos, parece estar en buen camino, llegándose a la conclusión de que la lingüística y la traducción son dominios limítrofes pero no superpuestos, y que la lingüística que estudie las lenguas fuera de la situación está condenada a un callejón sin salida.

6.4. PROCESO DE SÍNTESIS TEXTUAL

El criterio comúnmente aceptado para el proceso de documentación es que implica el análisis del contenido de un documento, la formulación de este contenido en un determinado número de temas y su ordenación, de manera que quien efectúe alguna consulta pueda satisfacer sus necesidades y no perder ningún punto extractado que sea relevante.

---

[51] Ibíd.

La principal característica del proceso de documentación es la sustitución de una entidad lingüística larga y compleja —el texto entero del documento— por una descripción resumida, un concepto. Este concepto generalmente forma parte de un vocabulario controlado y, por tanto, la síntesis proporciona información de manera más uniforme que la que pueda dar directamente el simple documento.

Veamos, en primer lugar, cómo puede el lector realizar una hipótesis del concepto básico del texto: según los estudios realizados por Nedobity [52], si aceptamos que un texto explicativo se define en términos de lo que el escritor quiere que haga el lector al que va dirigido, esto implica que al realizarse la síntesis hay que determinar cuál es la función original del texto. Teniendo en cuenta las diversas funciones que pueden realizar los textos explicativos, habrá que redefinirlas y reorganizarlas en relación con el propósito del análisis. Por ejemplo, en la lectura de un texto explicativo en una situación de ESP (English for Specific Purposes), pueden distinguirse tres funciones básicas: metatextos, mensajes y comentarios:

Doc. no.		Bibliographic Reference									
	functions	Annotations		Metatexts			Messages			
themes		background information	literature	scope	purpose	methods	conclusion	results	statistics	recommen-dations
education — vocational										
education — alternating										
education — policies										
education — further										

6.4.1. ANÁLISIS DEL CONTENIDO

El proceso mental del análisis del contenido y posterior resumen del texto, se realiza por medio de las siguientes etapas sucesivas, según Nedobity [53]:

---

[52] NEDOBITY, W. (1987): «Manual for multilingual abstracting: a method for content analysis», en *Tools for Multilingual Institucional Work in the Field of Vocational Training.* Berlín: CEDEFOP, pág. 6.

[53] Ibíd., pág. 6.

1. concentración sobre las características básicas del material que se va a estudiar;

2. identificación de la información relevante, y;

3. extracto, organización y resumen de la información relevante en una unidad coherente, y

4. traducción de la información relevante y preparación de la síntesis.

En primer lugar, hay que decidir si interesa todo el texto del documento o sólo alguna de las partes. Diferentes tipos de material —por ejemplo, actas o informes sobre investigaciones— normalmente requieren procedimientos de abstracción ligeramente diferentes, aunque haya en todos ellos ciertas expresiones funcionales: *introducción*, *métodos*, *resultados*, *conclusiones* o *recomendaciones*, que facilitan la localización del principal material que hay que sintetizar.

Los problemas centrales del análisis del contenido se originan principalmente en el proceso de reducción de datos, según el cual todas las palabras del texto están clasificadas en muchas menos categorías de contenido [54]. Un conjunto de problemas implica la consistencia o validez de la clasificación textual. En el análisis contextual, los problemas de veracidad se originan normalmente por la ambigüedad del significado de las palabras o la ambigüedad de las definiciones de categorías u otras reglas de codificación. Una clasificación realizada por personas diferentes permite asegurar cuantitativamente la exactitud conseguida.

Otro aspecto del análisis del contenido de textos es la creación y utilización de diccionarios especializados. Estos diccionarios consisten en nombres de categorías, definición de reglas para asignar extractos a las categorías y designación real de pasajes específicos. Esta estrategia proporciona al investigador numerosas categorías en las que pueden clasificarse la mayoría de los extractos. Todo ello aconseja recomendar el uso de diccionarios especializados, por las ventajas que originan, ya que proporcionan una amplia gama de categorías entre las que poder elegir; reducen el tiempo necesario; estandarizan la

---

[54] WEBER, R. (1985): *Basic Content Analysis*. Beverly Hills / London / New Delhi: Sage, pág. 95.

clasificación, y proporcionan un cúmulo de resultados comparables cuando se utilizan en muchos estudios.

6.4.2.   EXTRACTO DE INFORMACIÓN RELEVANTE

Una vez que se conocen las características básicas del material y se identifica la información relevante, comienza la etapa de extractar dentro de lo que se desea extraer. La información que nos interesa se clasifica en diferentes grupos, lo que proporciona la clave para determinar la forma en que los temas primarios y secundarios son tratados en el documento. En los que estén limitados a un solo campo temático, puede usarse una lista predeterminada de temas. El resumen o síntesis del contenido del texto requiere varias abstracciones, clasificándose la información relevante en diferentes apartados establecidos de antemano.

En el proceso de síntesis textual, en primer lugar, hay que identificar el pasaje, que nos proporcionará información sobre:

- propósito y alcance del trabajo,

- componentes, materiales y técnicas,

- procedimientos, datos, conceptos y teorías,

- nuevas aplicaciones del conocimiento establecido,

- resultado de la investigación,

- interpretación de los resultados y conclusiones que se derivan de él.

Además de la lectura del documento original en forma analítica, el proceso más importante consiste en la selección del material del documento original para su inclusión en el extracto. Sin embargo, esta selección puede verse considerablemente influenciada por otros procesos:

1. El proceso de traducción de una lengua a otra, según se lleve a cabo, puede tener como resultado una variación considerable en el tamaño y calidad del extracto. Tales variaciones dependen generalmente del dominio que se posea de las lenguas fuente y término. La operación de síntesis se ve dificultada cuando el traductor no comprende bien la lengua original.

2. Un segundo factor que influye en la selección de material para el extracto es el conocimiento del área temática del documento con el que se trabaja. Si se trata de un experto en ese campo, lo más probable es que la síntesis sea más corta y específica y que requiera un conocimiento mayor por parte del lector. En el caso de que el traductor únicamente posea un conocimiento marginal sobre el tema, el trabajo posiblemente será menos fidedigno. El ideal estaría en el término medio entre los dos extremos del experto y el conocedor marginal de una determinada área temática.

3. Otro punto esencial es que el traductor permanezca neutral cuando analice el contenido de un documento, debiendo procurar informarse suficientemente sobre los intereses de aquéllos a quienes va dirigido el extracto.

4. Supone una gran ventaja que pueda utilizarse un modelo de síntesis que contenga una amplia relación de temas identificados por los expertos en ese área —que en muchos casos son los futuros usuarios del sistema— tan relevante para su trabajo como interesante para ellos.

5. Otros aspectos en los que puede influir el proceso de selección son el estilo y también el contexto.

6. Por último, el conocimiento de ciertas estructuras inherentes a los documentos puede facilitar su síntesis. Entre ellas podrían citarse: títulos y subtítulos, resúmenes y sumarios del texto, que producen el acceso directo a la información. Hay otros tipos de información que pueden encontrarse leyendo *entre líneas* y que es necesario descubrir.

Wyllis [55] insiste en que durante la década pasada, el uso generalizado de microordenadores ha aconsejado la realización de análisis del contenido con ayuda del ordenador. No obstante, cada investigador puede juzgar los métodos que considere más apropiados para solventar los problemas que se derivan de las técnicas específicas de este tipo de análisis y síntesis textual.

---

[55] WYLLIS, R. E. (1967): «Extracting and abstracting by computer», en H. Borko ed. *Automated Language Processing.* New York: Wiley, págs. 128 y ss.

CAPÍTULO VII

Crítica de la traducción

También queremos destacar en esta segunda parte, dedicada al estudio y análisis de los aspectos prácticos, la importancia que tiene para el traductor la comparación de textos traducidos con sus originales, lo que le ayudará a reconstruir el proceso anterior y a saber distinguir los errores que se hayan producido, procurando evitarlos en el método que se proponga seguir.

En materia de traducción, al igual que en cualquier otro aspecto, no es posible apreciar los resultados más que en función de la finalidad perseguida. Hasta que no se traduce y, más aún, hasta que no se comparan de manera crítica las lenguas de las dos versiones —la original y la traducida— no nos damos cuenta de cuánta riqueza, y también cuánto defecto, hay en nuestras lenguas. Como indica Wandruska, toda traducción es «una lucha constante con la superabundancia y la deficiencia léxicas, gramaticales y estilísticas» [1].

Todos estamos de acuerdo en que se podrá considerar una buena traducción aquélla que consigue al máximo su función, y mala traducción aquélla que no puede alcanzarla. Según Dalbernet, debe transmitir el mensaje del original; observar las normas gramaticales de su época; ser idiomática; conservar el mismo tono del original (equivalencia estilística), y ser inteligible para el lector que pertenece a otra cultura (adaptación cultural) [2].

---

[1] WANDRUSZKA, M. (1976): *Nuestros idiomas: comparables e incomparables*. Trad. Elena Bombín. Madrid: Gredos, pág. 13.
[2] DALBERNET, J. (1970): «Traduction littérale ou traduction libre?», en *Meta*, 15, núm. 2, pág. 89.

Por tanto, el mensaje global del texto analizado se espera que esté constituido por la combinación de todos estos factores y toda versión que no reúna estas exigencias supone un fracaso de la operación traductora.

En este punto, conviene introducir un aspecto que debemos tener muy en cuenta en la crítica de la traducción: el nivel en que opera la traducción, si es a nivel del mensaje o de las unidades lingüísticas. En este último caso, puede afirmarse que nunca se tratará de una verdadera traducción, ya que no podrá conseguirse el propósito perseguido por basarse en una concepción falsa del lenguaje.

Nuestro postulado fundamental será mostrar que la operación traductora que pretende cumplir su función actuando sólo a nivel de las palabras no puede llevar más que al fracaso; por el contrario, para conseguir su objetivo, debe situarse al nivel que le interesa obrar, el del mensaje. No es suficiente constatar esta afirmación, sino que importa mostrar por qué la naturaleza misma del lenguaje hace imposible una traducción de *lengua a lengua*. Decir que la operación traductora no puede situarse a nivel de las palabras, es subrayar implícitamente que las palabras del texto y el mensaje incluido en este texto no se reducen el uno al otro, sino que están unidos por una relación más compleja y menos inmediata de lo que habitualmente se cree, ya que el mensaje —salvo casos particulares y marginales— no se reduce a la suma de los significados que lingüísticamente lo constituyen. Esta afirmación no se fundamenta en un juicio arbitrario, sino sobre la observación que cada uno podemos sacar comparando traducciones conseguidas y traducciones que suponen un fracaso, para sacar las consecuencias y formar un plan teórico y metodológico.

7.1. COMPARACIÓN DE TEXTOS

En la comparación crítica de dos textos nos parece más recomendable el acercamiento lingüístico, ya que solamente éste puede situar la traducción dentro de su campo específico, ofreciendo mayores posibilidades para realizar una crítica objetiva, siempre que se sigan procedimientos sistemáticos. Esta comparación de textos nos muestra claramente la singularidad de dos lenguas, cuyos sistemas reúnen analogías o anomalías, poliformismos o polisemias, redundancias o deficiencias. La ventaja de la comparación de la traducción con la obra original es que nos muestra con una plasticidad inigualable las equivalencias de las formas y funciones de las dos lenguas y nos ofrece una base segura para la descripción y crítica comparativa de los medios de que disponen dichas lenguas.

La comparación de traducciones siempre impulsa al filólogo a nuevas reflexiones críticas sobre la forma más perfecta de trasladar ciertas frases o expresiones. Tanto si se trata de traducción literaria como técnica o científica, la comparación de ambas versiones siempre ayuda a desarrollar su competencia al traductor, porque aumenta el conocimiento de la lengua extranjera y de la materna, así como de los temas sobre los que se trabaje. Como disciplina académica, la crítica de la traducción podría incluso incluirse en cualquier curso de literatura comparada, por las posibilidades que ofrece para el comentario y la discusión.

En principio, debería ser más fácil valorar una traducción que un texto original, puesto que se trata de una imitación, pero la dificultad no reside principalmente en saber si es buena la traducción, sino en cómo se explica su equivalencia, huyendo de caer en generalizaciones, puesto que hay tantos tipos de traducciones como textos. En cualquier caso, la crítica de la traducción para los futuros traductores supone un eslabón esencial entre la teoría y la práctica, y un ejercicio muy útil y didáctico, principalmente si se estudia una buena traducción, o dos o más traducciones de un mismo texto. Esto permite ensanchar el área de conocimientos y comprobar que un texto puede interpretarse de diferentes maneras, de acuerdo con el método que elija el traductor.

Puesto que la crítica de la traducción no cuenta con una metodología clara y concreta para que sirva de guía a quienes tratan de realizar una sistematización de los aciertos y errores de una traducción, puede resultar útil el análisis y enumeración pormenorizada de todos sus factores, teniendo presente que antes de juzgar una traducción tenemos que plantearnos que se trata de una composición dualista, en la que confluyen dos estructuras: por un lado el contenido semántico y el aspecto formal del texto original y, por otro, las características propias de la lengua término.

No obstante, algunos teóricos de la crítica de la traducción, entre ellos Gideon Toury [3], afirman que la traducción es un fenómeno que

---

[3] TOURY, G. (1985): «A rationale for descriptive translation studies», en Theo Hermans ed. *The Manipulation of Literature: Studies in Literary Translation*. London/Sidney: Cross Helm, pág. 19.

tiene lugar en un sólo sistema, el de la lengua término, que se presenta como tal dentro de su cultura. Esta afirmación se debe a que el traductor actúa ante todo en beneficio de la cultura a la que traduce y no en la del texto original.

En cualquier caso, toda investigación en el campo de la traducción —tanto si se limita al propio producto como si se dirige a la reconstrucción del proceso llevado a cabo— debería partir de la hipótesis de que la traducción es un acto cuyo interés se centra en el sistema de la lengua término y, por ello, al hacer un estudio descriptivo, se ha de contemplar y considerar dentro de su propia cultura. En este examen comparativo, el crítico adopta una visión intermedia, que sirve como tercer elemento de la comparación: una traducción ideal que no es un texto real, sino una reconstrucción hipotética de las relaciones y funciones textuales de la lengua fuente. La función del crítico de la traducción es trabajo propio de un investigador, que requiere competencia literaria, interlingüística e intercultural [4]. Se trata más de aplicar conocimientos que gustos, más de comprensión que de evaluación, a pesar de que el juicio valorativo personal del crítico ejerza un papel importante.

Si queremos ver las posibilidades de dos lenguas, tenemos que realizar un análisis contrastivo, pues el punto de partida en una descripción sistemática de la traducción es el análisis comparativo de los textos fuente y término, con el propósito de determinar el grado de equivalencia semántica y formal entre ambos. Por tanto, según Ekundayo Simpson, tenemos que acercarnos a la estilística comparada, ya que las posibilidades en ambas lenguas no son las mismas:

> ...this part of the analysis will consequently bring up such points as relative loopholes in either of the two languages from the point of view of lexis, syntax, structure, morphology, etc., and the striking predominant features of both languages as demonstrated in the translated text. The degree of emphasis here will depend on the originality of the discovery made or the level of frequency with which the particular linguistic phenomenon occurs [5].

La estilística, en sus relaciones con la traducción, interesa desde el punto de vista diferencial, pues señala las discrepancias que existen

---

[4] BROECK, R. van den (1985): «Second Thoughts on Translation Criticism: A Model of its Analytic Function», *The Manipulation of Literature*, ibíd., pág. 54.

[5] SIMPSON, E. (1975): «Methodology in Translation Criticism», en *Meta*, vol. 20, núm. 4, décembre, pág. 257.

entre el idioma que traducimos y el de la versión en que lo vamos a traducir; es una parte de la lingüística comparada; mientras la gramática impone reglas, la estilística ofrece opciones en la significación lineal o la estructura patente.

Otro elemento a tener en cuenta es que cualquier comparación de textos es siempre indirecta, pues se trata de una comparación de categorías seleccionadas por un conocedor de esa materia, dentro de un concepto puramente hipotético. No podemos comparar textos simplemente yuxtaponiéndolos, sino que necesitamos un marco de referencia para examinar los vínculos positivos o negativos entre el texto 1 y el texto 2, y hacerlo desde el punto de vista de ambos textos. Este marco de referencia no puede identificarse con el texto original, sino que debe ser una combinación de categorías derivadas tanto del texto fuente como del término, e incluso puede enriquecerse con otras cuestiones que surjan de ambos sistemas. Tampoco puede suponer este marco una norma general para juzgar lo que se ha traducido o se ha dejado sin traducir; si lo reducimos a la confrontación de una observación diferencial que se refiere solamente al texto fuente, únicamente nos permitiría establecer lo que *no es* la traducción, por lo que parece más productivo convertirlo en un criterio hipotético que sirva para caracterizar, no solamente uno o dos textos, sino las estrategias textuales e interpretativas; esto es, las normas y los modelos. El acercamiento diferencial, en el mejor de los casos, será útil como una fase del trabajo descriptivo, siempre que no se limite al acercamiento negativo en una sola dirección:

> ... it is not enough just to point out that such aspect or another of the message has not been properly taken care of: is the mistranslation due to *faux amis,* false association of cognate or non-cognate words, is it due to wrong tonality, unidiomatic use of language, etc? [6]

Como vemos, para obtener un modelo complejo, en vez de reduccionista, las relaciones entre ambos textos pueden utilizarse como fondo general para la comparación textual.

Un modelo práctico de análisis textual que ayude a describir y comprobar estrategias interpretativas podría ser el que proponen Lam-

---

[6] Ibíd., pág. 256.

bert y Gorp [7]: en primer lugar, reunir la información sobre las características generales macro-estructurales, tanto si se trata de traducción, como de adaptación o de imitación, y estudiar lo que significan estos términos en el período de tiempo dado; a continuación, ver si se menciona el nombre del traductor, y si puede reconocerse el texto como *traducido* por haber interferencia lingüística, neologismos u otras características socio-culturales; si las estructuras generales del texto son las adecuadas —según sea traducción parcial o total— y si el traductor o el editor proporcionan algún comentario metatextual: prefacio, notas a pie de página, etc. Un estudio de este tipo ya nos da una idea aproximada de las estrategias generales de la traducción y de sus prioridades principales, y puesto que la traducción está determinada por los mecanismos de selección en los diversos niveles textuales, se da por sentado, como hipótesis de trabajo, que un texto traducido que resulta más o menos adecuado a nivel macroestructural, lo será a nivel microestructural, aunque no a todos los niveles específicos.

Un posible orden en las investigaciones podría comenzar por examinar diferentes fragmentos y luego estudiarlos nuevamente bajo el punto de vista de reglas textuales concretas: si se traducen palabras, oraciones o párrafos; si hay correspondencia de metáforas, secuencias narrativas, etc. Es difícil que se traduzcan todos estos niveles con la misma intensidad e igual grado de perfección, y probablemente se sacrifican niveles textuales específicos, por ejemplo, el léxico, en favor de otros niveles, como puede ser la literalidad.

Este análisis microscópico, que en algunos casos podría apoyarse en datos estadísticos, nos permite comprobar la consistencia y la estructura jerárquica de las estrategias de la traducción, y también formular hipótesis referentes al origen y a la posición de estas estrategias en el texto fuente y en el texto y el sistema terminales, resultando fácil sacar conclusiones provisionales sobre fragmentos individuales. Estas conclusiones pueden utilizarse, en una segunda etapa, al hacer el análisis de otros extractos y ver si añade o suprime el traductor párrafos, palabras, imágenes, rasgos literarios, etc., en todo el texto o solamente en ciertos pasajes y, en este caso, cómo se explican las discrepancias. A fin de conseguir una visión panorámica del método de la traducción, podemos examinar fragmentos en los que aparezcan nuevas dificultades, que nos permitan comprobar las hipótesis que

---

[7] LAMBERT, J. & GORP, H. van (1985): «On describing translations», en *The Manipulation of Literature: Studies in Literary Translations*. London & Sydney: Croom Helm, pág. 49.

ayuden a reconstruir más detalladamente cuáles son las prioridades que han dominado la actividad del traductor.

Al adoptar un método flexible de este tipo, el crítico puede formarse una idea de las reglas del texto y de la traducción, puede comprobarlas y clasificarlas de acuerdo con parámetros específicos, sin tener que acumular ejemplos al azar. Es claro que estas reglas tienen que unirse después a otras, o mejor aún, a todo el sistema, y diversificarlo más ampliamente, pues forma parte de un programa abierto de investigación sobre la traducción como instrumento mediador entre los sistemas literarios. Este acercamiento sistemático no sólo permite comentar las traducciones con la misma terminología que se utiliza para comentar los sistemas literarios, sino también hacer afirmaciones generales descriptivas a todos los niveles, tanto del sistema de la traducción como del sistema literario; esto es, del autor, del traductor, de los lectores, y de los textos y los macro/microniveles.

La crítica de la traducción tiene aspectos muy diversos: puede centrarse la atención en la exactitud pragmática y referencial, pero éste es un campo muy amplio en el que podemos encontrar demasiadas discrepancias con el traductor, o en la equivalencia formal, pero sabemos que la traducción tiene el propósito esencial de reproducir el sentido antes que las estructuras formales. Por otro lado, no puede contestarse a la pregunta de si es buena una traducción sin antes aclarar para quién va dirigida —equivalencia dinámica—, pues la traducción ha de valorarse de acuerdo con la posibilidad que tenga de acceder a ella el lector medio al que va destinada. Por tanto, según el nivel cultural de los lectores, la traducción será correcta si está de acuerdo con su capacidad intelectual y afectiva, habiendo de procurar que tanto el vocabulario como la sintaxis se adapten a ese nivel, a fin de estar seguros de que los receptores no tendrán dificultad en comprender el mensaje.

7.2. EQUIVALENCIA DINÁMICA Y EQUIVALENCIA FORMAL

La equivalencia formal presta mayor atención al propio mensaje, tanto a la forma como al contenido, y la equivalencia dinámica intenta asegurar que la relación entre el receptor y el mensaje del texto original sea sustancialmente la misma que existe entre el receptor y el mensaje del texto traducido.

Anteriormente se solía prestar mayor atención a la forma del mensaje. Los traductores se preocupaban de reproducir los elementos estilísticos, como pueden ser el quiasmo, los juegos de palabras o las estructuras gramaticales poco corrientes. Este interés se ha centrado ahora en la respuesta del receptor, procurando que sea ésta similar a la del lector del texto original [8]. Por tanto, la primera consideración que hay que tener en cuenta es a quién va dirigida la traducción y las posibilidades que tiene el lector medio de comprenderla correctamente, y la segunda, los niveles socio-culturales, a fin de que todos los lectores tengan las mismas probabilidades de acceder al mensaje, comenzando por eliminar las expresiones que puedan producir confusión o que por su complicado vocabulario y estructuras gramaticales desanimen al lector a acercarse al texto.

A pesar de que los traductores concedan mayor importancia cada día a la equivalencia dinámica, todavía quedan quienes prefieren la formal por varias razones, entre ellas, la de que es más directa y simple, así como más objetiva [9]. El apoyo a estas razones se basa en que la traducción más literal, o de equivalencia formal, limita el papel del traductor, lo que parece positivo, pues su labor no debe implicar interpretación; esto es, el propio punto de vista que tiene el traductor del texto estará circunscrito por el método de la traducción y así podrá intervenir menos entre la traducción y el texto.

No obstante, si pensamos en los usos diferentes que existen entre la lengua fuente y la término, como ocurre con la metáfora, el traductor tiene que interpretar el texto para dar una versión que explique todo el contenido del original. En la frase *recording on side 1 is no longer possible*, el traductor puede optar por conservar la forma *la grabación en la cara 1 ya no es posible*, o elegir una más neutra *ahora ya no se podrá grabar en la cara 1*; pero en *his bestselling memoirs* tiene forzosamente que traducirla por *sus memorias, que han alcanzado un éxito editorial* [10], sin posibilidad de conservar la forma del texto fuente.

Esto nos lleva a otro uso distinto entre dos lenguas, como es el

---

[8] TABER & NIDA (1974): op. cit., págs. 1-24.
[9] TYMOCZKO, M. (1985): «How distinct are formal and dynamic equivalences?», en *The Manipulation of Literature-Studies in Literary Translation*. (Th. Hermans, ed.) London y Sidney: Cross Helm, pág. 63.
[10] DOWNING, A. (1987): Ponencia presentada en el *Congreso de Historia de la Traducción*. Universidad de León.

sintáctico, que puede apoyarse en los mismos ejemplos anteriores, en los cuales es necesario el cambio de categorías gramaticales: en la traducción neutra del primer ejemplo, el sujeto pasa a verbo; se anticipa la frase adverbial temporal y la oración atributiva pasa a pasiva refleja, y en el segundo ejemplo, el calificativo pasa a oración adjetiva de relativo en un caso típico de paráfrasis. Un uso léxico contradictorio son los *falsos amigos*, en los que no puede utilizarse su cognado, sino un elemento léxico equivalente: en *the actual state of affairs* tenemos que buscar el equivalente semántico de *actual,* que es *real* en español.

Estos usos distintos del lenguaje ponen de manifiesto que hay diferentes niveles de traducción, que van desde la palabra como unidad mínima, al propio texto. Cuando la interpretación puede tener más de una alternativa, la mejor forma de elegir entre ellas es acercándose a la equivalencia dinámica. Así, aunque el traductor trate de limitarse a realizar una versión formal o literal, en ciertos casos contradictorios ésta se convierte en libre o dinámica, pues la decisión tiene que basarse en las implicaciones que las estructuras formales produzcan en el receptor del mensaje.

Todo ello requiere que el traductor reconsidere su actitud hacia la lengua receptora, incluso si —como suele ocurrir— se trata de su propia lengua materna. Cada lengua posee ciertos signos distintivos y una mayor riqueza del vocabulario que precisa ese pueblo por sus características especiales, debiéndose respetar y explotar las potencialidades del lenguaje así como efectuar cualquier cambio formal que sea necesario para reproducirlo fielmente, en vez de forzar las estructuras: sacrificar la forma en atención al contenido, intentando reproducir el significado de un pasaje como lo comprende el escritor, principalmente si se trata de lenguas distantes que no tienen el mismo marco cultural.

El estilo es también importante, aunque lo sea menos que el contenido, siendo aconsejable a veces recurrir a notas marginales para traducir las marcas estilísticas del original que no pueden reproducirse en el texto y así ayudar al lector a comprender todo el significado, principalmente cuando se trate de juegos de palabras, donde en muchos casos es necesario conocer el doble sentido de la alusión.

Según Taber y Nida [11], el traductor se enfrenta constantemente con una serie de distinciones polares que le obligan a elegir entre contenido y forma, significado y estilo, equivalencia e identidad, etc. Para elegir entre estas características opuestas, necesita establecer ciertos criterios fundamentales que le sirvan de guía en el proceso; es decir, tiene que fijar un sistema de prioridades que definan la traducción desde las dos perspectivas de forma y comprensión para ver:

1) la consistencia contextual antes que la concordancia literal o traducción en términos de formas lingüísticas;

2) la equivalencia dinámica, basándose en las reacciones de los receptores, antes que la correspondencia formal;

3) la forma oral del mensaje antes que la forma escrita, y

4) las formas que usa y acepta la audiencia a quien se dirige la traducción antes que las formas tradicionales, aunque puedan ser más prestigiosas.

Estas prioridades consisten en un conjunto de factores complejos como son la edad, el sexo, la educación y la experiencia anterior, analizando los problemas de la traducción desde el punto de vista de los tipos de audiencia.

Este acercamiento a la traducción es diferente y requiere nuevas técnicas, especialmente por lo que se refiere al análisis; afortunadamente, los avances realizados en la ciencia lingüística, tanto en los campos de la gramática como de la semántica, proporcionan instrumentos importantes si se utilizan debidamente.

7.3. DIFERENTES FASES DEL ANÁLISIS CRÍTICO

La crítica sistemática de la traducción comprende cinco fases esenciales, según Newmark [12]:

1.ª un breve análisis del texto de la lengua original;

---

[11] NIDA E. & TABER, Ch. (1974): *The Theory and Practice of Translation*, ed. cit., pág. 14.
[12] NEWMARK, P. (1988): op. cit., pág. 186.

2.ª la interpretación por parte del traductor del propósito del texto de la lengua fuente, si el método seguido es el adecuado para los lectores;

3.ª comparación detallada de unas muestras representativas de la traducción con el original;

4.ª evaluación de la traducción, tanto en términos del traductor como en los de la crítica, y

5.ª en los casos que se considere procedente, valoración de la traducción dentro de la cultura de la lengua término.

Un buen traductor consigue realizar el propósito que se propone: en un texto informativo, sobre transmitir los hechos; en un texto vocativo, su éxito puede medirse, al menos en teoría, por la efectividad que consiga; en el caso del traductor de una agencia de publicidad, se puede apreciar en los resultados; en un texto expresivo, la forma es tan importante como el contenido, y a veces se produce tensión entre las funciones expresivas y estéticas de la lengua, siendo en ocasiones conveniente que la traducción explique la intención del texto, como de hecho se viene haciendo en algunas ediciones de obras traducidas.

CAPÍTULO VIII

Estudios de lingüística contrastiva

La comparación de dos lenguas parte de la descripción de dos sistemas, el de la L^1 y el de la L^2, con el fin de establecer tanto las diferencias que existan entre ambos sistemas como lo que tengan en común; esto es, los elementos de las dos lenguas que estén relacionados entre sí en base a los universales y rasgos válidos para ambas lenguas, ya que, si se han traducido durante algún tiempo, existen las que podemos llamar *líneas de equivalencia*: ciertas palabras, frases o conceptos que al traducirse con frecuencia han quedado establecidos de una manera fija, convirtiéndose en clichés. Por experiencia, el traductor sabe que cierta expresión se traduce mejor de una manera determinada, pues tiene su equivalente fijo, ya sea palabra o frase. El procedimiento que se suele seguir es buscar el equivalente conceptual, definirlo de la manera más acertada posible, y después reexpresarlo en los términos lingüísticos de la lengua meta. El rango superior en la jerarquía de los equivalentes de traducción pertenece al del concepto, seguido del léxico y el sintáctico, a nivel de la oración, viniendo a continuación las unidades más pequeñas: la frase, la palabra y el morfema.

Puede haber varios tipos de equivalencias, desde una correspondencia perfecta entre la L^1 y la L^2 hasta la falta de semejanza. Isadore Pinchuck [1] las resume en 4, que explica con los siguientes esquemas:

E' = estructura de la lengua fuente
E'' = estructura de la lengua término

---

[1] PINCHUCK, I. (1977): *Scientific and Technical Translation*. London: A. Deutsch Limited, págs. 48-9.

S'   = significado de la lengua fuente
S''   = significado de la lengua término

1) Estructura similar   + significado similar
       E' = E''   S' = S''

Este caso ideal es más probable que ocurra en dos lenguas de procedencia cercana que se haya producido bastante comunicación entre los miembros de las dos comunidades lingüísticas, como ocurre en algunos países bilingües. La equivalencia es más probable que ocurra en los niveles jerárquicos más bajos que en los altos; cuanto más compleja sea una oración, menos probabilidad habrá de esta total convergencia.

Por ejemplo, *the boys run = los niños corren* es un caso de E'S' = E''S''.

2) Estructura similar   + significado diferente
       E' = E''   S' ≠ S''

Los «false friends» normalmente entran en esta categoría: por ejemplo, *actual = real*.

3) Estructura diferente   + significado similar
       E' ≠ E''   S' = S''

Las frases hechas o modismos establecidos son un ejemplo de este tipo de equivalencia: *Fleet Street* = la calle de la prensa.

4) Estructura diferente   + significado diferente
       E' ≠ E''   S' ≠ S''

Esta categoría incluye las traducciones totalmente incorrectas y las frases que son imposibles de traducir.

El ideal en la traducción sería conseguir la equivalencia del primer tipo (E'S' = E''S''), pero este caso es muy raro. El mejor de los restantes, y generalmente el mejor en la práctica, es el tercero (E' ≠ E'', S' = S'').

Por tanto, el principal objetivo de la lingüística contrastiva consiste en

> ... establecer una gramática contrastiva para dos o más lenguas en la que se recojan, sobre todo, las diferencias entre las lenguas en cuestión, en base a un modelo lingüístico y, si es posible, se gradúen de modo que

puedan integrarse en una jerarquía de dificultades de aprendizaje y ser utilizadas para predecir errores [2].

La lingüística contrastiva aplicada, orientada a la enseñanza de lenguas, fue proyectada por Fries en 1945, siendo Harris y Lado quienes la codificaron por primera vez en 1954 y 1957, respectivamente. En 1959 comenzó a publicarse *Contrastive Structure Series,* que supuso el primer proyecto de lingüística contrastiva aplicada, bajo la dirección de Charles A. Ferguson. En 1962 Gage publicó la primera bibliografía sobre lingüística contrastiva —continuada por Hammer y Ricer en 1965—, y en 1968 se celebró en Washington la *19th Round Table Meeting on Contrastive Linguistics and its Pedagogical Implications*, lo que significó la total consolidación de esta disciplina [3].

Los criterios que se vienen utilizando en la lingüística contrastiva parten del supuesto de que algunas expresiones pertenecientes a dos lenguas diferentes poseen un parecido valor posicional en sus respectivos sistemas lingüísticos, ocupándose de contrastar esas clases de elementos de dos o más lenguas que se encuentran tanto en relación de semejanza como de diferencia [4].

Hay tres aportaciones importantes que sirven para fijar los criterios contrastivos:

1) Según Charles J. Fillmore, las semejanzas estructurales importantes entre oraciones de la misma o diferentes lenguas se encuentran en su estructura profunda, no en su estructura superficial, añadiendo que «dos oraciones son equivalentes si 1) las oraciones simples subyacentes son traducciones unas de otras; 2) las relaciones entre esas oraciones subyacentes y la oración superficial o una parte de ella son equivalentes en el sentido antes indicado, y 3) las oraciones superficiales son traducciones unas de otras» [5].

2) Coseriu [6] propone hallar la relación de equivalencia en base a un *tertium comparationis* referencial que tenga en cuenta:

---

[2] EBNETER, T., 1982 (1974): *Lingüística Aplicada.* Madrid: Ed. Gredos (trad. F. Meno) pág. 252.

[3] Ibíd., págs. 250-1.

[4] FENTE GÓMEZ, R. (1971): *Estilística del verbo en inglés y en español.* Madrid: Sociedad General Española de Librería, págs. 99-112.

[5] FILLMORE, Ch. J. (1966): «On the notion of 'Equivalent Sentence'», en *Zeichen und System der Sprache,* vol. III, núm. 11. Berlín: Akademie-Verlag, págs. 70 sgts.

[6] En MOSER, H. et al. (eds.) *Probleme der kontrastiven Grammatik. Jahrbuch 1969.* Sprache der Gegenwart, vol. III. Düsseldorf: Schwann, págs. 2 sgts.

1) con qué medios lingüísticos no análogos pueden expresar las oraciones de la L1 y de la L2 los mismos contenidos; 2) cuáles son los tipos oracionales no análogamente configurados de la L1 y de la L2 que designan el mismo estado extralingüístico, y 3) cómo se expresa en la L2 una situación análoga.

3) Para Cherubim [7], la equivalencia presupone una magnitud de referencia, por lo que no ha de hallarse en las lenguas particulares, sino que ha de ser conceptual y constante: 1) La equivalencia de estructuras virtuales o de descripciones gramaticales presupone categorías gramático-conceptuales (universales), y 2) la equivalencia de estructuras ya realizadas o la equivalencia de textos presupone significados oracionales comprensibles conceptualmente.

Por lo que se refiere al campo de la traducción, los signos de dos lenguas diferentes no son incomparables, aunque no puedan superponerse o intercambiarse automáticamente de manera unívoca, ya que la traducción no es una operación que resulte de equivalencias preexistentes entre los signos de dos lenguas, sino que se establece por medio de mensajes. De ahí la necesidad que tiene el traductor de realizar constantemente análisis a diferentes niveles: léxico-semántico, sintáctico y estilístico.

8.1. ANÁLISIS LÉXICO-SEMÁNTICO

La semántica se ha convertido hoy en una de las disciplinas lingüísticas que suscitan mayor interés, al contrario de lo que venía ocurriendo hace unos años debido al abandono a que la sometió el estructuralismo. Este desinterés mostrado entre las décadas de 1920 y 1960 se debe a dos razones principales:

– La primera, más clara y facilmente comprensible, es el deseo de conferir a la lingüística el mayor rigor científico posible y

    [7] CHERUBIM, D. (1971) «Zur kontrastiven Grammatik», en *Zeitschrift für Dialektologie und Linguistik*.

la dificultad de conseguirlo basándose en el estudio de nociones tan difíciles de sistematizar como son los contenidos semánticos.

– La segunda, menos evidente, pero la única capaz de explicar la primera, es que la lingüística del siglo XX hereda, a través de Saussure, una concepción simplista del significado, excepto en un pequeño número de campos fácilmente estructurables, como el esquema de los colores en las diversas lenguas.

Como ciencia histórica, el desarrollo de la semántica es posiblemente superior, pese a las escasas aportaciones de estos últimos años, al alcanzado como disciplina descriptiva. Surgió —según Ullmann [8]— en un principio, bajo el título de semasiología, en la Alemania de la primera mitad del siglo XIX.

Entre las principales contribuciones conviene señalar las obras del sueco Gustav Stern [9]. La semántica histórica se ocupa de las causas de la creación y evolución de la semántica —resumidas en dos tipos principales, la nominación o denominación de las cosas y la evolución del sentido—, y clasifica los diversos tipos de cambios semánticos utilizando como punto de partida la clasificación de los tropos de la antigua retórica. Stern y Ullmann, aunque han conservado estas denominaciones, han intentado una nueva clasificación que, en líneas generales, coincide en ambos autores.

El mismo año en que aparecía la obra de Stern (1931), publicaba Trier [10] lo que supone el primer intento de estudiar, desde un punto de vista estructural, un dominio semántico, al que denomina campo semántico o lingüístico: el de la esfera del conocimiento y de la inteligencia en alemán antiguo. El sistema del campo lingüístico de Trier, con el que habría que relacionar la noción de campo nocional de Martoret o de campo morfosemántico de Guiraud, está en la base de los primeros balbuceos de la semántica.

Dentro de un campo semántico, el traductor debe conocer el valor de cada expresión, a fin de buscar el equivalente adecuado en la otra

---

[8] ULLMANN, St. (1962): *Semantics: An Introduction to the Science of Meaning*, Oxford, págs. 7-8.

[9] STERN, G.: *Meaning and Change of Meaning with Special Reference to the English Language* (1931).

[10] TRIER (1931): *Der Deutsche Wortschatz im Sinnbezirk des Verstandes. Die Geschichte eines Sprachlichen.*

lengua. Debe saber, por tanto, agrupar los términos sinónimos en una escala polar, según el lugar que ocupan dentro de esa escala valorativa, como se indica en el apartado 8.1.4.

Para recrear la interpretación de un segmento ambiguo es importante tener una visión del sentido textual completa, ya que las palabras de un texto apuntan siempre a otras y la verdadera aprehensión de ese sentido solamente puede conseguirse desde una perspectiva de conjunto, no de palabras aisladas.

8.1.1. DEFINICIÓN DE LA PALABRA

Podemos delimitar el concepto de palabras siguiendo varios criterios, pero para el traductor los más importantes son los criterios gramatical y semántico.

a) Criterio gramatical

Bloomfield distingue formas libres y ligadas. Formas libres son las palabras con autonomía e independencia para formar por sí solas un enunciado: *house, table*. Formas ligadas son las palabras que no pueden tener autonomía, no pueden ser un enunciado: *the* necesita un sustantivo, al igual que *with*. *Writ-er* es una unidad mínima, pero no libre, sino ligada, lo mismo que *drink-er*.

También pueden clasificarse como palabras llenas (semantemas) las que tienen una sustancia léxica, un contenido propio, y pueden definirse léxicamente: sustantivo, adjetivo, verbo y adverbio. Las palabras vacías son instrumentos gramaticales, indican relaciones gramaticales: preposición, artículo, pronombre (según Lázaro Carreter, esta última es llena). Igualmente, podemos dividir las palabras en simples y construidas. Simples son las que están constituidas por un lexema puro (morfema léxico) y morfemas gramaticales obligatorios (flexivos): *boy-s*. Palabras construidas son las que están formadas por un lexema puro y morfemas ligados facultativos (derivativos): *writ-er;* siempre están motivadas; es un procedimiento secundario que tiene como base una unidad ya existente. En el léxico predominan las palabras construidas, a pesar de que abunden mucho las simples en el habla.

b) Criterio semántico

La palabra es el sonido o conjunto de sonidos articulados con que se expresa una idea. Taber y Nida [11] afirman que las palabras pueden dividirse en cuatro categorías semánticas, según sea su contenido: objeto, suceso, abstracción y relación, en contraste con las clases gramaticales que designan: nombres, verbos, adjetivos o adverbios, preposiciones, etc. Esas cuatro categorías abarcan todas las subcategorías semánticas y puede decirse que son universales para todas las lenguas, incluso en las que tengan diferentes clases gramaticales.

Objeto: se refiere a la clase semántica que designa cosas o cantidades y que normalmente participa en las acciones o sucesos: por ejemplo, *house, dog, man, sun, stick, water, spirit,* etc.

Suceso: es la clase semántica que designa acciones, procesos, acontecimientos; por ejemplo, *run, jump, kill, speak, shine, appear, grow, die,* etc.

Abstracción: se refiere a la clase semántica de expresiones que tienen como únicos referentes las cualidades, cantidades y los grados de los objetos, sucesos y otras abstracciones; por ejemplo, *red* no es nada en sí mismo, tan sólo es una cualidad inherente en ciertos objetos: *red hat, red dress, red face.* La cualidad *rojo* se abstrae de estos objetos y se nombra como si existiera de manera aislada. De la misma manera *speed* es una cualidad de ciertos sucesos. Las abstracciones de cantidad incluyen *two* y *twice, many, often, several,* etc. Las abstracciones que sirven para marcar el grado de otras abstracciones —*too much* y *very*— pertenecen a esta subclase general.

Relaciones: son las expresiones de las conexiones significativas entre otras clases de términos. A menudo se expresan con partículas —en inglés muchas son preposiciones y conjunciones—; algunas lenguas usan afijos, como son las desinencias de los casos, con el mismo propósito, y otras, incluido el inglés, usan el orden de los elementos para expresar relaciones significativas, o verbos especiales para expresar relaciones; por ejemplo, *to be* —ser o estar— y *to have* —tener—, en alguno de sus usos: *John is in the house* = Juan está en casa; *John is a boy* = Juan es un

---

[11]   TABER y NIDA (1964): *Toward a Science of Translating.* Leiden: E. J. Brill, págs. 37-8.

niño o *John has a brother* = Juan tiene un hermano, pero no *to be or not to be* = ser o no ser, que significa *existir*.

La categoría en que debe colocarse cada palabra depende del contexto; por ejemplo, en la oración *he picked up a stone* = cogió una piedra, *stone* representa un objeto; en *they will stone him* = le van a apedrear, funciona como suceso, y en *he was stone deaf* = estaba sordo como una tapia, sirve de abstracción.

Es importante tener en cuenta que hay una clase de correspondencia entre estas categorías semánticas y ciertas clases gramaticales; por ejemplo, los objetos suelen expresarse con nombres o pronombres; los sucesos con verbos; las abstracciones con adjetivos y adverbios. Esta correspondencia que sentimos de manera instintiva es la que ha dado lugar a las definiciones semánticas tradicionales de las partes gramaticales de la oración, pero no hay ninguna equivalencia automática entre las dos series de términos que nos permita colocar el signo de igualdad entre ellos.

García Yebra [12] estudia esta clasificación de Taber y Nida y añade que «no se habla de la relación como categoría semántica léxica, sino de relaciones sintácticas o incluso lógicas». Le parece imprecisa la categoría abstracción, que no aplicaría a los numerales sino exclusivamente para «lo que tradicionalmente se han llamado palabras abstractas, como bondad, amistad, aptitud», y establecería además la categoría determinación que «abarcaría los artículos, adjetivos y adverbios de la gramática tradicional que funcionan como delimitadores del término al que se refieren: el gorro rojo, tres árboles».

Hay palabras, según Taber y Nida [13], que tienen estructura compleja y pueden adscribirse a dos categorías semánticas, como son:

- Objeto-suceso: jugador (uno que juega), heredero (uno que hereda), pescador (uno que pesca); el objeto realiza el suceso.

- Suceso-objeto: regalo (lo que se regala), doctrina (lo que se enseña), apóstol (enviado); el objeto es el fin del suceso.

- Suceso-abstracción: santificar (declarar santo), justificar (declarar inocente): la abstracción cualifica el fin del suceso.

---

[12]   GARCÍA YEBRA, V. (1982): *Teoría y Práctica de la Traducción* (Biblioteca románica hispánica, III, Manuales, 53). Madrid: Editorial Gredos, págs. 91-96.
[13]   TABER y NIDA (1964): op. cit., pág. 37.

– Suceso-relación: mediar, reconciliar (actuar como agente entre otros): un suceso que lleva implicada una relación.

Es asimismo importante reconocer que las palabras llamadas sucesos pueden representar acciones complejas: por ejemplo, en *Yo soy la resurrección y la vida*, tanto *resurrección* como *vida* son sucesos, pero no se refieren a acciones intransitivas, como *elevarse* y *vivir,* sino a acciones transitivas causativas: *Yo soy el que hará resucitar de la muerte y vivir.*

8.1.2. FORMACIÓN DE LAS PALABRAS

Cada sistema lingüístico tiene su propio método para ampliar el vocabulario a partir de un léxico básico, además de los préstamos que pueda tomar de otras lenguas. Los principales métodos empleados son la unión de dos palabras para formar un compuesto que funciona como una palabra simple, la adición de un morfema como prefijo o sufijo de la raíz y la conversión.

a) Los prefijos normalmente producen un cambio de significado:

negativo: impossible
privativo: deforestation
peyorativo: misconduct

b) Los sufijos pueden producir un cambio en la clase de palabra:

agente: cashier
diminutivo: doggy
aumentativo: balloon
estado o
cualidad: priesthood
colectivo: colonnade
causativo: ripen
adjetival: childlike, childless, childish
adverbial: strangely

La afijación puede ser múltiple: *un-faith-ful-ness.*

Los *compuestos* consisten, al menos, en dos elementos que en su origen eran palabras independientes. Una pasa a ser el elemento principal y la otra a calificarlo o determinarlo. Pueden ser de varias clases:

    Nombres: swimming-pool
    Adjetivos: overseas
    Verbos: find out

La *conversión* consiste en el procedimiento de pasar una palabra de una clase a otra:

    Adj. > V: to smooth
    N   > V: to anchor
    Adj. > N: the fat
    V   > N: make-up

8.1.3. EL SIGNIFICADO

El significado es el aspecto que más interesa al traductor, ya que en la operación de transferencia de la lengua fuente a la lengua término, su labor se centra en este mecanismo. Según Tricás:

> «la perspectiva textual posibilita la traducción de las unidades léxicas y la redistribución de los semas a lo largo de las distintas unidades que componen el texto, no pudiendo partir el proceso de comprensión del mensaje y su nueva recreación sino del significado de éste» [14].

No obstante, el significado no puede delimitarse dentro de un marco rígido, sino que se está abierto a varias interpretaciones, según el contexto.

> *Poverty is the rule in many countries* (condición general)
> *Poverty was a rule of St. Francis' life* (regla)
> *The rules of the road* (código) [15]

El traductor procede siempre ante el significado por intentos sucesivos, adelantando soluciones transitorias que va modificando a medida que se adentra en el sentido del texto. La diferencia entre ambos conceptos —significado y sentido, es que mientras el primero es «el

---

[14] TRICAS, M. (1988): «Lingüística textual y traducción», en *Problemas de la traducción*. Madrid: Fundación Alfonso X el Sabio, pág. 134.
[15] LOCKE, Ph. (1985): Curso sobre «Lexicología y Semántica Inglesas», Instituto Universitario de Lenguas Modernas y Traductores. Universidad Complutense. Madrid.

concepto, la imagen mental evocada por la audición o la lectura del significante», el segundo «es el contenido conceptual del texto, lo que el texto quiere decir», aunque no coincida con el significado [16]. Lyons describe el sentido como «una relación entre las palabras o expresiones de una misma lengua, independientemente de la relación que exista, si la hay, entre las palabras y expresiones, y sus referentes o denotata» [17]: el sentido es el causante de que el traductor no pueda actuar de modo lineal, sino a base de avances y retrocesos que van perfilando, poco a poco, la semanticidad total de la unidad textual; a medida que profundiza en su lectura, va observando cómo los elementos léxicos van definiendo y delimitando su extensión semántica. En algunos casos, las posibles equivalencias cobran validez y, en otros, pierden sentido.

En la primera aproximación, los segmentos se definen más aisladamente porque la memoria semántica de un lector no es muy larga y la operación relacionante puede ser imprecisa. No obstante, hay que tener en cuenta los dos grupos principales de características —conceptuales y las distintivas— que dan lugar a los distintos tipos de significado:

- Conceptual: el significado general o primario con que una palabra figura en el diccionario.

- Situacional: el que adquiere al asociarse con otras palabras.

- Contextual: el significado producido por un determinado contexto o situación.

- Figurativo: el significado metafórico o metonímico transferido a otro campo semántico: *the crown > the monarchy*.

- Paradigmático: la relación que tiene una palabra con otras en un campo léxico *(kill, massacre, assassinate, slaughter)*.

- No referencial: el formado por otras características que se añaden al significado semántico, como son las asociativas, el registro social, técnico, especializado y estilístico.

---

[16] GARCÍA YEBRA, A. (1982): *Teoría y práctica de la traducción*. Madrid: Ed. Gredos, pág. 37.
[17] LYONS, J. (1977): *Semantics*. Cambridge University Press (trad. esp. *Semántica*. Barcelona: Ed. Teide, S.A., 1980, pág. 196).

8.1.4. RELACIONES DE SENTIDO

La competencia semántica, según Katz y Nagel [18], explica la habilidad de los hablantes de hacer juicios sobre las siguientes clases de
propiedades: sinonimia, redundancia, contradicción, suposición, ambigüedad, anomalía semántica, antonimia y superordinación, añadiendo M. J. Cresswell que la competencia semántica «no es ni más ni
menos que la habilidad que demuestra, ante una frase y una
situación [19]», «al decir si la frase es verdadera o falsa en esa determinada situación» [20].

a) Hiponimia

Existen relaciones jerárquicas entre los significados de las palabras,
ya que mientras algunos conjuntos tienen unidades claramente definidas en un campo semántico, los significados de algunas palabras se
encuentran en relación de inclusión dentro de sus áreas semánticas
respectivas. Por ejemplo, según Taber y Nida, las series *walk, crawl,
run* y *dance,* están incluidas todas dentro del campo del significado de
move. Lo mismo que *march* y *stroll* lo están en el de *walk,* pero
march implica además un ritmo forzoso externo, y *stroll* una actividad
más lenta, que puede admitir cambio de velocidad e incluso de dirección. No obstante, esta clasificación de las estructuras semánticas jerárquicas no pueden aplicarse de manera sistemática, por la complejidad que presentan: *march* no está jerárquicamente subordinada a
walk en todos sus significados, pero sí en el central.

Las estructuras jerárquicas de taxonomías populares, como son los
sistemas de clasificación que se utilizan generalmente, suelen ser muy
amplios, por ejemplo: *animal, mammal, dog, terrier,* donde *animal* es
el término más inclusivo y *terrier* el más exclusivo. Decir que estas
series forman una estructura jerárquica quiere decir que cada término
sucesivo tiene todos los componentes del término superior, más ciertas
características específicas.

Cuantos menos componentes tenga un término, más general es en

---

    [18] KATZ, J. J. & NAGEL, R. I. (1974): «Meaning postulates and semantic theory», en
Foundations of Language, 11, pág. 313.
    [19] CRESSWELL, M. J. (1978): «Semantic competence», en *Meaning and Translation,* ed.
Guenthner et al., pág. 10.
    [20] TRICAS (1988): op. cit., pág. 144.

su aplicabilidad: por tanto, cuando un término es menos restringido, es más genérico, mientras que si un término está sujeto a muchas restricciones tiene una aplicabilidad limitada y es más específico.

Los *hipónimos* (términos específicos) también tienen jerarquías dentro de los *hiperónimos* (términos genéricos): *colour* = red, purple, reddish-purple, pale-reddish-purple.

Para los términos *chair, stool, bench,* que son específicos, hay un término genérico que incluye sólo los componentes comunes que todos ellos comparten (para sentarse), pero no los componentes distintivos que les hacen contrastivos; ese término es *seat.*

b) *Sinonimia*

En todas las lenguas hay palabras que son similares en su significado. No obstante, hay pocos sinónimos que sean exactos, pues puede variar su uso y, por tanto, el sentido.

Según la definición tradicional, se produce sinonimia cuando un mismo significado está expresado con significantes diferentes, es decir, la relación semántica entre significantes diferentes con significados semejantes (sinonimia total), o aquellos elementos que tienen una comunidad de significado (sinonimia parcial). Para que se produzca sinonimia absoluta han de reunirse dos características:

- que sean permutables en todos los contextos, y
- que tengan el mismo contenido simbólico, objetivo, intelectual, real y connotativo.

Por ello, no parece probable su existencia. La sinonimia puede darse cuando un elemento, una palabra, está compuesto de un semema exactamente igual al de la otra palabra que comparamos. No obstante, siempre hay algunas diferencias: He owed much to his *tender* and *loving* wife (tierna y amante).

En el plano simbólico objetivo, la sinonimia absoluta puede existir, pero no hay un solo plano: está el del hablante, el del oyente, y el de la estructura de la lengua. Desde el punto de vista de la sinonimia parcial, lo normal es que la palabra tenga varias acepciones y varíen en el plano del contenido; por ejemplo, los sinónimos de etimología diferente que encontramos en los documentos legales: their contract was proved *null* and *void* (nulo y vacío).

La traducción es posible porque traducimos una palabra de acuerdo con la acepción objetiva, pero las connotaciones son diferentes: aunque sean sinónimas en su significado denotativo, contienen ciertos matices adicionales, tanto positivos como negativos —por ejemplo, formal/informal—, que tienen como consecuencia que una palabra que resulta apropiada en una situación determinada, no lo sea en otra: *police officer, policeman* y *cop* todas se refieren al mismo referente, pero su grado de formalidad es muy distinto.

Por otro lado, la lengua término a veces no tiene una palabra específica para cada uno de los sinónimos de la lengua fuente: He spoke in a *direct* and *straightforward* manner (clara y sin rodeos).

Por ello es importante que el traductor conozca las diferencias de significado entre las palabras que son casi sinónimos para poder elegir la que reúna las connotaciones adecuadas: We fight for *freadom* and *liberty* (libertad e independencia).

c) Antonimia

El antónimo de una palabra es su opuesto exacto. Todas las lenguas poseen parejas de palabras que son antónimos, peros estos no coinciden en todas las lenguas. Por ejemplo, hay sistemas lingüísticos que tienen palabras para *slave* y *free,* mientras que otros simplemente tienen una palabra para *free* y el significado de *slave* se cubre con la expresión *non-free.*

Puede ser muy útil para el traductor que busca una palabra determinada darse cuenta de que, si no encuentra el antónimo, puede construir la forma negativa de esa palabra, ya que en muchas ocasiones no existe en el sistema de esa lengua.

    – intelligent → unintelligent
    – loyal   → disloyal
    – polite   → impolite

La mayoría de las lenguas también tienen parejas de palabras que son recíprocas una de otra: por ejemplo, las palabras *give* y *receive* tienen relación de reciprocidad la una con la otra, y también *teach* y *learn* son acciones recíprocas. Puede ser muy útil para el traductor, cuando la lengua receptora no posea una palabra específica que pueda usarse de la misma forma que en la lengua fuente, comunicar el mismo significado por medio de la expresión recíproca:

Elizabeth *taught* Mary
Mary *learned* from Elizabeth.

La oposición que se establece en la antonimia es diferente de la complementariedad; aquí hay una oposición de dos términos graduales, con relación a una escala, jerarquía o norma, y aunque no haya una relación explícita, siempre la hay implícita. La norma no es absoluta, es cultural, social y se diferencia según las épocas. Son antónimos *good / bad, tall / short. Good* implica *bad* (si es bueno, no es malo), pero *good* no implica *bad* (si no es bueno, no tiene por qué ser malo). *Tall* implica *short* (si es alto, no es bajo), pero *tall* no implica *short* (si no es *alto,* no tiene por qué ser *bajo*).

Los términos no son contradictorios, son graduales. Si decimos *this beer is cold,* no implica exactamente lo mismo que *this coffee is cold.* Lo decimos en cuanto a la norma de cómo ha de estar la cerveza en verano, o cómo nos gustaría tomarla: no está tan fría como indica la norma, pero en vez de *caliente,* puede estar *tibia* o *templada.*

8.1.5. ANÁLISIS COMPONENCIAL

El análisis componencial en la traducción tiene el único propósito de conseguir la mayor precisión posible. El traductor lo utiliza principalmente para comparar una palabra de la lengua fuente con otra de la lengua término que tenga un significado similar, pero cuya equivalencia no sea exacta.

En primer lugar, en el análisis componencial es necesario tener en cuenta la diferencia que existe entre la palabra (lexema), el significado del lexema (semema) y los componentes que forman el significado (semas). Mientras que los semas son los rasgos distintivos mínimos de significado que son operativos dentro de un único campo léxico, los clasemas son los componentes de sentido general que son comunes a los lexemas pertenecientes a varios campos léxicos diferentes, los cuales tienden a ser lexicalizados y gramaticalizados: *animated / inanimated, male / female, human / non human, material / immaterial.* El análisis del significado del lexema *man* o de cualquier otro, implica tanto los semas como los clasemas.

La tesis universalista establece:

- que hay un grupo fijo de componentes semánticos que son universales y están lexicalizados en todas las lenguas,

– que también son universales los principios formales por los cuales se combinan estos componentes de sentido para proporcionar el significado de los lexemas, y

– que el significado de los lexemas en todas las lenguas puede dividirse en componentes de sentido.

No obstante, aunque algunos de los semas puedan ser universales, la mayoría de ellos son complejos y residuales. En la palabra *man,* los componentes básicos son *human, male, adult,* pero, según el contexto, el significado tendrá unas características específicas: si decimos *Man is a political animal,* nos referimos a toda la humanidad; *The men are on strike,* los trabajadores; *Look man!* se dirige al que escucha; *What can a man do?* se refiere a una persona indefinida; *Officers and men in the army,* son los soldados.

Igualmente, el lexema *head* reúne un gran número de características, por lo que puede aplicarse a muchas expresiones:

— of a walking cane
— of a list
— of a school (head-master, principal prefet)
— of a firm
— of the government
— of a cabbage
— of the bed
— of the table
— of the train
— head waters of a river
— of the department

Al realizar el análisis componencial, en primer lugar se comparan los componentes semánticos comunes y después los diferenciales. Normalmente, la palabra de la lengua fuente tiene un significado más específico que la de la lengua término y el traductor tendrá que añadir algún componente semántico de su lengua a ese término, a fin de conseguir una aproximación mayor en el significado. Es una técnica más precisa y limitada que la de parafrasear o definir. En la práctica, supone identificar características por orden de la importancia que reúnan.

El análisis componencial se usa principalmente con palabras que denotan combinaciones de cualidades y acciones, a las que resulta difícil asignar un equivalente adecuado en la lengua término, y también con otras palabras que tienen un significado amplio y complejo:

	specific purpose	derogatory	size	affectionate	figurative use	reference to lineage	young
dog					+		
mongrel		+			+	+	
hound	+				+		
cur		+			+	+	
puppy			+	+			+

	primary features				distinctive features				
	quality of movement	refering to persons	without effort	lightness	liveliness	short time	great speed	figurative use	specific
quick	+					+			
swift		+	+			+	+	+	+
fast		+				+		+	
nimble		+	+	+	+				
fleet		+		+		+	+		+
rapid	+					+	+		

(Ejs. de Joyce Greer)

PURSUE	To follow closely physically	to follow to kill or catch	abstract	to cause physical suffering	to cause moral suffering	to chase animals	efforts to gain something	be busy	bother	to escort as a suitor	follow along a way	continue investigating	to show continual attention to	aim, purpose objective
The police are pursuing a prisoner	+	+												
Wherever the traveller went, he was pursued by beggars	+													
Bad luck pursued us (personification)			+		+									
The poet has pursued fame with persistence			+				+							+
He is pursuing his studies with perseverance			+					+						
The huntmen pursued the fox	+			+		+								
John pursued the girl home	+									+				
He won't stop pursuing me	±		±						+					
He pursued the good path			+				+				+			+
I'd rather not pursue the matter			+									+	+	
Germany and Russia pursued a deliberate extermination			+	+	+									
Poor health pursued us (personification)			+	+										

8.1.6. MODULACIÓN

La modulación es una variación que se considera necesario introducir en la nueva versión del mensaje. El traductor se ve obligado a utilizar el procedimiento de la modulación cuando se da cuenta de que la traducción literal, aunque gramaticalmente correcta, no produce el mismo efecto que el texto original. Mientras que la transposición tiene lugar a nivel sintáctico, la modulación es a nivel de significado.

Hay muchas clases de modulación:

— **De específico a general:**
Court of *Last Appeal* = Tribunal Supremo.

— **De general a específico:**
Meeting his contract = *cumplir* su contrato.

— **De una parte al todo:**
to wash one's *hair* = lavarse la *cabeza*.

— **Del todo a una parte:**
He shut the door in my *face* = me dio con la puerta en las *narices*.

— **De una parte a otra parte:**
Case *heard* and concluded = caso *visto* y resuelto.

— **De concreto a abstracto:**
Life imprisonment = *cadena perpetua*.

— **De abstracto a concreto:**
Light railway = ferrocarril *de vía estrecha*.

— **De positivo a negativo:**
Raw products = productos *no elaborados*.

— **De negativo a positivo:**
Plea of *not guilty* = declaración de *inocencia*.

— **De función o proceso a forma:**
Judge - made law = legislación *judicial*.

— **De forma a función o proceso:**
Manpower bottleneck = estrangulamiento de la mano de obra.

— **De animado a inanimado:**
People as a whole = la *sociedad* en conjunto.

— **De inanimado a animado:**
We are wanting in specific *skills* = estamos faltos de *personal especializado* en campos específicos.

— **De una metáfora a otra diferente:**
They foil slow-footed after prices = van a la zaga de los precios.

— **De un modismo a otro diferente:**
By no stretch of imagination = ni por lo más remoto.

— **Explicitación:**
Explicar una información que va implícita en la lengua original, para que pueda comprenderse el mensaje en su totalidad:
He *shook* his head = *Movió* la cabeza *negativamente.*

— **Implicitación:**
No traducir algún elemento porque puede comprenderse por el contexto:
Marble-topped tables = mesas *de mármol.*

— **Adaptación:**
Traducir un signo cuyo referente no existe en la lengua término:
Chewing a *Baby Ruth* = mascando un *pirulí.*

— **Equivalencia:**
Expresar de un modo totalmente diferente una situación extralingüística que existe en ambas culturas:
A cat has *nine* lives = los gatos tienen *siete* vidas.

Por último, en el análisis léxico-semántico hay que añadir la importancia del contexto que hace posible la equivalencia de sentido; únicamente desde la perspectiva textual la interdependencia de todos los elementos léxicos es evidente. La importancia del contexto en la precisión semántica de cada lexema es tal que un traductor que no abordara la operación de transferencia desde el significado global de la unidad textual se enfrentaría con un conjunto de problemas de imposible solución. Como afirma Riffaterre:

> Sólo mediante una visión sintética de la carga semántica contenida en el conjunto es posible deshacer todas las ambigüedades, pues la significación de un enunciado no reside simplemente en el conjunto de palabras que lo constituyen, sino que el propio autor proporciona a lo largo del texto las claves de descodificación adecuadas [21].

8.2. ANÁLISIS SINTÁCTICO

Los conceptos básicos de la sintaxis se han convertido en centro preferente de atención de los lingüistas, siendo sin duda un factor

---

[21] RIFATERRE (1971): «La fonction stylistique», en *Essais de stylistique structurale*. Paris: Flammarion, págs. 145-58.

decisivo de esta progresión el desarrollo de nuevas teorías, capaces de soportar un enfoque penetrante y riguroso en el tratamiento de los datos lingüísticos.

Trataremos, no obstante, de acercarnos al aspecto que más interesa al traductor, que es el análisis comparativo —los puntos en que la lengua fuente y la lengua término coinciden o difieren, principalmente estos últimos de los dos modelos sintácticos que forman su campo de trabajo, el de la lengua original y el de la lengua término, que creemos debería ser siempre la materna.

En general, se supone que el traductor domina perfectamente las dos lenguas y también tiene un conocimiento profundo de las dos culturas. A pesar de ello, es posible que carezca de las estrategias necesarias para desarrollar con éxito la actividad traductora. Un aspecto básico es no sólo el conocimiento de las estructuras lingüísticas de los dos sistemas, sino también los tipos de transposiciones que pueden ocurrir al transferir el mensaje de una lengua a otra.

La tarea del traductor se mueve siempre en una tensión constante entre las posibilidades y las restricciones que determina el original y la opción de los paradigmas posibles de la lengua de llegada para reescribir los mismos conceptos. Por ello necesita poseer unos sólidos conocimientos gramaticales que le permitan resolver las ambigüedades debidas a las características estructurales, a fin de prever y evitar interferencias entre las dos lenguas.

8.2.1. CLASES DE UNIDADES

La sintaxis [22] comprende la forma en que se ordenan las palabras y los morfemas suprasegmentales, en relación unos con otros, para formar emisiones [23]; mientras que la morfología estudia la estructura gramatical de las palabras, la sintaxis la estructura gramatical de la

---

[22] Según Emmon Bach (*Teoría sintáctica* 1976 [1974]). Barcelona: Anagrama, pág. 59 (trad. esp. de *Syntactic Theory*. New York: Holt, Rinehart & Wilson, Inc), es «una teoría o conjunto de asertos que nos dice de forma explícita qué cadenas de los elementos básicos de la lengua están permitidas», lo que es un criterio necesario, pero no suficiente para una teoría adecuada de una lengua natural.

[23] HOCKETT, C. F., 1971 (1958): *Curso de lingüística moderna*. Buenos Aires: EUDEBA (trad. de *A Course in Modern Linguistics*. New York: Macmillan, pág. 178.

frase [24]. No obstante, según Roca Pons [25], esta distinción no es todo lo tajante que pudiera parecer, ya que el límite entre ambas partes es variable según la lengua considerada, e incluso dejando de lado los casos vacilantes, hay que recordar que la forma de la palabra debe su existencia a su función en la frase. Por ello en el análisis sintáctico el procedimiento más empleado es la segmentación de ésta en sus constituyentes inmediatos CI, cada uno de ellos a su vez constituido por los CI inferiores.

Hay cinco niveles de unidades textuales: oración, cláusula, grupo, palabra y morfema, y en cada nivel hay varias clases de unidades. Esta descripción formal del lenguaje —además de tener en consideración el significado como punto básico para la clasificación gramatical— es el objetivo principal de la sintaxis; es decir, la manera en que las unidades lingüísticas dotadas de sentido se combinan, en la cadena hablada, para formar enunciados. En la definición clásica de Marouzeau, que recurre a nociones quizá demasiado vagas para su inclusión en la terminología de la lingüística general:

> Sintaxis es el estudio de los procedimientos gramaticales por los que las palabras de una oración se vinculan las unas a las otras de manera que expresan las relaciones establecidas entre las nociones [26].

Por su parte, la definición funcional es relativamente similar en el fondo, aunque expresada en términos diferentes:

> El objeto de la sintaxis es expresar mediante qué elementos las relaciones que existen entre los elementos de una experiencia... pueden marcarse en una sucesión de unidades lingüísticas de manera que el receptor del mensaje pueda reconstruir esta experiencia [27].

En ambas parece presentarse la sintaxis como el examen de la forma en que pueden expresarse relaciones existentes en la experiencia que constituye el objeto de la comunicación.

Estas definiciones de sintaxis implican que el punto básico es la forma en que, a partir de la sucesión de los elementos que forman el

---

   [24]   ROBINS, R. H., 1984 (1967): *Breve historia de la lingüística*. Madrid: Paraninfo S.A., pág. 178 (trad. esp. de E. Alcaraz).
   [25]   ROCA PONS, J. (1973): *El lenguaje*. Barcelona: Teide, pág. 172.
   [26]   MAROUZEAU, J. (1961): *Lexique de la terminologie linguistique*. Paris, pág. 22.
   [27]   MARTINET, A. et al. (1969): *La linguistique. Guide alfabétique*, Paris, pág. 18 (trad. esp. *La lingüística. Guía alfabética*. Barcelona: Anagrama, 1972).

enunciado, el oyente va a poder reconstruir de manera global la experiencia que ha sido objeto de la comunicación. Según Martinet, «el carácter lineal del mensaje no permite siempre colocar juntos en el discurso los elementos de la experiencia que son percibidos como conexos o contiguos», ya que «por otra parte, las relaciones que existen entre estos elementos son variables y no se ponen necesariamente en evidencia a partir de la proximidad en el enunciado de los monemas que corresponden a los términos de estas relaciones» [28].

8.2.2. ESTRUCTURA DE LA ORACIÓN

Si, como decimos, la función primordial de la sintaxis es combinar las piezas léxicas de una lengua para formar oraciones o separar el conjunto de oraciones gramaticales de una lengua del conjunto complementario de secuencias gramaticales, esto la convierte en una disciplina compleja e intelectualmente interesante. Como apunta M.L. Herranz, la idea básica de la que parte la sintaxis es la de que las oraciones están dotadas de una estructura interna que se rige por principios de jerarquía y linealidad. Eso equivale a concebir la oración como «el resultado de combinar en distintos niveles unidades sintácticas inferiores (los constituyentes)». Si la oración fuera «una nueva yuxtaposición de palabras, el vínculo que mantendrían entre sí todas las unidades léxicas que la forman sería idéntico» [29]. Esto ocurre al nivel más simple, en que el análisis gramatical es una descripción de las estructuras que aparecen en un texto típico, pero las oraciones pueden ser:

- simples: cuando se componen de una unidad independiente,

- compuestas: dos o más unidades coordinadas independientes,

- complejas: dos o más unidades independientes y subordinadas.

La complementación del verbo hace variar totalmente la estructura de las oraciones:

- Intensiva (copulativa):
  Elizabeth looks happy/English.

---

[28] MARTINET, A., 1987 (1985): *Sintaxis general* (versión esp. A. Yllera et al.) Madrid: Ed. Gredos, S.A., pág. 225.
[29] HERRANZ, M. L & BRUCART, J. M. (1987): *La sintaxis*. Barcelona: Ed. Crítica.

She is in Luton (obligatory adverbial).
– Intransitiva: She has gone back.
– Monotransitiva: My parents bought a house.
– Ditransitiva: The teacher lent me a book.
– Complex transitiva: They dyed her coat black.

8.2.3. La Cláusula: Clases y Funciones

Las correspondencias al nivel de la cláusula suelen implicar serias dificultades para el traductor, debido a la diversidad de tipos de estructuras:

a) formas no personales:

– The most important thing is *to pass the exam.*
To go out in this cold weather is dangerous.

– All I need is *go to the meeting.*
The father let his son *go to London.*

– *Pleased to see him*, I left the room.
The homework finished, we went to school.

– I saw him *waiting for his breakfast* patiently.
At a distant table, *sitting quietly alone,* was the old writer.
He was at the other side of the room *reading* a book.

b) personales:

– ... which might be troublesome.
– Wherever you decide to go, ...
– ... because it was snowing.
– If you ask John nicely, ...

c) abreviadas:

– I was pleased to see him, yet *chastened and slightly let down*
– *When ripe*, these grapes are delicious
While at university, he worked hard

Las cláusulas subordinadas pueden ser:

a)   elementos de cláusula

– *that* ...; nominal relative; *wh-* interrogative; *whether/if* interrogative; nominal *-ing;*
nominal infinitive

- time, place, condition, concession, cause, circumstance, purpose, result, manner, comparison

b) elementos de grupo

- relative clauses; non-finite clause; *wh-* interrogative clauses; *that* clauses
- nominal relative; *wh-* interrogative; *-ing* clauses

8.2.4. EL GRUPO

Grupo nominal

La estructura del grupo nominal está formada por las siguientes clases de unidades: determinante, modificador, núcleo, postmodificador: *the new Judge of the High Court.*

Las funciones sintácticas del grupo nominal pueden ser:

a) en cláusulas

- *That young girl* is my sister
- Mary is *a beautiful young girl*
- They chose *that young girl*
- The librarian gave *that young girl* a book
- Everybody considers her *a pretty young girl*
- My brother will marry that young girl *next week*

b) en PrG

- I have always lived near *that young girl*

c) en NG

- *That young girl* excuse was not convincing
- Elizabeth, *that young girl,* is my best friend

Grupo Adjetival

La estructura del grupo adjetival está formada por las siguientes clases de unidades: modificador, núcleo y postmodificador: *quite sensitive to music.*

Funciones sintácticas del Grupo Adjetival:

a) en NG:

– *sheer* terror, an *out-of-the-way* place
– those *present*, a person *known for his talent*
– The *underprivileged*, the *elect*

b) en PrG:

– for *good*, for *the best*, for *certain*, in *short*

c) en cláusulas:

– His intentions were *perfectly clear*
– The drink made me *sick*
– go *crazy*, talk *big*

Grupo preposicional

La estructura del grupo preposicional está formada por las siguientes clases de unidades: modificador, núcleo, postmodificador: *straight in the road*.

Funciones sintácticas del grupo preposicional:

a) en oraciones:
Why do you laugh *at me?*
Around five is a good time to phone the library

b) en AdjG:
I am sorry *for her*

c)   en NG:
The boys *on the train* were singing

d)   en AdvG:
Come home early *in the afternoon*

El traductor debe saber distinguir claramente entre las formas opcionales y las obligatorias. Esta distinción opcional-obligatoria es indispensable, y uno de los aspectos más importantes que el traductor ha de conocer —lo que tiene que decir frente a lo que puede decir—: es vital saber que en inglés moderno el auxiliar *do* debe preceder al grupo nominal sujeto y al verbo principal en las oraciones interrogativas. A veces puede parecer que difiere totalmente la estructura de la lengua término de la original, pero es posible que tenga formas alternativas que la acercan a ella sin cambiar el mensaje, aunque generalmente sea una alternativa preferible a otra.

8.2.5. TRANSPOSICIÓN

Esta búsqueda de las correspondencias adecuadas puede conducir a colocaciones del elemento léxico muy diferentes de las sintácticas que aparecían en la lengua de partida. El procedimiento conocido como transposición, por ejemplo, consiste en reemplazar una clase de palabras de la lengua fuente por otra de la lengua término, modificando categorías, cambiando niveles estructurales, etc. Toda unidad sintáctica debe examinarse desde dos ángulos diferentes: en primer lugar, debemos considerarla como un todo, por su función aislada y como parte de una unidad mayor, y, en segundo lugar, en términos de una conexión interna de la unidad. Por esta razón, en la operación traductora las categorías lingüísticas de la L2 —cuyo conocimiento ayuda a resolver las dudas que presenta la descodificación del mensaje— no pueden servir nunca de referencia al buscar los equivalentes en la L1. Cuando el traductor profundiza en el mensaje y hace suya la intención del autor, la transposición se realiza a nivel de significados que precisan la elección de nuevos signos para expresarlo en un lenguaje correcto en su propia lengua.

Por tanto, la transposición consiste en el procedimiento de reemplazar una parte del discurso por otra, sin cambiar el significado del mensaje, debiendo el traductor tener que estar continuamente efectuando transposiciones de funciones a fin de conseguir un lenguaje que sea comprensible y aceptable para los lectores de la lengua término. Los cambios pueden ocurrir a varios niveles:

1) En la clase de unidad: pasar de grupo a cláusula: with the peace *of the immediate contact* = con la paz *que da el contacto inmediato*.

2) En la estructura de la unidad: *a white brick house* (determinante-modificador1-modificador2-núcleo) = *una casa de ladrillo blanca* (determinante-núcleo-postmodificador).

3) En la función sintáctica de la unidad: I like *cold winters* (objeto directo) = Me gustan *los inviernos fríos* (sujeto).

4) En el énfasis de la unidad: He spent *more than an hour* in the beach = *Más de una hora* pasó en la playa. En la oración española —de manera voluntaria, ya que no parece que lo pide el texto— se anticipa el circunstancial de tiempo para darle énfasis, sin embargo en la inglesa aparece detrás del verbo y únicamente se produce un cambio en la aparición de las frases adverbiales, ya que la de tiempo sigue normalmente a la de lugar.

5) En la conexión lógica entre unidades (entre cláusulas en este caso): We had turned into a badly paved little street *which lead us out onto an avenue facing the sea* (subordinación) = Habíamos torcido por una callejuela mal empedrada *y desembocamos en un paseo cara al mar* (coordinación).

Hay muchos tipos de transposiciones:

– **grupo nominal a grupo verbal:**
 No *smoking* = Prohibido *fumar*

– **grupo nominal a cláusula subordinada:**
 I mistook their *explanation* = confundí lo que *decían;*

– **grupo adjetival a grupo nominal:**
 Quick as he was = A pesar de *su rapidez;*

– **grupo adjetival a grupo verbal:**
 Your behaviour has been *very helpful* = tu conducta ha *ayudado* mucho;

– **sustantivos con el sufijo *-ness* a adjetivo sustantivado:**
 the unexpected*ness* of his arrival = *lo inesperado* de su llegada;

– **grupo preposicional a cláusula relativa:**
 A shot *from the house* = un disparo *que venía de la casa;*

– **grupo preposicional a cláusula verbal:**
 Fill in this form *for a grant* = rellena esta solicitud *para recibir una beca;*

– **grupo adverbial a preposicional:**
 (Los adverbios terminados en *-ly* no suelen traducirse por su equivalente *-mente*, sino que se recurre a otras transposiciones)
 He listened *eargerly* to the story = *escuchaba* el relato con impaciencia;

– **palabras de origen germánico a clásico:**
 finger prints = huellas *dactilares;*

– **expresiones con sufijo negativo a otro recurso:**
 The doctor unbandaged *his broken knee* = el médico *le quitó* las vendas de la rodilla rota;

– **verbos preposicionales a su equivalente léxico:**
 to go into the house = *penetrar* en la casa
 to grow into a woman = *hacerse* una mujer;
A veces hay que añadir un adverbio para reflejar el significado completo:
The car *sped along* the road = el coche *iba a gran velocidad* por la carretera

Pero en ocasiones se pierde la parte del significado que expresa la forma en que se realiza la acción:
Lots of bees *flew into* the school = *entraron* muchas abejas en la escuela.

8.3. ANÁLISIS ESTILÍSTICO

Por último dedicaremos también una atención especial a los efectos estilísticos, ya que al traductor le interesa tener en cuenta los niveles y géneros de lenguaje al efectuar la transferencia entre las dos lenguas.

Los efectos estilísticos funcionan a todos los niveles del mensaje: el emisor, además de transmitir una información, está continuamente lanzando una serie de señales, a través de las cuales se marca el mensaje y lo recubre de una expresividad determinada. Si el traductor no consigue captar las marcas —el juicio intelectual, afectivo o volitivo— que conforman este plano superficial del texto que es el envoltorio estilístico, el resultado será una pobre imitación que habrá perdido toda la fuerza del mensaje original. No obstante, cuando por el contrario se asimila perfectamente el estilo del autor, «todas las decisiones que deben tomarse continuamente estarán guiadas por la mejor adecuación al tono del texto y producirán como resultado un conjunto impregnado de una expresividad equivalente a la del texto original» [30].

La estilística contó con un brillante florecimiento en el pasado y actualmente despierta menos interés pese a ciertos intentos modernos por devolverle su antigua pujanza. Quizá sea debido principalmente a que el estilo es difícil de definir en términos estrictos. En primer lugar, el concepto del estilo es producto de una abstracción, por tratarse de una cualidad de las varias que posee toda obra literaria, y, en segundo lugar, implica un enfrentamiento de lo individual y lo genérico; de las cualidades únicas y las cualidades comunes. Pero, como afirman John Spencer y Michael Gregory:

> If style in literature is the product of a particular, and in part unique, use of language, then it is related to, and dependent upon, certain notions of the proper function of language as a whole. This takes us beyond the realm of literature as such, and involves us in the relation between language use and social and cultural patterns [31].

El estudio del estilo, por tanto, abarca más que el estudio de la literatura: «To view style in literature against the background of the

---

[30] TRICAS, M. (1988): op. cit., pág. 147.
[31] SPENCER, J. y GREGORY, M., 1978 (1964): «An approach to the study of style», en *Linguistics and Style*, O U P, pág. 59.

whole range of norms which a language develops in subserving the needs of the society which uses it, is to add a perspective to stylistic study from which the examination of language in literature cannot fail to benefit» [32]. No obstante, un método lingüístico del análisis estilístico debería evitar toda referencia inicial al significado extralingüístico, que no es accesible al análisis riguroso.

Puede iniciarse una aproximación al estilo como un conjunto de probabilidades contextuales, ya que el contexto es más fácilmente accesible a la observación y al análisis objetivo que el significado, teniendo en cuenta que todo análisis estilístico se basa principalmente en la confrontación de un texto con una norma relacionada contextualmente; estas normas pueden establecerse de manera explícita o estar implícitas en la experiencia del escritor o del crítico: utilizar el contexto ayuda a definir la norma sin referirse al estilo en las primeras etapas del análisis, a fin de llegar a formular una teoría del estilo.

El estilo puede describirse como la utilización individual y creativa de los recursos de la lengua en un texto determinado, dentro de una época, un dialecto elegido, un género y un propósito [33]. Y hay dos acercamientos distintos para definir esos rasgos esenciales que sitúan el estilo en un lugar distinto al de otros niveles del lenguaje: el de los críticos literarios y el de los lingüistas. Los primeros tienden a un análisis detallado de rasgos textuales seleccionados, así como de las reacciones que tales rasgos producen en el lector, y los segundos exploran el mismo campo avanzando paso a paso, desde el estudio de unidades y estructuras más pequeñas. No hay que olvidar que analizar el estilo dentro de las normas que desarrolla una lengua, al servir a las necesidades de la sociedad que las utiliza, no significa destruir los valores de la obra literaria, sino, por el contrario, realzarla.

¿Qué hay que enseñar al futuro traductor para que sea capaz de reaccionar ante los estímulos textuales? Es obvio que en primer lugar

---

[32]   Ibíd., pág. XI.
[33]   Para John Middleton Murry «a discussion of the word Style will inevitably cover the whole of literary aesthetics and the theory of criticism» (*The Problem of Style,* Oxford Paperbacks, 1960, pág. 3); Havelock Ellis cree incluso que el estilo es el propio pensamiento «The Art of Writing», en *The Dance of Life.* London, 1923, pág. 163); Kenneth Burke afirma que es una captación de la voluntad (*Permanence and Change.* California: Los Altos, 1914, pág. 50), y Halliday (1962) explica cómo debemos describirlo: «... by methods derived from general linguistic theory, using the categories of the description of the language as a whole; and the comparison of each text with others, by the same and by different authors in the same and in different genres».

tiene que conocer la lengua a un nivel que pueda distinguir entre tipos de conducta lingüística habituales y raros, dados un contexto y una situación; tiene igualmente que conocer las similitudes y las diferencias de las dos lenguas, y saber si esas diferencias son debidas a grandes distancias de tiempo y espacio o a grandes contrastes en las respectivas tradiciones culturales, y tiene que aprender a reaccionar —al igual que el nativo— ante los rasgos literarios del texto, lo que requiere inculcarles el sentido del estilo. Este problema no puede eludirse en ningún acercamiento a un texto, y mucho menos si se trata de saber descodificarlo para pasarlo a otro código de la lengua, como ha de hacer el traductor.

Por otro lado, los análisis lingüísticos y literarios no han estado siempre de acuerdo en cuanto al estilo a lo largo de la historia. Nils Erik Enkvist divide los distintos períodos en:

1)   Gramática medieval: incluía el estudio de la literatura, hasta que el triunfo de la lógica en los siglos XII y XIII eliminó las *belles lettres* del programa universitario;

2)   Renacimiento: la lingüística tenía, por lo común, un carácter filológico, dedicándose a editar, analizar y explicar los textos sin rehuir por ello las cuestiones estilísticas; y

3)   Siglos XIX y XX: los lingüistas históricos y comparativos han buscado, de una manera sistemática y apropiada, el apoyo de la filología, incluyendo los aspectos literarios del estudio textual.

En un intento de unidad de ambas disciplinas, Benedetto Croce tituló un capítulo de su obra sobre estética «Identity of Linguistics and Aesthetics», siendo su tema central:

> «Language is expression, and the study of expression is the task of aesthetics: therefore both aesthetics and linguistics are concerned with one and the same phenomenon» [34].

Podemos seguir la influencia de Croce en Leo Spitzer, quien confiesa: «method is for me much more a habitual procedure of the mind than a program regulating beforehand a series of operations in view

---

[34]   En ENKVIST, N. E., 1978 (1964): «On defining style: an essay on applied linguistics», en *Linguistics and Style*, Oxford University Press, págs. 1978:7.

of reaching a well-defined result» [35]. Este mentalismo intuitivo y amplio «humanismo» se aleja de la observación sistemática, lo que no ha permitido sentar las bases de una teoría lingüística del estilo.

Para definir el estilo, podemos clasificarlo desde diferentes aspectos: punto de vista del escritor, características del texto e impresiones del lector, y revisar las diferentes aproximaciones críticas que lo consideran:

a)   un marco que rodea lo más profundo y básico del pensamiento o de la expresión «... adding to a given thought all the circumstances calculated to produce the whole effect that the thought ought to produce» [36];

b)   la adición de un contenido afectivo a la expresión, o el valor afectivo y las características expresivas que forman el sistema de los significados de una lengua [37]. Aunque el hablante pueda manifestar sus pensamientos de un modo objetivo e intelectual ajustado a la realidad, suele añadir elementos afectivos que reflejan su «yo» y el entorno social, siendo propio de la estilística examinar estos caracteres afectivos, sus relaciones mutuas y los medios que utiliza el lenguaje. También diferencia Bally la estilística interna —que estudia el equilibrio y contraste de los elementos afectivos versus intelectuales dentro de la misma lengua— y la estilística externa o comparada entre dos lenguas;

c)   un efecto emocional producido en el texto con medios lingüísticos [38];

d)   la elección de expresiones ofrecidas como alternativa, o la selección y ordenamiento de la lengua [39];

---

[35]   SPITZER, L. (1948): *Linguistics and Literary History: Essays in Stylistics*. Princeton, págs. 26-7 y 38.
[36]   SHIPLEY, J. T. (1955): *Dictionary of World Literary Terms*. London, pág. 398.
[37]   BALLY, Ch. (1921): *Traité de Stylistique Française*. Heidelberg, I, pág. 1.
[38]   SEIDLER, H. (1953): *Allgemeine Stilistik*. Göttingen, pág. 61.
[39]   Para Cleanth Brooks y Robert Penn Warren, este término se usa normalmente para referirse a «the poet's manner of choosing, ordering, and arranging his words. But, of course, when one asks on what ground certain words are chosen and ordered, one is raising the whole problem of form. Style, in its larger sense, is essentially the same thing as form» (*Understanding Poetry*. New York. 1950, pág. 640). Jeremy Warburg (*Problèmes et méthodes de la linguistique*. Paris: P.U.F., pág. 50) cree que un buen estilo «consists in choosing the appropriate symbolization of the experience you wish to convey, from among a number of words whose meaning-area is roughly, but only roughly, the same (by saying *cat*, for example, rather than *pussy*)».

e) una cualidad individual o grupo de características individuales: «tener estilo significa hablar de forma diferente, única e inimitable en medio de la lengua compartida con otros» [40]; es decir contrasta el idiolecto con la lengua;

f) la desviación de la norma, pero según Sol Saporta «when defining style, we cannot take for granted a norm defined with the aid of style. If we do so, we are merely moving in a circle» [41]. No obstante, parece aconsejable definir en primer lugar la norma con respecto a la cual se mide la individualidad de un determinado texto, no en cuanto a la lengua como un todo, sino como esa parte de la lengua que se halla significativamente relacionada con el pasaje que analizamos;

g) una serie de características colectivas, para lo que es muy útil el papel de las frecuencias y del análisis estadístico. Según Bernard Bloch, el estilo de un discurso «is the message carried by the frequency distributions and transitional probabilities of its linguistic features» [42] circunscritas por el contexto, incluyendo el tiempo, el lugar y la situación, poniendo el énfasis en las similitudes, no en las diferencias, entre el texto dado y la norma, y

h) las relaciones entre entidades lingüísticas que son enunciables en el marco de un texto más extenso que el de una sola oración. En estas zonas más amplias que la oración hay problemas de concordancia o selección interoracional, pero más que cualidad estilística es gramatical.

La aportación del lingüista al estudio del estilo reside en el grado de profundidad y comprensión de sus observaciones acerca de la lengua de un texto, complementando con ello la percepción de las afirmaciones más subjetivas del crítico literario. La descripción lingüística de la forma de una lengua es, según Enkvist:

...the description of the meaninful internal patterns of that language, the

---

[40] GOURMONT, R. (1916): *La culture des idées.* Paris, pág. 9.
[41] SAPORTA, S. (1960): «The Application of Linguistics to the Study of Poetic Language», en SEBEOK, T. A. ed. *Style in Language.* Boston, Mass., New York, and London, págs. 82-5.
[42] BLOCH, B. (1953): «Linguistic Structure and Linguistic Analysis», en HILL, A. A. ed. *Report on the Fourth Annual Round Table Meeting on Linguistics and Language Teaching,* Washington: Hill, págs. 40-4.

isolation of those planes in the language where there are possibilities of choice which contribute to meaning [43].

El lingüista también debe contribuir a que podamos tener una comprensión inteligente de las consecuencias de considerar la lengua como parte de la conducta social humana. Los hechos lingüísticos no ocurren aislados de otros no lingüísticos; al contrario, funcionan dentro del más amplio marco de las actividades humanas. Todo fragmento de lengua es, por lo tanto, parte de una situación y, por lo mismo, tiene un contexto, una relación con esa misma situación. Es sin duda esta relación entre la sustancia y la forma de un fragmento de lengua, por un lado, y las circunstancias extralingüísticas en que se presenta, por otro, lo que normalmente da su sentido a las frases. Esto es para Halliday el «nivel intermedio» del contexto: «The contextual meaning of an item is its relation to extra-textual features; but this is not a direct relation to the item as such, but of the item in its place in linguistic form: contextual meaning is therefore logically dependent on formal meaning» [44].

El punto de partida más práctico para un análisis del estilo puede muy bien ser el de examinar las frecuencias de elementos lingüísticos en contextos diferentes pero relacionados, llegando Enkvist a una definición más concreta del estilo:

> The style of a text is a function of the aggregate or the ratios between the frequencies of its phonological, grammatical and lexical items, and the frequencies of the corresponding items in a contextually related norm [45].

Es decir, el estilo se ocupa de las frecuencias de los elementos lingüísticos en un contexto dado, y, por tanto, de las probabilidades contextuales: para apreciar el estilo de un pasaje es preciso comparar las frecuencias de sus elementos lingüísticos a diferentes niveles, con los rasgos correspondientes de otro texto o corpus que se considere como norma y que tenga una relación contextual definida con el pasaje en cuestión. También puede hablarse de probabilidades en vez de frecuencias, consiguiendo Enkvist una definición más breve:

---

[43]   ENKVIST (1978): op. cit., pág. 71.
[44]   HALLIDAY, M. A. K. (1961): «Categories of the theory of grammar», en *Word*, 17, pág. 245.
[45]   HALLIDAY, M. A. K., McINTOSH, A. & STREVENS, P., 1968 (1964): *The Linguistic Sciences and Language Teaching*, London: Longmans, pág. 28.

> The style of a text is the aggregate of the contextual probabilities of its linguistic items [46].

Acudir al contexto evita la necesidad de referirse al significado extralingüístico, ya que el contexto de un texto dado es el elemento más apropiado para la clasificación objetiva, lingüística y sociolingüística. Las relaciones contextuales pueden definirse de modos muy diferentes y a varios niveles, pudiendo clasificarse los componentes contextuales en elaborados esquemas. En un trabajo sobre Lingüística Aplicada, J. C. Catford (1961) define los «registros» como «sub-varieties of dialect (or idiolect) which correlate with the social role being played by the performer», ya que la misma persona puede actuar como marido/padre/hijo/hermano, etc. como profesor, miembro de un partido, etc., teniendo que utilizar en cada caso los registros apropiados para cada uno de esos diferentes papeles.

El estilo, pues, es un lazo entre el contexto y la forma lingüística, siendo por tanto necesaria la contextualización del material para adquirir un conocimiento real del sentido del estilo. Los indicadores estilísticos son aquellos elementos lingüísticos que aparecen únicamente —o que lo hacen con mayor o menor frecuencia— en un grupo determinado de conceptos (condicionados contextualmente). Los elementos que no son indicadores, son estilísticamente neutros: los indicadores estilísticos se excluyen mutuamente con otros elementos que aparecen sólo en contextos diversos, o con ninguno; o tienen frecuencias señaladamente diferentes de tales elementos. Como explica Werner Winter:

> A style may be said to be characterized by a pattern of recurrent selection from the inventory of opcional features of a language. Various types of selection can be found: complete exclusion of an optional element, obligatory inclusion of a feature optional elsewhere, varying degrees of inclusion of a specific variant without complete elimination of competing features [47].

Un cambio de estilo no debe confundirse con una metáfora. Ésta implica cambios posicionales al nivel del léxico bajo presiones semánticas específicas, pero sin tener en cuenta otras limitaciones contextuales que permitan su inclusión en la categoría estilística.

Otro aspecto que no puede permitirse olvidar el estudioso del es-

---

[46] ENKVIST (1964): op. cit., pág. 28.
[47] WINTER, W. (1962): «Styles and Dialects», en *Preprints of Papers for the Ninth International Congress of Linguistics*, Cambridge, Mass, pág. 214.

tilo es la lingüística histórica, sobre todo si se piensa que el traductor
ha de enfrentarse con textos de diferentes épocas. Igualmente es muy
útil analizar la colocación de las palabras, que indica la tendencia a
aparecer ciertos elementos de la lengua cerca de otros: programa, lección o unidad didáctica, suelen aparecer en un tema sobre estudios, y
árbol, plantas u horizonte, en uno ecológico; esta tendencia no ha
podido explicarse de manera sistemática por la gramática, pero es un
concepto importante que ha de tenerse en cuenta al estudiar la lengua
de la literatura, ya que el escritor suele obtener sus efectos por medio
de la interacción entre la colocación habitual y no habitual de las
palabras. El concepto de colocación es, según Spencer y Gregory, indispensable en el estudio de la metáfora [48].

Las relaciones formales que pueden observarse en la lengua requieren una gramática compleja. Afortunadamente, durante las últimas décadas, se han llevado a cabo grandes avances por las escuelas
estructuralista y transformacional-generativa [49], que aplican diferentes
tipos de análisis gramatical al estudio estilístico.

Las cuatro categorías teoréticas gramaticales de Halliday [50] intentan explicar todos los esquemas fundamentales de las lenguas y se
hallan a un nivel más alto de abstracción que las de la gramática
tradicional:

- la *unidad* se ocupa de extensiones de la lengua que contienen
  esquemas significantes: oración, cláusula;

- la *estructura* estudia la naturaleza de esos esquemas: sujeto,
  complemento;

- la *clase* ordena los elementos de la lengua según la forma en
  que actúan: nombre, verbo, y

- el *sistema* explica esos grupos limitados de posibilidades para
  elegir aspectos de la lengua: singular, plural.

Estas descripciones que utiliza en primer lugar el lingüista, frente
a las del filósofo, el psicólogo o el crítico literario, no significan que
no le interese el significado; tiene que prestarles la debida atención,

---

[48]   SPENSER & GREGORY (1978): op. cit., pág. 75.
[49]   Por ejemplo A. A. Hill (1951, 1955 y 1958) y S. R. Levin (1962).
[50]   HALLIDAY (1961): op. cit., págs. 244-5.

ya que su propósito es iluminar diferentes aspectos del significado lingüístico y éstos le ayudan a describir la forma.

Otras tres dimensiones adicionales e interrelacionadas, que nos proporcionan medios valiosos para definir distinciones de uso lingüístico no reconocibles atendiendo a diferencias históricas o dialectales, son *campo, modo* y *tenor* del discurso. Estas tres categorías han sido estudiadas por diferentes lingüistas. Según Spencer y Gregory:

- el campo del discurso de un texto «relates to its subject-matter, and the linguistic features which may be associated with it»;
- el modo del discurso «is the dimension which accounts for the linguistic differences which result from the distinction between spoken and written discourse», y
- el tenor del discurso «is concerned with the degree of formality in the situation which the language mirrors, which can be said generally to depend upon the relationship between the speaker (or writer) and the hearer (or reader)» [51].

Crystal and David definen el estilo como «the description of the linguistic characteristics of all situational and restricted uses of language», introduciendo los siguientes términos para describir las diferentes características del estilo: «Individuality, dialect, period, discourse, participation, province, formality, modality, singularity y tonality» [52].

Una diferencia fundamental entre el análisis lingüístico y el estilístico es que este último es siempre comparativo, ya que todos sus conceptos implican la consciencia de unas normas y la posibilidad de apartarse de ellas.

8.3.1. CONNOTACIÓN

Si llamamos denotación de un término a su definición objetiva, valedera para todos los hablantes, connotación es el conjunto de valores subjetivos unidos a este mismo término y variables según los hablantes. La connotación añade a la definición objetiva de un tér-

---

[51] SPENCER & GREGORY (1977): op. cit., pág. 87-8.
[52] CRYSTAL DAVID (1969): *Investigating English Style*. Longman.

mino valores a los que de alguna forma podemos definir como complementarios, emotivos, que nutren la significación denotativa del término y forman parte integrante de la realidad no lingüística a la que remite el signo que la denota.

Todos los textos tienen connotaciones, que para Newmark [53] son esas ideas y sentimientos que sugieren las palabras léxicas, ej.: *run* (correr) puede sugerir *to be in a hurry* (tener prisa), y *armchair* (butaca) puede sugerir *comfort* (comodidad). Aunque en los textos no literarios las denotaciones de la palabra normalmente vienen antes que sus connotaciones, siempre se encuentran ciertos componentes que se derivan de las cualidades personales o de la vida privada del escritor, principalmente en un texto literario, en el que hay que dar preferencia a sus connotaciones, ya que si tiene calidad suele haber implícitos comentarios, alegorías, metáforas, etc.

Desde el punto de vista del traductor, las connotaciones son las únicas distinciones teóricas básicas que existen entre un texto literario y otro no literario: cuanto mayor cantidad de recursos de la lengua (polisemia, juego de palabras, efectos de sonido, métrica o ritmo) se usen en un texto, más difícil será su traducción, pero también más merece la pena realizarla.

Para Bloomfield [54], las connotaciones son los valores suplementarios de las palabras, la extensión del significado. Hay tantas variedades de connotaciones que son innumerables e imposibles de definir, no siendo en conjunto posible distinguirlas claramente de la significación denotativa. La denotación de un término es su definición objetiva, valedera para todos los hablantes, y su connotación es el conjunto de valores subjetivos unidos a este mismo término y variables según los hablantes. En el caso de términos científicos, es probable que mantengan las significaciones puras, aunque en ocasiones no se consigue; por ejemplo, el número 13 tiene una fuerte connotación para muchas personas. Hay una gran variedad de valores connotativos —vulgar, familiar, irónico, infantil, del argot— que tienen en común el añadir a la definición objetiva del término valores que colorean ciertos sentimientos. Si decimos *my father*, añadiremos una relación de parentesco: *daddy* (papá) tiene una connotación infantil, y *old man*

---

[53] NEWMARK, P. (1988): *A Textbook on Translation*. London: Prentice Hall International UK Ltd., pág. 16.

[54] BLOOMFIELD, L., 1961 (1935): *Language*. New York: Holt, Rinehart & Winston (trad. *Lenguaje*. Lima: Universidad de San Marcos, 1964).

(mi viejo) tiene algo más, que es lo que verdaderamente se designa por la noción de connotación.

La connotación de un término es su comprensión subjetiva, más amplia que la objetiva, que nos permite conocer ciertos elementos complementarios añadidos a la denotación, principalmente de tipo afectivo o emotivo. la denotación indica la correspondencia entre los dos planos de la lengua, la expresión y el contenido, y la connotación está formada por las cualidades abstractas, el conjunto de condiciones y que tienen el poder el producir reacciones emocionales extralingüísticas.

Las asociaciones que rodean a algunas palabras adquieren en ocasiones tal fuerza que evitamos su uso; es lo que llamamos «tabús». Según Taber y Nida [55], el significado negativo que pueda tener el tabú no va dirigido contra el referente, sino contra la palabra, ya que podemos usar términos científicos que se refieren a lo mismo y son perfectamente aceptables. Pero el prejuicio hacia esas palabras es tan grande, que aunque todo el mundo las conozca, una persona bien educada no puede usarlas, e incluso muchos autores de diccionarios rehusan imprimirlas.

No obstante, tambien hay tabús positivos, asociados con sentimientos de miedo o respeto: ciertas palabras (normalmente los nombres de seres poderosos) o no se pronuncian, o sólo pueden pronunciarse con devoción, como por ejemplo *Yavé, Dios* o *Jesús*.

Hay otras palabras que producen sentimientos menos intensos, pero que tienen sin embargo fuerza suficiente para que hayan de ser sustituidas por eufemismos como *toilet* (lavabo) y otros términos. Igualmente, todo el complejo conjunto de eufemismos alrededor de *death* (muerte) contienen un fuerte ingrediente de miedo.

Para comprender la naturaleza del significado connotativo, es importante tener en cuenta tres elementos, según Taber y Nida [56]:

1)   La asociación de los hablantes: cuando las palabras se asocian con una clase particular de hablantes, casi inevitablemente adquieren,

---

[55]   TABER y NIDA (1964): *Towards a Science of Translating.* Leiden: E. J. Brill, pág. 91.
[56]   Ibíd., pág. 92.

por esta asociación, un significado connotativo estrechamente relacionado con nuestra actitud hacia esos hablantes: las palabras que usan
los niños, o que utilizamos para dirigirnos a ellos, adquieren una connotación de pertenecer al lenguaje infantil, y ya no son muy apropiadas para que las use el adulto; lo mismo que ocurre con ciertas palabras, que se asocian a unas clases sociales específicas. Por otro lado,
las personas cultas utilizan normalmente un lenguaje «standard» (que
en algunos casos puede convertirse en pedantería), mientras que las
incultas tienden a utilizar palabras, formas gramaticales y una pronunciación inferior al nivel normal.

Relacionadas con las diferencias en los niveles educacionales están
las connotaciones derivadas del uso técnico: los lingüistas hablan de
fonemas o *grafemas* de una lengua, en vez de *sonidos* o *letras*. Además, la forma en que las personas emplean tales términos se convierte
en una marca de su habilidad técnica, de tal manera que los tests o
pruebas de vocabulario suelen usarse para determinar el grado de experiencia y competencia.

Hay igualmente regionalismos, como el habla de los montañeses,
y algunas palabras adquieren connotaciones especiales por su asociación con los miembros del otro sexo, considerándose lenguaje femenino o masculino: por ejemplo, las expresiones relativas al campo semántico de la risa, tienen delimitado su uso: *laughter* (neutro), *to
cackle* (personas mayores de ambos sexos), *to giggle* (niños o joven-
citas), *to roar with laughter* (sexo masculino), *to titter* (sexo femenino);
si oímos decir: *What a darling kitten!,* seguro que lo ha pronunciado
una mujer, y la expresión: *to sail out of the room,* se refiere a una
dama, con falda larga y amplia (de ahí la metáfora de la vela del
barco), que sale majestuosamente de la habitación.

2) Las circunstancias de uso: hay palabras que usadas por las mismas personas, en circunstancias diferentes, adquieren connotaciones
distintas: cuando se usa *damn* en la iglesia, tiene diferentes connotaciones que si se usa en un lugar público de reunión, o la palabra
hysterical, se si usa en un contexto médico, *she's hysterical,* significa
sufre un ataque de histeria, pero si se usa en el teatro, quiere decir
muy divertida. Y la palabra *fire* tiene connotaciones muy diferentes
en *The fireman put out the fire* y en *I put out the fire, closed the
windows and went to bed.*

Asimismo, hay ciertas expresiones que se asocian con campos semánticos particulares, como por ejemplo las subastas, los mercados,
la justicia o las reuniones académicas, porque todos los hablantes tienden a adoptar diversos estilos de lenguaje, cada uno de ellos con sus

connotaciones distintivas especiales. Y también el entorno natural produce connotaciones en las palabras: en la jungla africana, el *azul* es
el color favorito, y por su asociación con el cielo y la luz solar, tiene
ciertas connotaciones favorables como «vida», «bendición», etc.; en el
desierto, el color favorito es el *verde,* y por su asociación con la ve-
getación, el agua, etc., lleva también esas mismas connotaciones po-
sitivas.

3) El marco lingüístico: las palabras que tienden a figurar yuxta-
puestas, o que co-ocurren con otras palabras, adquieren de ellas varias
connotaciones. en *green with envy, a green worker* o *green fruit.* En
asociaciones habituales como *green with envy, a green worker* o *green
fruit, green* sin duda toma algunos elementos desfavorables de significado emotivo.

Otro aspecto del marco lingüístico es la dimensión temporal, donde las categorías son: contemporáneas frente a históricas (o arcaicas
u obsoletas) por un lado y ultramodernas (o neologismos) por el otro.
La reacción emocional dependerá de cómo sean nuestros sentimientos
sobre el pasado, el presente y el futuro. También esa dimensión especializada puede calificarse como marco literario, en la que frases
como *Mary's little lamb* se asocian inevitablemente con las obras literarias en las que aparecen. En un contexto más restringido, la frase
thus said the Lord no es exactamente equivalente a *the Lord says,*
sino que lleva las connotaciones del lenguaje de su época y de las
entonaciones eclesiásticas. Y *once upon a time* ya no tiene exactamente su significado literal, sino que quiere decir que lo que viene a continuación nunca ocurrió, sino que es un cuento («érase una vez...»).

Hay expresiones fijas rituales, que no varían y tienen un significado restrictivo, pudiendo entenderse en su contexto social, p. e. *How
do you do?, I beg your pardon. Don't mention it.* Y también fórmulas
establecidas como *Can I help you?* que suele pronunciarlas el dependiente, dirigiéndose al cliente en la tienda, y equivaldría en español a
¿Qué desea?

Estos tres factores también producen en la mayoría de las lenguas,
incluso en las más primitivas, unos contrastes que dan lugar a lo que
llamamos niveles de la lengua. Taber y Nida [57] los dividen en lenguaje

---

[57] Ibíd., pág. 94.

técnico, formal, informal, casual e *íntimo;* por ejemplo, el lenguaje técnico de los médicos, el lenguaje formal del presidente dirigiéndose a una asamblea, la conversación informal alrededor del fuego, la espontánea entre amigos y el lenguaje íntimo del hogar y la familia. Las diferencias entre estos niveles son claras en cuanto a pronunciación, formas gramaticales y selección del vocabulario.

Por otro lado, las connotaciones normalmente sólo se han asociado con palabras individuales o modismos, pero los demás niveles del lenguaje también pueden tener valores connotativos:

- la pronunciación: los tipos particulares de sonidos usados en ciertas formas de lenguaje, los alófonos de los fonemas, tienen significados connotativos; por ejemplo, los dialectos, con su pronunciación especial, llevan significados connotativos, e igualmente los usos de un nivel más bajo del lenguaje;

- la forma del discurso: el estilo de un discurso produce importantes valores connotativos, aparte de las connotaciones que puedan tener las palabras o el tema. El hecho de que nos guste el estilo de un discurso y no nos guste el contenido, indica claramente que hay diferencias en las respuestas emocionales a estos dos niveles de comunicación. Algunos hablantes pueden distraer a la audiencia con su lenguaje fluido, mientras no dicen nada importante, y con otros ocurre lo contrario, que comunican cosas trascendentales en un lenguaje poco sugerente:

- el tema: el hecho de que un grupo de personas comprendan en su totalidad los detalles significativos de un texto no garantiza que vayan a reaccionar ante el mensaje de la misma forma. Si un tema siempre se interpreta en base a los valores de una cultura o una sociedad, quiere decir que cualquier acontecimiento siempre se colorea por las asociaciones y se evalúa en términos de las reacciones emotivas que produce.

Todo lo anterior demuestra que la traducción satisfactoria del lenguaje figurativo requiere un proceso más complicado de interpretación que el lenguaje denotativo, debido a las connotaciones que implica.

8.3.2. TRADUCCIÓN DE LA METÁFORA

Entre este tipo de lenguaje, quizá lo que ofrezca mayores dificultades sea la metáfora, que supone la descripción de una cosa en términos de otra, *the heart of the town* (el verdadero centro) la transferencia de sentido de una palabra que se refiere a un objeto físico a la personificación de una abstracción, *she is a fox* (es astuta y aguda) o la aplicación de una palabra o colocación a lo que denota literalmente *her swimming eyes* (acuosos, lagrimosos). Newmark [58] afirma que todas las palabras polisémicas y la mayoría de los verbos preposicionales ingleses son metafóricos en potencia.

Por ello, una de las principales dificultades que ha de vencer el traductor literario es el lenguaje metafórico, ya que si no aceptamos que todas las metáforas sean universales —lo que permitiría la traducción literal de sus elementos— cada metáfora de la lengua fuente deberá recrearse en la lengua término.

A pesar de la importancia y frecuencia de su uso, la metáfora ha recibido escasa atención por parte de la teoría de la traducción, quizá debido a la dificultad que entraña formular unas normas válidas para la actividad traductora.

En primer lugar la línea entre lenguaje literal y metafórico no está claramente definida, puesto que algunas metáforas se encuentran en proceso de lexicalización o de conversión al lenguaje común. Como afirma Evar Feder Kittay, «because of the dynamic inherent in language the metaphorical becomes literal and the language becomes metaphorical» [59]. En:

> «The hair was dyed a brave canary yellow»
> (El pelo, teñido de un osado amarillo canario)

el término metafórico *canary* junto a *yellow* está lexicalizado, ya que así designamos un color específico, al igual que en español *amarillo canario*.

Brave también tiene el significado de *making a fine show or display: bright, colourful*, por lo que quizá podría traducirse por *fuerte* o *brillante*. En:

> «Her shoes are all that anchor her to the ground»
> (Eran los zapatos lo único que la anclaba al suelo)

---

[58] NEWMARK, P. (1988): op. cit., pág. 104.
[59] KITTAY, E. F. (1987): *Metaphor: Its Cognitive Force and Linguistic Structure.* Oxford: Clarendom Press, pág. 22.

la expresión *anchor* junto a *ground* también está lexicalizada; sin embargo en español *anclada al suelo,* no está tan lexicalizada como en inglés. Asimismo, está personalizado el nombre inanimado *shoes,* ya que se le atribuye la acción *anchored.* La personificación, según AARTS es «a special device occurring in the context of the imaginary world... We attribute the totality of properties of a whole class (here: humans) to members of other classes. Then, personification is not a transfer of a new sense to the noun, but rather an extensión of the contextual restrictions of predications normally applying to the human beings to incorporate such features» [60].

Lakoff y Johnson, en *Metaphors We Live by* diferencian el uso de la lengua literal de la metafórica:

> Language which is literal speaks of how we understand our experience directly, when we see it as being structured directly from interaction with and in our environment; in contrast, we understand experience metaphorically when we use an expression from one domain of experience to structure experience in another domain [61].

> En: «The hair... giving the general impressioon of a very expensive ice-cream sundae»
> (El pelo... daba la impresión de un enorme y carísimo helado de crema)

la expresión metafórica *ice-cream sundae* no pertenece al campo semántico de «cabellos», y lo mismo ocurre con la traducción española que, por otro lado, creemos sería más acertada si hubiera sido «...daba la impresión de una sofisticada copa de helado».

Las metáforas pueden ser simples —una palabra— o complejas —un modismo, un proverbio—. La metáfora tiene un propósito doble:

— el *referencial,* que es describir un proceso o un estado mental, un concepto, una persona, un objeto, una cualidad o una acción de forma más comprensible y concisa que en el lenguaje literal, *she is an angel* (es muy buena), y

— el *pragmático,* que es simultáneo y se dirige a los sentidos, a interesar, clasificar gráficamente, complacer, agradar o sorprender: *the thunder of his voice* (su voz era como un trueno).

---

[60] AARTS, J. M. G. (1977): *Metaphor and Non-Metaphor. The semantics of adjective-noun combinations.* Tübingen: Max Niemeyer, pág. 223.
[61] LAKOFF & JOHNSON (1980): *Metaphors We Live By.* Chicago: The University of Chicago Press, pág. 230.

El primer propósito es *cognoscitivo* y el segundo *estético*. En algunas metáforas los dos propósitos se funden y son paralelos, como el contenido y la forma: *the bonds of matrimony* (lazos, vínculos). Es probable que el propósito referencial aparezca principalmente en los libros de texto, mientras que el estético suele estar subrayando el efecto del sonido en un anuncio, o en una obra en que lo importante sea «el arte por el arte».

La metonimia puede mostrar una semejanza, un área semántica común entre dos cosas similares —la imagen y el objeto—: *I could hear her feet* (pisadas) y la dificultad de interpretarla y traducirla consistirá en decidir el espacio común entre ambas y después determinar si ese área es positiva o negativa y connotativa o denotativa.

La terminología de la metáfora comprende los siguientes términos:

Imagen: el cuadro sugerido por la metáfora, que puede ser universal, cultural o individual.

Objeto: lo que se describe o cualifica por la metáfora.

Sentido: el significado literal de la metáfora; la semejanza o el área semántica que comparten el objeto y la imagen; normalmente consiste en más de un componente de sentido: cuanto más original sea la metáfora, más rica será en esos componentes de sentido.

Metáfora: la palabra figurativa usada.

Metonimia: la imagen de una palabra, que reemplaza al objeto.

Símbolo: un tipo de metonimia cultural en el que un objeto material representa un concepto.

«Metaphorical talk», dice Cooper [62], «effects a familiarity or "intimacy" between speakers, and between them and their work»; podemos formular una metáfora para estimular una imagen:

«With her hair coiled in loop upon serpentine loop on her head»
(Con el cabello enroscado en volutas serpentinas).

En la traducción, hay implícitos algunos elementos del original: no se repite el término *voluta*, sino que se pone en plural, y tampoco

---

[62]   COOPER, D. E. (1986): *Metaphor*. Oxford: Basil Blackwell.

aparece explícita la expresión *on her head*. Si el traductor lo pasa por alto en su versión es por creer que está implícito en el resto de la frase.

Para hacer una comparación llamativa:

> «An old woman with hair like a nest of petrified snakes»
> (Una anciana criatura con un peinado que parecía un nido de serpientes petrificadas).

Sin embargo, en este caso la traducción es más explícita, ya que añade el término *criatura* que no está presente en el original. También, según el contexto, quizá sería más ajustada la expresión *una vieja*.

O para hacer una descripción con un sentido poético:

> «The walls of this passage shuddered and sighed at first almost imperceptibly, so that I mistook it for my own breathing»
> (Las paredes del pasadizo se estremecían y susurraban, casi imperceptibles al principio, de modo que pensé que eran los sonidos de mi propia respiración).

Como vemos, aquí está personificado el nombre inanimado *walls*, al aplicarle unas acciones propias de un ser animado como *shudder* y *sigh*. También es más explícita la versión española, al traducir el pronombre *it* por su referente *los sonidos* y, desde el punto de vista sintáctico, hay una transposición en la clase de unidad: el objeto directo inglés es una frase nominal, mientras que el español es una cláusula nominal completiva de objeto directo.

Por último, hay una modulación aspectual: el verbo evaluativo *mistook* se traduce por otro neutro *pensé*. Sugerimos la siguiente traducción: «... de modo que lo achaqué a mi propia respiración».

Earl Mac Cormac define el lenguaje metafórico como el que «forces us to wonder, compare, note similarities and dissimilarities, and then seek confirmation or disconfirmation of the suggestions posed by metaphor... it seeks to create new suggestive ways of perceiving and understanding the world and involves a conceptual process different from that of literally description» [63]. En:

---

[63]   MacCormac, E. R. (1985): *A Cognitive Theory of Metaphor*. Cambridge, Mass. (A Bradford Book): The MIT Press, págs. 77-8.

«The rocks between which I am pressed as between pages of a gigantic book seemed to me to be composed of silence; I am pressed between the leaves of a book of silence»
(Las rocas que me comprimen como las páginas de un libro gigantesco me parecen compuestas de silencio; estoy aplastada entre las hojas de un libro de silencio).

la imagen *pressed between the leaves of a book of silence* nos hace percibir y comprender el mundo de una forma mucho más sugestiva que el lenguaje literal.

Hay dos símiles en este ejemplo *as between* y *seem to me to be*. También está personificado en la versión española el nombre inanimado *rocas*, al aplicársele la acción de *comprimir*, cosa que no ocurre en el inglés. Igualmente hay una adaptación léxica: en vez de repetir la expresión anafórica *I am pressed... I'm pressed*, se usan dos palabras sinónimas, *me comprimen... estoy aplastada*, debido a que su uso resulta más natural en cada contexto.

También podemos comentar que la palabra *composed*, según *Webster's Dictionary* [64], es una palabra arcaica que significa *formed of or made up of parts; put together well or artistically*. Otro significado más usual es *calm and self possessed in reality or appearance*.

Los estudios sobre la metáfora se remontan a los albores intelectuales de la humanidad; hasta allí alcanza la preocupación por desentrañar el misterio del empleo metafórico del lenguaje con diversos fines. Aquellas primitivas especulaciones son pauta y modelo de las reflexiones que sobre el tema han tenido lugar en la cultura occidental y continúan en la actualidad. La noción de *desvío* —según Tato C. Espada— [65] es la que va a estar más presente en estas reflexiones.

Para Aristóteles, la metáfora es «the mark of genius» [66], como ilustra el ejemplo siguiente:

«As she swayed in shoes so high... they transformed her into a bird plumed with furs»
(Cimbreándose sobre aquellos zapatos tan altos... se transformaba en un pájaro con plumaje de pieles)

---

[64]   *Webster's Dictionary*, 1981, pág. 466.
[65]   TATO C. ESPADA, J. L. (1975): *Semántica de la metáfora* (Estudio introductorio). Alicante: Instituto de Estudios Alicantinos. Diputación Provincial de Alicante (Patronato «José María Quadrado» del CSIC).
[66]   ARISTOTLE, (1984). *Poetics* (trad. I. Bywater), in *The Rhetoric and the Poetics of Aristotle*. New York: Modern Library.

Expresiones como *a bird plumed with furs* son las que llevan a encuadrar una obra en el lenguaje poético. Desde el punto de vista sintáctico, se producen dos transposiciones en la clase de unidad:

1) de la frase adjetival *«plumed* with furs» a la frase preposicional *«con* plumaje de pieles», por no ser posible la equivalencia sintáctica en español, y

2) de la cláusula *As she swayed* a la de gerundio *Cimbreándose.*

También está personificado el nombre inanimado *shoes* al corresponderle la acción de *transform.* El mecanismo de cambio de sujeto se suele observar con mucha frecuencia, aún cuando nada en el sistema lingüístico de ambas lenguas lo exija. Suele hacerse en beneficio del ser animado —como ocurre en este caso— a quien se le restablece en agente semántico y sujeto gramatical, aún cuando el texto fuente le había quitado ese papel. Esto evidentemente supone una desviación fuera de toda coacción lingüística, cuando era posible la no desviación.

Menachem Dagut define la metáfora como «an individual creative flash of imagination fusing disparate categories of experience in a powerfully meaningful semantic anomaly» [67]. En:

> «Reading is just as creative an activity as writing and most intelectual development depends upon new readings of old texts. I am putting new wine in old bottles, especially if the pressure of the new wine makes the old bottles explode»

puede observarse claramente la fusión de categorías de experiencias diferentes *new wine* y *old bottles* son dos expresiones claramente anómalas si se utilizan para aludir al campo semántico de la literatura, que es al que se está refiriendo Angela Carter al explicar su preocupación literaria de recrear los cuentos clásicos en un nuevo marco y dirigidos a un nuevo tipo de lector. [68]

Los platonistas y los positivistas —afirma Richard Rorty— consideran la metáfora irrelevante, «either paraphrasable or useless for the one serious purpose which language has, namely, representing rea-

---

[67] DAGUT, M. (1987): «More About the Translatability of Metaphor», in *Babel*, n.º 2, vol. 33, pág. 77.

[68] CARTER, A. (1983): «Notes from the Front Line», in M. Wandor (ed.) *On Gender and Writing*. Pandora, pág. 69.

lity». Por el contrario, para los románticos la metáfora es «strange, mystic, wonderful» y atribuyen su existencia a esta misteriosa facultad «at the very centre of the self, the deep heart's core: imaginatión» [69]. Parece que las dos teorías se están refiriendo a dos clases diferentes de lenguajes. El literario ofrece ejemplos como el siguiente:

> «She had been the dream itself made flesh though the flesh I knew her in was not flesh itself but only a moving picture of flesh, real but not substantial»
> (Había sido el sueño mismo hecho carne, aunque la carne que yo conocía de ella no era carne verdadera sino sólo una película de carne, real pero no sustancial)

Este lenguaje metafórico no tiene como función principal representar la realidad sino que es más importante la función poética.

Aquí se produce una transposición formal en la estructura de las unidades: la frase preposicional inglesa «(in) the flesh I knew her» se convierte en la frase nominal «la carne (de ella) que yo conocía».

Nos atreveríamos a traducir *real but not substantial* por *real pero no tangible,* ya que *sustancial* puede ser un «falso amigo» al no tener una equivalencia exacta en las dos lenguas.

Lo que realmente importa en una metáfora —afirma Wheelwright en su obra *Metáfora y realidad* [70]— es la profundidad psíquica a la que las cosas del mundo, reales o fantásticas, son transportadas por la imaginación. El proceso de transmutación que ello implica puede describirse como «movimiento semántico», y su idea va implícita en la propia palabra «metáfora» ya que el movimiento (phora) que el término connota es de naturaleza semántico: el doble acto imaginativo de sobrepasar lo obvio y combinar es el rasgo esencial del proceso metafórico.

Richards fue el primero en darles nombre a las dos ideas que actúan al mismo tiempo en la metáfora: llamándolas *tenor* y *vehicle*. El segundo es «the idea conveyed by the literal meanings of the words

---

[69] RORTY, R. (1986): «The Contingency of Language» in *London Review of Books.* 17 April, pág. 6.
[70] WHEELWRIGHT, P. (1979): *Metáfora y realidad* (trad. C. A. Gómez). Madrid, Espasa Calpe.

used metaphorically», y el primero «the idea conveyed by the vehicle» [71].

	Vehicle (Imagen)	Tenor (Campo de transferencia)
leg of a person →	leg of a table	similaridad funcional
eye of a person →	eye of a needle	similaridad formal
beast →	he is a beast	similaridad evaluativa

M. Black recoge las teorías expuestas por Richards y las desarrolla: cuando utilizamos una metáfora tenemos dos pensamientos de cosas diferentes en actividad simultánea y apoyados por una expresión, cuyo significado es un resultante de la interacción. Para él la metáfora no es un término aislado, sino una frase, que llama, *frame;* las palabras usadas metafóricamente son el *focus* o elemento incongruente: «the frame imposes extensión of meaning upon the focal words» [72]. Es decir, la palabra focal alcanza un nuevo sentido dentro de la frase a la que pertenece, que no es del todo ni el significado de sus usos literarios ni el que podría tener un sustituto literal cualquiera: el nuevo contexto (el *marco* de la metáfora) fuerza a la palabra focal a la extensión de su significado. En:

> «I'd forgotten the omniverous inscrutability of the sea, how it nibbles the earth with a mouth of water»
> (Ya no recordaba la inescrutabilidad omnívora del mar, cómo roe la tierra con una boca de agua)

tenemos que saber que es *the sea* (el mar) el que *nibbles* (roe) *the earth* (la tierra). Gracias al contexto, según Jakobson [73], podemos intuir que tal frase es una metáfora, ya que el lector escoge entre los posible sentidos de una palabra el que conviene según el contexto, poniendo así en juego su competencia.

Aquí se produce una modulación aspectual de positivo a negativo más término contrario: *I'd forgotten* y *Ya no recordaba*.

---

[71] RICHARDS, I. A. (1936): *The Philosphy of Rhetoric*. New York, Oxford University Press, pág. 96.
[72] BLACK, M. (1962): *Modes and Metaphors: Studies in Language and Philosophy*. Ithaca: Cornell University Press.
[73] JAKOBSON, R. (1973): *Deux aspects du langage et deux types d'aphasies* (trad. C. Piera) Madrid: Ed. Ayuso, pág. 83.

Brooke-Rose define la metáfora como «any identification of one thing with another, any replacement of the more usual word or phrase by another» [74], como ocurre en:

> «under a sky fissured with artificial fire»
> (bajo un cielo fisurado por un fuego artificial).

Los términos más usuales para describir esta situación son diferentes tanto en inglés como en español, ya que se está refiriendo a las nubes coloreadas que hay en el cielo.

Tanto *with* (instrument) como *by* (agentive): *with artificial fire* y *por un fuego artificial*, significan *by means of*.

Según Quirk, «While the *instrument* is the inert and normally inanimate cause of an action, the *agentive* is its animate (normally human) initiating cause. The difference between instrumental phrases containing *with* and *by* is a fine one: either of these sentences can describe the same instrument, but the *with*-phrase always implies an agent (someone fissured the sky with artificial fire) whereas the *by*-phrase does not. This follows from the fact that the *by*-phrase corresponds, in transformational terms, to the Subject of an active sentence» [75].

> TO FISSURE: to break into fissures, cleave
> L. *Findere* → fender → hender/hendir → hendido

La expresión *fisurado* no figura catalogada por María Moliner [76]. Es una recreación que se atreve a hacer el traductor de la metáfora que aparece en el original, aunque en inglés sí que tiene entrada en el diccionario. El grado de aceptabilidad en las dos lenguas es diferente y, por ello, la equivalencia no se ha conseguido.

Bousoño [77] estudia el tema de la metáfora dándole un nuevo enfoque, lo que llama: la imagen o metáfora «visionaria». Su diferencia con las tradicionales es que éstas se basaban siempre en una semejanza objetiva (física, moral o de valor) inmediatamente perceptible por

---

[74] BROOKE-ROSE, Ch. (1965): *A Grammar or Metaphor*. London: Secker & Warburg, pág. 17.
[75] QUIRK, R. et al. 1980 (1972): *A Grammar of Contemporary English*. Essex: Longman.
[76] MOLINER, M. (1984): *Diccionario de uso del español*. Madrid: Gredos.
[77] BOUSOÑO, C.: *Teoría de la expresión poética*. Madrid: Ed. Gredos.

la razón entre un plano real A y un plazo imaginario B. En las imágenes visionarias nos emocionamos sin que nuestra razón reconozca ninguna semejanza lógica, ni aún, en principio, semejanza alguna de los objetos como tales que se incorporan. Basta que sintamos la semejanza emocional entre ellos, semejanza por asociación pero no a nivel lógico, sino emotivo.

Tipos de metáforas

Peter Newmark cree que la finalidad de la metáfora es «to describe an entity, event or quality more comprehensively and concisely and in a more complex way than is possible by using literal language» [78] y, en cuanto a las clases de metáforas, las clasifica en cinco tipos diferentes:

1) Dead metaphors o metáforas lexicalizadas: *the arm of the chair*.

2) Cliched metaphors, que debido a su uso excesivo han dejado de ser expresivas: *He leaves no stone unturned* (no deja títere con cabeza).

3) Stock metaphors o frases hechas; muy comunes, pero que todavía no se han fosilizado: *A ray of hope*.

4) Recent metaphors: *Irangate* o muchas otras derivadas del lenguaje informático *software, hardware, a word processer,* y

5) Original metaphors, creadas para una expresión u ocasión específicas, como las que estamos analizando.

Dagut no está de acuerdo con esta clasificación de Newmark: «the use of such qualifying epithets as *original* metaphor (=metaphor *stricto sensu)* and *dead* metaphor (=polyseme or idiom), is really a confusing illusion. What such qualifiers do is to give the impression of a single metaphorical *continuum* made up of differing *quantitative* degrees of one and the same linguistic phenomenon... in actual fact, metaphor proper is *qualitatively* distinguished from its derivatives» [79].

En cuanto a la transferencia del lenguaje metafórico de la lengua fuente a la lengua término, a pesar de la escasa investigación sobre el tema ha habido varios intentos por parte de algunos teóricos de la traducción.

Kloepfer [80] representa el acercamiento simplista que preconiza no

---

[78] NEWMARK, P. (1981): *Approaches to Translation.* Oxford: Pergamon Press, pág. 84.
[79] DAGUT, M., op. cit., pág. 77.
[80] KLOEPFER, P. (1967): *Die Theorie der literarischen Ubersetzung,* citado por M. Dagut (1987), op. cit.

existe ningún problema en la traducción de la metáfora. En:

> «There was a drugged smile on her face»
> (con una sonrisa drogada)

la traducción de la metáfora es literal ya que cuanto más universal sea el concepto más fácil es la transferencia. Sin embargo, pueden observarse varios cambios estructurales en la traducción:

Hay transposición de una finite clause → prepositional phrase. Según Quirk, «corresponding to the type of existential sentences, (unstessed 'there') here the thematic position is not 'empty' but filled by a noun phrase as subject, preceding the verb 'have (got)'. An extra participant is introduced as theme: the subject of the verb. This refers to a person, thing, etc., indirectly involved in the existential proposition» [81]. Decimos: *She had got a drugged smile on her face* en lugar de: *A drugged smile was on her face*. De ahí la traducción *con una sonrisa drogada*.

La frase preposicional *on her face* está implícita, ya que el traductor la considera superflua o innecesaria para transmitir el sentido del original.

Este ejemplo pertenece al modelo más común de metáfora, la combinación «adjetivo-nombre», que Aarts estudia detenidamente en su obra *Metaphor and Non-Metaphor. The semantics of adjective-noun combinations* y dice textualmente: «We may speak of a metaphorical expression if one of the senses composing the expression has a referent that does not belong to the referent class denoted by that sense: we can predict that an adjective-noun combination is a metaphorical one when the noun is modified by an adjective which is not normally used to predicate a property of a member of the noun's reference class» [82].

Drugged es un modificador normal para *man* y un modificador «indirecto» para *smile;* para su comprensión, tenemos que hacer uso del conocimiento compartido por todos los miembros de nuestra comunidad lingüística. (Creemos que sería más acertada la traducción *con una sonrisa de drogada.*)

Kirsten Mason, afirma que es inútil tratar de establecer una teoría

---

[81] QUIRK, R., op. cit.
[82] AARTS, J. M. G., op. cit., pág. 12.

de la traducción de la metáfora, «there can only be a theory of translation; the problems involved in translating a metaphor are a function of the problems involved in translating in general» [83].

Eugène Nida [84], y Vinay y Darbelnet [85] opinan que la metáfora es a veces imposible de traducir por otra metáfora, como ocurre en el siguiente ejemplo:

> «a late, ham-handed comedy»
> (una comedia más reciente, con un elenco lamentable)

Hay explicitación en la versión española, ya que el modificador *ham-handed* se traduce por una frase preposicional que amplía los elementos del original.

Late (ME *late, slow.* OE *lat, late*) podría traducirse por *lenta* en vez de *más reciente.*

Ham-handed dramatist significa *ponderous, clumsy, lacking dexterity or skill* y quizá podría traducirse por *desgarbada.*

Este también es un ejemplo de combinación metafórica «adjetivo + nombre». Según Aarts, «one of the major hypotheses about the metaphorical interpretation of adjective-noun combinations is that such phrases are basically ambiguous in that either the noun or the adjective may function as the head of the metaphor. The ultimate selection of a reading is said to be determined by the wider context» [86].

Existen varios estudios sobre la imposibilidad de traducir la metáfora entre lenguas pertenecientes a familias distintas y enraizadas en culturas diferentes, entre ellos debemos citar por su importancia el de Menachem Dagut (1976 y 1987) o Aphek-Tobin (1984), del inglés al hebreo, y Mary M. Y. Fung y K. L. Kiu (1987) del inglés al chino.

Normalmente las metáforas culturales son más difíciles de traducir que las universales o personales. En cualquier caso, hay que tratar de

---

[83] MASON, K. (1982): «Metaphor and Translation», in *Babel*, n.º 3, vol. 28, pág. 149.
[84] NIDA, E. A. & REYBURN, W. D. (1981): *Meaning Across Cultures.* New York: Orbis Books.
[85] VINAY, J. & DALBERNET, J. C. 1977 (1958): *Stylistique comparée du français et de l'anglais.* París: Didier.
[86] AARTS, J. M. G., op. cit., pág. 132.

buscar el sentido que encierran, contrastando el significado primario de la palabra con los contextos lingüísticos, situacional y cultural. En principio, a menos que sirva la traducción literal, hay que valorar las elecciones que ofrece el sentido y la imagen (o la combinación de ambos), dependiendo siempre de los factores contextuales, o al menos de la importancia de la metáfora dentro del texto.

Sobre las diversas formas de traducir la metáfora, ver el capítulo 11.2.

8.3.3. PUNTUACIÓN

La puntuación es una forma de dar la máxima expresividad al texto, y está en función del método de traducción elegido. Al igual que hay varias clases de traducción, también hay diferentes clases de puntuación:

Literal, cuando es exactamente igual a la del texto.

Equivalencia, comprende las formas de puntuación ya lexicalizadas, como pueden ser los comienzos de las cartas, y

Adaptación, se refiere a los cambios obligados que hay que realizar para pasar un mensaje de una lengua a otra, como por ejemplo el guión inglés al final del párrafo, que hay que traducir por dos puntos o coma.

También se puede ampliar o reducir la puntuación, siendo la tendencia actual a reducirla al mínimo.

Lo más importante para el traductor es dominar la puntuación de la lengua término —normalmente su lengua materna—, aunque también sea necesario conocer la puntuación de la lengua que traduce, ya que cada idioma tiene sus propias normas y además depende del estilo particular del texto y del autor.

Por tanto, lo primero que hay que plantearse para ver cómo se puntúa es la clase de texto que se va a traducir, si es un texto informativo, expresivo o apelativo, ya que no pueden establecerse unas reglas fijas. En los textos *informativos,* donde sólo traducimos información, la puntuación debe ser lo más clara posible, al igual que ocurre con los *apelativos,* que se dirigen directamente al lector para hacerle actuar, pensar o sentir. En los *expresivos,* donde lo más importante es la mente del hablante o del escritor, hay que conocer a fondo el texto e igualmente al escritor y su estilo.

Para entender un texto, hay que conocer su distribución. En primer lugar tenemos que entender los párrafos y después verlo en su conjunto, antes de plantearnos si podemos respetar en su totalidad la estructura del original o habrá que cambiar algo al traducir.

En cuanto a las notas de pie de página conviene saber utilizar las que hay en el original, y tener también en cuenta las que va a introducir el traductor, siempre procurando reducirlas al mínimo. Un buen traductor tiene que demostrar su erudición, en vez de llenar de notas explícitas el texto.

Correspondencias entre la puntuación inglesa y la española

Además de la conocida omisión en inglés, al comienzo de la frase interrogativa o admirativa, de los signos correspondientes (¿, ¡), es obligado tener en cuenta ciertas formas de puntuación ya lexicalizadas si queremos lograr la equivalencia entre el texto de la lengua fuente y el de la lengua término:

- El comienzo de las cartas en inglés lleva coma y en español dos puntos: *Dear Sir,* = *Muy señor mío:*

- Los diálogos van entre comillas en inglés y en español se antepone el guión: *«Madam is leaving at once?» asked the porter* = *—¿La señora se marcha ahora mismo? —preguntó el portero.*

- Las explicaciones al final de la frase suelen ir precedidas de guión en inglés y de dos puntos en español: *Roger Brown was sitting upright in his chair—dead* = *Roger Brown se mantenía erguido en su silla: muerto.*

- Para expresar las horas se utilizan los dos puntos en inglés, pero no en español: *At 2:15 a.m.* = A las 2 h. 15 m. de la mañana.

- El inglés usa el guión frecuentemente para formar palabras compuestas, y el español lo evita: *anti-Communist = anticomunista.*

- En los adjetivos compuestos por un numeral que designa una unidad de tiempo o espacio, en inglés se utiliza el guión para combinarlos y anteponerlos al nombre: *a five-year sentence = una condena de cinco años, a three-foot rule = una regla de tres pies, a two-year contract = un contrato de dos años.*

– En las direcciones se usa la coma en inglés y el paréntesis en español: Clayton, Delaware = *Jerez* (Cádiz).

8.3.4. EXPRESIONES EXTRANJERAS

A veces aparecen en el texto original expresiones que están escritas en una lengua diferente a la de origen, que el autor utiliza como recurso estilístico para destacar el carácter extranjero de esas palabras. Estas diferencias idiomáticas no puede obviarlas el traductor, o desvirtuaría la intención del escritor de distinguir algún personaje del hablante común. Por tanto, lo que procede es reproducirlas en el mismo idioma en que aparecen, porque si las traduce al español significaría uniformar lingüísticamente una narración que no se presenta así en su original. A fin de que el lector pueda tener acceso a todo el texto, suelen traducirse a pie de página en caso de que sea una lengua distinta de la traducción. Si se trata del mismo idioma, hay que suprimir los recursos gráficos que haya utilizado el original, al haber desaparecido su carácter extranjero.

Si se trata de diferencias dialectales, hay que reflejarlas lo más fielmente posible, para no desvirtuar el estilo del autor, y lo mismo ocurre con las marcas enfáticas, que hay que reproducir utilizando los recursos de la propia lengua. En inglés, debido al estricto orden de colocación de las palabras, cualquier alteración concede mayor importancia a una parte determinada del discurso. La rigidez con que debe aparecer la interrogación inglesa, es uno de los recursos más utilizados para este propósito:

But *you do* know? *You hear* him? *It can* be difficult?

8.3.5. NOMBRES PROPIOS

Los nombres de personas, como norma general, no suelen traducirse. En el caso de que se trate de personajes históricos que sea posible su traducción, por tener equivalente en la lengua término, resulta más natural hacerlo: *Henry VIII = Enrique VIII.*

En cuanto a los títulos nobiliarios, también pueden traducirse: *Prince Arthur = el Príncipe Arturo, Duke of York = el Duque de York;* y los tratamientos de cortesía, conviene adaptarlos a la lengua de destino: *Mr = Sr., o Sr. D.,* pero a veces se dejan en la forma original cuando lo requiere el contexto, por convenir conservar un valor exótico o extranjerizante.

Los Organismos internacionales, si tienen correspondencia en la lengua de la traducción, debe buscarse su equivalente: *European Economic Community = Comunidad Económica Europea, Ministry of Health = Ministerio de Sanidad.*

Los nombres de empresas públicas y privadas normalmente no se traducen, excepto cuando sean descriptivos: *Post Office = Servicio de Correos.*

Para traducir los estados, hay que buscar el equivalente admitido, pero los de los condados o ciudades se dejan en el idioma original, a excepción de algunos muy conocidos: *New York* = Nueva York, *London* = Londres. Lo mismo ocurre con las calles: si son conocidas y tienen un equivalente similar, pueden traducirse *Fifth Avenue* = Quinta Avenida, pero en el caso contrario, se conserva el nombre del original.

En cuanto a los títulos de las obras, pueden traducirse exclusivamente cuando hayan sido editados en la lengua término, procurando adoptar el título con que figure en la traducción: *The Quiet American = Un americano tranquilo.*

8.4. INTERFERENCIA LINGÜÍSTICA

Un aspecto importante del proceso de traducción es la interferencia lingüística, que consiste en la persistencia de los usos peculiares de la lengua fuente en la lengua término: cuando hay correspondencia en el uso de la lengua meta, entonces la interferencia no se observará, pero esas correspondencias existen sólo ocasionalmente, dependiendo de la pareja de lenguas de que se trate. Por ello es muy frecuente que se produzcan principalmente neologismos, préstamos o calcos lingüísticos, nacidos del contacto de lenguas o la proximidad de dos sistemas en un medio bilingüe, lo que sin duda ayuda a la contaminación de un sistema lingüístico por otro. En el caso de la traducción, existe una deliberada resistencia a evitar las consecuencias habituales del bilingüismo, por lo que la traducción no llega a ofrecer la misma cantidad de interferencias que ocurren en una población bilingüe.

No obstante, según García Yebra [87], siempre existe el riesgo de que pueda surgir la interferencia lingüística, ya que en el bilingüismo de los traductores se producen efectos similares a los que ocurren en el contacto interlingüístico de pueblos, y cuanto más débil sea el dominio de la lengua materna, serán más frecuentes las interferencias que se reflejen en la traducción, producidas por la lengua extranjera. Por ello, según Maurice Pergnier, el estudio de las interferencias lingüísticas reviste un extraordinario interés para la traducción, porque nos informa sobre la no universalidad de las categorías semiológicas, y sobre su no transferencia de una lengua a otra, pero no debe sustituir a los estudios de traducción. Si es interesante analizar las interferencias no es para demostrar lo que es la traducción, sino lo que puede ser: una transposición pura y simple de los componentes del significado [88].

El problema de la interferencia tiene lugar principalmente dentro del plano léxico de los signos lingüísticos. El lenguaje no está igualmente estructurado en todos los terrenos, principalmente por lo que se refiere al vocabulario, sólo en ciertas partes se puede demostrar la existencia de verdaderas estructuras, pues el léxico es más difícil de reducir a modelos estructurales que las nociones de estructura fonológica o morfológica, con excepción de ciertos campos semánticos, como pueden ser los términos de parentesco, los numerales, los colores, etc.

8.4.1. NEOLOGISMO, PRÉSTAMO Y CALCO

El neologismo es toda creación léxica, semántica, formal y gramatical, o incorporación de otra lengua, que entra a formar parte del sistema lingüístico español; descansa en el mecanismo de la motivación y aparece a partir del léxico fundamental que ya tenemos. Puede ser por necesidades objetivas —nuevos productos, que permanecen mientras dura ese producto y a veces adquieren otro significado: *azafata* tenía en principio el sentido de camarera— o subjetivas —corresponden a modas de estilo y desaparecen pronto—.

Para que entren a formar parte del léxico, después de su creación,

---

[87] GARCÍA YEBRA, V. (1982): op. cit., pág. 104.
[88] PEGNIER, M. (1978): *Les fondements socio-linguistiques de la traducción*. Paris: Librairie Honoré Champion, pág. 80.

los neologismos necesitan dos características: difusión y aceptación. La historia de la lengua es la historia de sus neologismos, que aparecen a partir del patrimonio heredado.

El neologismo léxico puede ser de dos clases:

1. Creación pura. Invento, creación individual: *gas, Kodak.*

2. Préstamo. Adopción de una unidad léxica pura o una significación extraña a la lengua que lo incorpora. Hay varias categorías:

   a) préstamo de significante, en el que se toma la palabra sin traducir o se adapta; el préstamo trata de llenar una laguna en la lengua importadora, en general relacionada con alguna nueva técnica o algún concepto que no es conocido para esa comunidad. Puede distinguirse entre préstamo y extranjerismo. Este último es el término sin ningún tipo de adaptación, y el préstamo es un término adaptado al sistema lingüístico que lo importa; pero la distinción no es muy clara, ya que lo que fueron extranjerismos antiguos se han convertido en préstamos. Los hay clásicos: *video, aniquilar;* árabes: *alhacena, alhajor;* vascos: *pizarra;* de lenguas romances: franceses, italianos, catalanes, gallegos, portugueses o del léxico dialectal. También hay americanismos, de la conquista de América: *canoa, chocolate,* o anglicismos británicos o norteamericanos;

   b) calco semántico o préstamo de sentido, en el que a una forma española, semejante o idéntica a la de la lengua exportadora, se le da el valor semántico tomado de ésta: *aggressive* = agresivo, *star* = estrella.

   c) calco léxico, en el que se traduce una palabra o estructura del idioma exportador al importador: *mercado negro, perrito caliente, reacción en cadena, telón de acero.*

   d) palabra importada o neologismo absoluto. Puede ser de base greco-latina: *televisión,* o neologismo derivado, en el que su novedad es la afijación: *antiaéreo.*

   e) préstamo endoglótico o ampliación del significado dentro de la propia lengua: *caído.*

Los problemas de adaptación del préstamo varían según sean adoptados por la vista (se leen como si fuera español): *club;* por el oído: *champú,* o adaptados: *yogur.*

El neologismo gramatical es un cambio de categorías gramaticales: por ejemplo, el participio de presente se convierte en sustantivo: *el amante, el habitante, la pendiente.*

El neologismo formal es la creación de palabras en la propia lengua por medio de prefijos o sufijos: *átomo = atómico, llave = llavero.*

El uso de extranjerismos tiene tres posibilidades de adaptación al español:

1. Si la palabra extranjera tiene un equivalente previo en español, sustituirla por él: *speaker* = locutor.

2. Si los extranjerismos provienen de la cantera greco-latina, debemos acogerlos con toda tranquilidad. Hay que tener cuidado con los neologismos que entran de forma indirecta, pues habrá que adaptarlos: *cibernetic* = cibernética, *cosmetic* = cosmético/cosmética.

3. Si el préstamo no responde a estos dos postulados, tenemos otras soluciones: a) sustituir los extranjerismos por palabras españolas preexistentes, mediante la necesaria acomodación semántica: *cow boy* = vaquero, *hall* = vestíbulo, *stand* = pabellón, *shock* = choque, *marketing* = estudio del mercado (paráfrasis), *basket ball* = baloncesto, *volley ball* = balón volea, *interview* = entrevista.

El préstamo como extranjerismo sólo debería aceptarlo el traductor cuando no encuentre otra alternativa y aclarándolo con notas a pie de página; los calcos son más admisibles, incluso aunque sean nuevos, pues son elementos que enriquecen la lengua que los acepta.

En *Los anglicismos en el ámbito periodístico,* Pedro Jesús Marcos [89] estudia ampliamente el tema. Los medios de comunicación —prensa, radio y principalmente televisión— son los principales instrumentos que ayudan a introducir estructuras, vocablos o términos foráneos, precisamente por su carácter de novedad. A veces los anglicismos tienen una vida corta y desaparecen sin dejar huellas, pero normalmente arraigan plenamente en nuestro idioma y llegan incluso a servir de base para crear nuevas formas: *flirt* = *flirteo, flirtear; snob*

---

[89] MARCOS PÉREZ, P. J. (1971): *Los anglicismos en el ámbito periodístico.* Universidad de Valladolid.

= *esnobismo, esnobista.* También dentro del ámbito morfológico, se han introducido algunos prefijos de extraordinaria vitalidad, como *mini-* = *minifalda* = *miniskirt.*

En otras ocasiones, pueden producirse transformaciones o alteraciones, tanto fonéticas: *shampoo* = *champú, shilling* = *chelín,* como gráficas: *cocktail* = *cóctel, psychodelic* = *sicodélico,* o semánticas, ya que puede adaptarse el anglicismo utilizando un solo vocablo, el calificativo, para significar la totalidad del concepto, suprimiendo el sustantivo: *Christmas card* = crismas, como sintácticas.

Por lo que se refiere al uso masivo de siglas en nuestra época, algunas de ellas representan expresiones inglesas y nos hemos acostumbrado a su uso: *L.P.* = *long play, W.C.* = *water closet, F.A.O.* = *Food and Agricultural Organization.*

Quizá el fenómeno más destacado del anglicismo se produzca en los términos compuestos, que por la concisión del idioma inglés, resultan muy gráficos y, por tanto, muy útil su empleo: *full time* o *part time, self-service, top-secret,* o los formados por la repetición de vocablos en los que hace de nexo una preposición: *day-by-day.*

No obstante, los más perjudiciales para nuestra lengua, según Emilio Lorenzo [90], suelen ser los usos incorrectos en el aspecto gramatical:

— abuso de adjetivos posesivos: metí *mi* mano en el bolsillo;

— empleo con demasiada frecuencia del adjetivo antepuesto al sustantivo, especialmente el superlativo: la *más hermosa* mujer;

— empleo excesivo de la voz pasiva;

— colocación del complemento antes del adjetivo con el verbo *hacer:* señora *haga* su hogar confortable;

— empleo de una preposición desacostumbrada en giros temporales: no le había visto *por* un año, o en el régimen verbal o adjetival: esto es muy difícil *para/a* hacer;

— colocación de adverbios compuestos entre haber y el participio

---

[90]   LORENZO CRIADO, E. (1980): «El anglicismo en el español de hoy», en *El español de hoy, lengua en ebullición.* Madrid: Gredos, pág. 82.

pasado: las exportaciones se habían *más de tres veces* duplicado;

– abuso de la forma progresiva inglesa: el coche *está siendo* reparado;

– verbos que se introducen con una preposición que no se da en español: pedí *por* el aprobado;

– uso del sustantivo con dos preposiciones: preparación *para* y *por* la guerra;

– que + un giro adverbial: *es por esa razón que* he venido;

– uso del posesivo antepuesto: no es *mi* culpa, en vez de no es culpa *mía;*

– supresión de preposición: jugar *al* tenis;

– formación de palabras en español con palabras extranjeras: lord = *lores;*

– abuso del adjetivo con valor adverbial: hablar *alto,* en vez de hablar *en voz alta;* tú espera *tranquilo* aquí, en vez de *tranquilamente;*

– dequeísmo: me acuerdo *de* que tengo que ir, me olvidé *de* que ibas a venir [91].

Otro problema importante del neologismo, según Newmark [92] es la extraordinaria evolución que se desarrolla actualmente en el campo de la tecnología, donde continuamente se crean nuevos objetos y procesos, y se lanzan nuevas ideas por los medios de comunicación, que producen variaciones en los conceptos y significados. Todo ello obliga a que se introduzcan en el lenguaje común términos científicos, dialectales y del argot, junto con otros préstamos: *Schweppes, Bic, Tipp-Ex,* etc. Estos suelen elevarse a unas tres mil palabras cada año, a pesar de que los neologismos no puedan contarse fácilmente, ya que algunos de ellos caen pronto en el olvido. No obstante, lo que sí es obvio es que su número se está acrecentando rápidamente, pues, a excepción de la Unión Soviética, toda la importante renovación electrónica que se está llevando a cabo en Estados Unidos, Japón y Alemania, por razones de economía, ha adoptado el inglés para elaborar

---

[91] PRAT, Ch. (1980): *El anglicismo en el español peninsular contemporáneo.* Madrid: Gredos.
[92] NEWMARK, P. (1988): op. cit., pág. 140.

una «lengua electrónica» internacional, y van apareciendo diccionarios especializados dedicados a enumerar sus términos.

Dado que, en primer lugar, se introducen como respuesta a una necesidad particular, pueden traducirse por el contexto, pero muchos de ellos pronto adquieren nuevos significados en la lengua término. Este problema tiene un aspecto de tipo social, según Vida Ozores [93]: cuando utiliza los anglicismos el personal técnico que se dedica a montar y reparar los aparatos electrónicos, normalmente adoptan los términos ingleses —a pesar de que no hablen esta lengua—, sin introducir ninguna modificación. Todo este conjunto de anglicismos técnicos se va haciendo más extenso cada día, al añadir un nuevo inventario de las palabras que requieren aparatos tan sofisticados. El técnico sólo conoce la expresión inglesa y su aplicación. No tiene ningún tipo de duda sobre la función que realiza cada una de las partes designadas por los anglicismos, pero, sin embargo, lo que desconoce es la traducción de esos términos al español.

Sin embargo, existe otro conjunto de profesionales de rango superior, más especializado, que son los responsables de la creación de los aparatos. Este grupo elitista sí conoce la traducción al español de muchos de los términos y suele utilizarla en sus exposiciones. Puede juzgar por sí mismo cuando una expresión tiene equivalente en su propia lengua, o cuando puede efectuar cambios morfológicos para adaptarla; es decir, en el peor de los casos, no utilizará los anglicismos como el simple técnico. Estos expertos en electrónica, si son españoles, españolizarán el neologismo, colocándole afijos que le asimilen a su lengua sin perder la carga semántica del inglés.

Por tanto, el empleo del anglicismo —de esas formas puramente extrañas y nuevas— habría que circunscribirlo a las expresiones que carecen de equivalente en nuestra lengua. En este caso, su empleo es obligado, siguiendo el principio de la economía lingüística, pero si puede hallarse una forma que lo defina en la propia lengua, sería más productivo traducirlo, pues esto serviría para enriquecerla.

---

[93] OZORES, V. (1984): «Anglicismo y electrónica. Una situación paradójica del intérprete de conferencia», en *Cuadernos de traducción e interpretación*, núm. 4, págs. 91-5.

8.4.2. Los «Falsos Amigos»

Aunque el traductor no deba tener miedo a la traducción literal de las palabras que parecen significar lo mismo en la lengua término y en la final, si es necesario que conozca los «falsos amigos» que se producen, tanto dentro de una misma lengua (intralingüísticos) como entre dos o más lenguas (extralingüísticos), para tenerlos muy en cuenta a la hora de traducir.

Su origen es muy diverso. Puede deberse a cambios de sentido a través del tiempo, ya que el significado evoluciona y, con la misma base o etimología, las palabras acaban por significar cosas diferentes (*fairy,* hada, ha pasado a significar marica = gay), por la distancia entre zonas geográficas que posean la misma lengua, de modo que dentro de una misma época muchas expresiones adquieren significados diferentes, como ocurre entre el inglés británico y el americano (*pavement* significa acera en BE y calle en AE, y *biscuit* es galleta en BE y bizcocho en AE).

Los falsos amigos extralingüísticos son interferencias que contaminan el idioma, y que pueden dar lugar a traducciones totalmente erróneas:

- To *edit* a daily paper = *Dirigir / componer* un diario o periódico.
- He *edited* the data before the meeting = *Adaptó* los datos antes de la reunión.
- He *edited* Shakespeare's complete works = *Preparó* la edición (prólogo y notas).
- *Edited* by = *Edición* a cargo de
- This poem *transcends* all others in beauty = Este poema *supera* todos los otros en belleza.
- To do something with *vicious* intentions = Hacer algo con intenciones *perversas.*
- *Viciously* = con mala intención.
- The *topic* for discussion = El *tema* a discutir o a tratar.
- *Voluble* protests = *Vivas, insistentes* o *abundantes* protestas.
- He was very *voluble,* but now he has become almost inarticulate = Era muy *locuaz,* pero ahora es incapaz de expresarse.
- A happy *occurrence* = Un *acontecimiento* feliz.
- An unusual *occurrence* = Un *caso* poco frecuente.

— A *vulgar* expression = Una expresión *ordinaria*.

— *Vulgar* ostentation = Ostentación de *mal gusto*.

— I don't have the *nerve* to tell him what I think = No tengo el *valor* de decirle lo que pienso.

— Of all the *nerve!* = ¡Qué cara tan dura!

— Subject to change without *notice* = Sujeto a cambio sin previo *aviso*.

— To give *notice* = *Notificar* (en el trabajo)

— *Allow* me two days' notice = *Notifíquemelo* con dos días de antelación.

— A very *novel* style of dressing = Un estilo muy *original* de vestir.

— The row made him very *morose* = La disputa le puso de muy mal *humor* (o tristón).

— Getting up every day at the same time to go to work becomes very *mundane* = El levantarse todos los días a la misma hora para ir a trabajar se convierte en algo muy *rutinario*.

— The *mundane* problem of making ends meet = El *eterno* problema de llegar a fin de mes.

— Whar are you *miserable* about? = ¿Por qué estás tan *tristón*?

— A *miserable* life = Una vida *desgraciada*.

— A *miserable* show = Un espectáculo *penoso*.

— *Miserable* wages = Sueldos *míseros*.

— He is making his life a *misery* = Le está *amargando* la vida.

— After their father's death, they lived in *misery* = Después de la muerte de su padre, llevaron una vida de *sufrimiento*.

— He was despised for his *parsimony* = Se le despreciaba por su *tacañería*.

— He was rather *parsimonious* in the number or drinks he bought us = Fue bastante parco en el número de bebidas que nos compró.

— He is very *particular* about food = Es *delicado* (exigente) para la comida.

— I am not very *particular* = Me *da igual*.

— She is very *particular* about her housekeeping = Es muy *exigente* para el cuidado de su casa.

— *Peculiar* situation = Situación *especial* (rara, insólita, singular).

— *Peculiar* behaviour = Comportamiento *raro'*

— He *removed* his coffee from the table to the desk = *Trasladó* su café de la mesa al escritorio.

— I cannot *resist* ice creams = Me *encantan* los helados.

— The superpowers *resumed* the talks on disarmament = Las superpotencias *reanudaron* las conversaciones sobre desarme.

- He sat down and *resumed* reading where he left off = Se sentó y *continuó* leyendo donde lo dejó.

- It was a very *rich* meal = Fue una comida muy *abundante*.

- This food is very *rich* = Esta comida es muy *pesada*.

- I really do *sympathize* = Lo *siento* de verdad.

- How do you expect me to *sympathize?* = ¿Cómo quieres que me *compadezca*?

- To *sympathize* with a proposal/point o view = *Solidarizarse* (comprender, compartir, secundar, apoyar) con una propuesta/punto de vista.

- My *sympathies* are for the boy's mother = Lo *siento* por la madre del muchacho.

- *Sympathetic* smile/nature = Una sonrisa/naturaleza *comprensiva*.

- You have been very *sympathetic* to me = Has sido muy *benévolo* conmigo.

- *Sensible* clothes = Ropa *cómoda* (práctica).

- A *sensible* answer = Una respuesta *sensata* (razonable).

- *Suggestive* ideas = Ideas *sugerentes*.

- His name was *suggestive* of his Spanish origin = Su nombre *evocaba* (sugería, indicaba) su origen español.

- This is not *intended* for sale = No está *destinado* a la venta.

- I *intend* to do my best = *Pretendo* hacer lo que puedo.

- Ten years *intervened* = Transcurrieron diez años.

- *Intervening* years = Años que *mediaron* (intermedios).

- He *suffered* severe injuries during the war = Sufrió *graves* heridas durante la guerra.

- A *formal* dance/suit = Baile/traje *de etiqueta*.

- Don't be so *formal* = No te andes con *cumplidos*.

- A *formal* visit = Visita de *cumplido* (ceremoniosa, de protocolo).

Como puede apreciarse por los ejemplos anteriores, significantes similares de la lengua fuente y la lengua término tienen significaciones distintas, por lo que hay que elegir la expresión adecuada que defina la idea que requiere el mensaje.

8.5. CORRESPONDENCIAS ENTRE L² Y L¹

La ambigüedad de la lengua puede plantear serios problemas al traductor, tanto en la fase de comprensión o interpretación del texto original como en su versión a la lengua término o traducción. Los criterios que se vienen utilizando en la lingüística contrastiva parten del supuesto de que algunas expresiones pertenecientes a dos lenguas diferentes poseen un parecido valor posicional en sus respectivos sistemas lingüísticos, ocupándose principalmente de las clases de elementos de dos o más lenguas que se encuentran tanto en relación de semejanza como de diferencia.

8.5.1. GÉNERO Y NÚMERO GRAMATICALES

Podemos recordar algunos tipos de ambigüedad. En primer lugar, la que presenta el género en la lengua inglesa. Esta categoría del **género,** que tantas marcas produce en el texto, se supone que la domina el traductor, por los estudios realizados anteriormente. No obstante, puede encontrar algunas dificultades debido a que el inglés, al contrario del español, ha perdido casi totalmente el género gramatical, aunque utilice el género natural.

Esta ambigüedad que presenta el género en la lengua inglesa, debido a haber desaparecido en muchas categorías gramaticales —*my cousin, the friend, our cook,*—, no nos permite distinguir si se refiere al género masculino o al femenino, a no ser que lo aclare el contexto o lo haga explícito el uso del pronombre: *he/she, his/her.* En el caso de un niño muy pequeño no existe esta distinción, ya que para *baby* se utiliza el pronombre *it.*

En inglés existen otros recursos para designar el género, como puede ser el sufijo *-ess:* poet/poet*ess,* author/author*ess,* o explicitándolo con un calificativo: *bride*groom, *girl*friend. Y si se trata de animales a los que se profesa un afecto especial, como ocurre con los domésticos, se les puede designar con el género natural, utilizando *he* o *she* para nombrar al gato, al perro, etc., en vez de utilizar el pronombre neutro.

A pesar de que se utilice el **número** singular y el plural en las dos lenguas, no tienen una correspondencia exacta la lengua inglesa y la española. En el inglés, tanto el artículo como el adjetivo son invariables, por lo que carecen de la distinción de singular y plural: *the white* house / *the white* houses: excepto los adjetivos demostrativos: *this, that / these, those.*

Los plurales de los sustantivos ingleses pueden ser irregulares, por lo que el traductor tiene que dominarlos, para que pueda reconocerlos perfectamente a la hora de comprender el texto original: *knife = knives, ox = oxen, sheep = sheep, tooth = teeth, mouse = mice, stratum = strata, tableau = tableaux, staff = staves, stave = staves*, etc., o cuando utiliza otros recursos para designar el plural: *a piece of furniture* (un mueble) = *furniture* (muebles).

Hay otra serie de expresiones en que el inglés prefiere el plural y en español se utiliza el singular: *the colonial days = la época colonial, the stairs = la escalera, human beings are* inteligent = *el ser humano es* inteligente, the girls had wet *heads* = las niñas tenían *la cabeza* húmeda.

8.5.2. Persona, Tiempo, Modo y Voz Verbales

La segunda **persona** presenta ambigüedad en inglés, por ser invariable para el singular y para el plural, no haciéndose tampoco la diferencia de tratamiento entre *tú* y *usted*. Por ello el traductor tiene que entender ciertos matices del texto y extraer toda la información que figure en el contexto o la situación para solucionar cualquier problema que pueda surgir.

En inglés hay obligatoriedad de expresar el sujeto pronominal, al contrario del español, que se emplea tan sólo para dar énfasis y para evitar alguna ambigüedad. En caso contrario, muestra la influencia de uso en la lengua inglesa.

Los **tiempos** verbales no se corresponden exactamente en las dos lenguas. La principal diferencia es el uso extensivo que hace el inglés de la forma progresiva, aplicable a todos sus tiempos, mientras que en el español es más restringido:

– Para acciones que tienen lugar en el momento actual:
  He *is wearing* a coat = lleva abrigo.

– Para expresar planes que tendrán lugar brevemente:
  She *is going* to see a good movie tomorrow = Mañana *va* a ver una buena película.

El pasado simple inglés puede traducirse: 1) por el indefinido, 2) por el imperfecto y 3) por el pretérito perfecto, por lo que puede plantear problemas a la hora de traducir:

1) Cuando va acompañado de una fecha exacta:

I *went* to Finland two years ago = *Fui* a Finlandia hace dos años.

Con valor afectivo:

My father *died* two months ago = Mi padre *murió / ha muerto* hace dos meses.

Con valor de futuro:

He *stated that he will come* tomorrow = Me *aseguró que venía* mañana.

2) Sin expresión temporal:

She *sang* all her favourite songs = *Cantaba* todas sus canciones favoritas.

Cuando el inglés usa el pasado simple continuo:

While he *was swimming* his sister arrived = Mientras *estaba nadando / nadaba* llegó su hermana.

Cuando se trata de una acción durativa:

He *enjoyed listening* to music = *Disfrutaba oyendo* música.

Cuando se quiere expresar cortesía:

I *wanted* to speak to you = *Quería* hablar con usted.

3) Cuando la unidad de tiempo expresada no ha terminado todavía:

We *enjoyed* the show today = Hoy nos *ha gustado* el espectáculo.

Algunos verbos modales ingleses se traducen por el futuro español:

1) Probabilidad:

He *must* weigh about 60 kilos = *Pesará* unos 60 kilos.

2) Sorpresa:

Could it be possible! = ¡*Será* posible!

Por lo que respecta a las formas *-ing* del inglés, Fente Gómez (1971:99-112) las divide en dos grupos generales: gerundio y participio.

Al gerundio lo encuadra en cuatro categorías generales:

1) Como sujeto de la oración: *Reading* is fun.

2) Después de preposición: He insisted on *coming.*

3) Después de verbos preposicionales: I don't care for *smoking.* I'm looking forward to *seeing* you.

4) En sustantivos compuestos: a *diving*-board.

La correspondencia en español sería el infinitivo, excepto en la 4), donde es necesario reemplazar toda la expresión por un sustantivo: *trampolín*.

Otra característica del gerundio inglés, sin correspondencia en español es la posibilidad de adquirir valor pasivo después de los verbos *to bear, to need, to stand, to take* y *to want:* This work needs *doing* = hace falta *hacer* este trabajo: I can't stand *seeing* him = no puedo soportar *verle*.

El participio de presente puede clasificarse en:

1) Función adjetival: *Running* water = agua *corriente*.
   Estos adjetivos se pueden utilizar tanto en función atributiva como predicativa: the story was *exciting* = la historia era *emocionante*.

2) Tiempos continuos del verbo: He is *working* = *trabaja* / está *trabajando*.

3) Después de verbos de sensación: I saw her *kissing* him = la vi *besándole*.

4) Cuando dos acciones ocurren simultáneamente, el segundo verbo puede ponerse en participio: He went away *singing* = se marchó *cantando*.

5) Cuando la acción es seguida por otra inmediata en tiempo: *opening* the door, he said hello to me = *al abrir* la puerta, me saludó.

6) Cuando la segunda acción forma parte de la primera, o es resultado de ésta: she went away, *slamming* the door = salió *dando un portazo*.

7) El participio de presente también puede reemplazar la fórmula *«as/since/because + sujeto + verbo»*, en función adverbial: as *(being)* a student, he could visit the museums free = *siendo/como era* estudiante, podía visitar gratis los museos.

Los modos verbales no se corresponden entre la lengua inglesa y la española, puesto que en inglés suele coincidir el subjuntivo con el indicativo, excepto en algunos casos del presente de subjuntivo del verbo *to be:*

— She wants to have everything ready before her husband *arrives* = quiere tener todo preparado antes de que *llegue* su marido.

– What a pity our son is not here! = ¡qué pena que nuestro hijo no *esté* aquí!

– If I *were*/was rich... = Si yo *fuera* rico...

Para expresar la modalidad —la actitud del sujeto hablante—, cada lengua utiliza sus propios elementos léxicos:

Posibilidad: he *can*/*may* come = *puede que* venga / *puede* venir / *es posible que* venga.

Con los verbos de percepción, no solemos traducir el modal inglés: I *can* feel the wind on my face = siento el viento en la cara, she *couldn't* hear very well = no oía bien.

Obligación: I *must* / *have to* leave at six = *debo* / *tengo que* irme a las seis.

You *ought to* / *should* take care of her = *deberías* tener cuidado de ella.

Permiso: You *may* come in = puede pasar.

La voz pasiva se utiliza mucho más en inglés que en español, que limita su uso exclusivamente a cuando quiere producir un efecto especial de claridad o énfasis. Las tres posibilidades más usuales de traducir la voz pasiva inglesa pueden ser:

1) Por la voz activa impersonal:
   My bag *was stolen* = me han robado el bolso.

2) Por la forma pasiva refleja:
   Beer *is* usually *drunk* cold = la cerveza normalmente *se bebe* fría.

3) Se deja en la forma pasiva:
   The driver *was arrested* = el conductor *fue arrestado*.

TERCERA PARTE

APLICACIONES

Capítulo IX

Comentarios lingüísticos sobre la traducción

9. EQUIVALENCIA DE LAS FORMAS *-ING*

La complejidad sintáctica que presentan las formas *-ing* procede de la sencillez léxica y morfológica que caracteriza la lengua inglesa. Sabido es que a una mayor sencillez léxica corresponde una dificultad sintáctica más acusada, en la mayoría de los casos. De ahí su gran diferencia con el español.

Al comparar las formas *-ing* inglesas con el gerundio español, surge el problema de la variedad de usos generales que existen en inglés, gran parte de los cuales no tienen correspondencia en español. La forma *-ing* del inglés, como hemos indicado, manifiesta en la mayoría de los casos la tendencia creadora de este idioma, que admite muy diversas funciones: sustantivo, gerundio, adjetivo, participio de presente, etc.

El gerundio español es de uso bastante más restringido y una de las formas no personales más controvertidas por los lingüistas y sobre las que hay mayor desacuerdo. Podría afirmarse que es un problema de carácter estilístico que a veces está relacionado con las reglas gramaticales. Por tanto, el uso correcto y oportuno del gerundio es una de las dificultades tradicionales del español, con la que luchan nuestros escritores y traductores, tanto clásicos como modernos. Unos huyen sistemáticamente de usarlo y lo sustituyen por fórmulas más o menos equivalentes, y otros, por el contrario, hacen de él un uso excesivo, atribuyéndole una amplitud de significados que no le corresponde. Esa amplitud y vacilación, que inevitablemente se experimenta al utilizar el gerundio español, revelan la existencia de un problema no resuelto todavía por los lingüistas. Esta dificultad se manifiesta principalmente en algunas regiones de Hispanoamérica, donde el uso del gerundio, ya sea por influjo del francés o de las lenguas indígenas primitivas, ha alcanzado una frecuencia exagerada. Construcciones como *ir yendo, estar siendo, yo esperándole,* etc., son inaceptables en el habla peninsular. El origen de estas dificultades en la interpretación del gerundio hay que buscarlo en su distinto valor en el español, en la forma *-ing* del inglés y en las originarias formas latinas. Por otro lado, también es causa de muchas ambigüedades la gran influencia moderna del inglés en nuestro idioma.

Aunque se engloben el gerundio y el participio dentro de las formas *-ing,* hay una diferencia entre ambos: el gerundio funciona como sustantivo y puede estar modificado por un adjetivo, y el participio puede funcionar como verbo, adjetivo o adverbio.

A)   El gerundio puede dividirse en tres categorías generales:

1.ª, sustantivo. En este caso, la traducción no suele cambiar de estructura, pues se convierte en otro sustantivo español. Puede funcionar:

    – Como *sujeto* de la oración:
    Such *taking* to pieces was superfluous.
    Tal *valoración* era superflua.

    – Como *complemento directo:*
    He has a *feeling* about it.
    Tiene una *intuición* de ello.
    The spectator...might have read *meanings.*
    El espectador...hubiera sacado sus propias *conclusiones.*

    – Como *complemento indirecto:*
    He could thus give his own time to the *gardening* in question.
    Por tanto ahora podía dedicar todo su tiempo a la labor de *jardinería* antes referida.

2.ª, después de *preposición.* Aquí el gerundio inglés puede traducirse por:

    – *Infinitivo:*
    ...yet with the effect, too, of *making* him glad.
    ...pero produjo asimismo el efecto de *agradar* al Príncipe.
    ...that of *playing* with the disparity.
    ...consistente en *contrastar* la disparidad.
    ...but he had always his resource at hand of *turning* all to the easy.
    ...pero siempre tenía al alcance de la mano el recurso de *quitar* importancia a todo.

...prepared for not *finding* Mrs A. alone.
...preparada para no *encontrar* sola a la señora A.

- Puede tener también carácter *pasivo:*
  ...a mistake worth *making.*
  ...un error digno de *ser cometido.*
  ...of which I began by *recording.*
  ...que *he hecho constar* al principio.

- *Gerundio:*
  ...*knowing* that the Prince was also there.
  ...*sabiendo* que el Príncipe estaba allí.

- *Pretérito perfecto:*
  To the extent of not *having* in the least looked for her.
  Debido únicamente a que no *la he buscado.*
  ...which I began by *speaking* of.
  ...de la que *he hablado* al principio.
  It was as if, in *calling*, he has done...
  Parecía que, con su *visita*, hubiera conseguido...

3.ª, *posesivo* + ing:

En este caso el gerundio inglés puede traducirse por:

- *Infinitivo*:
  ...your *handing* me over.
  ...*entregar*me usted a mí.
  ...your *handing* to her.
  ...*entregar*le a ella.

- Cláusula:
  ...I don't in the least mind its *having* to be shown me.
  En manera alguna me molesta *que me enseñen* las cosas.
  ...even at any risk of their *showing* me what I mayn't like.
  ...incluso a riesgo de *que me muestren* algo que quizá no me agrada
  ...a reason for her *running* to and fro
  ...una razón para *que vaya* de un lado a otro.

- *Sustantivo:*
  ...his evident *feeling.*
  ...su evidente *convencimiento.*
  ...his *warning.*
  ...su *advertencia.*
  Your *tossings* have finished.
  Sus/Tus *zozobras* han terminado.

B) El participio de presente, o el verbo en forma progresiva,
    puede convertirse en estructuras muy diversas en español:

- *Sustantivo:*
  If it wasn't for what's *going on.*

Si no fuera por el *ajetreo*.

– *Pasado:*
He had been nervous, though *trying* to disguise it.
Se había puesto nerviosa, pero *procuró* disimularlo.
...*resting* upon it...as proof enough.
...lo *utilizó* como prueba fehaciente.
...like a lamp she was *holding*.
...como una antorcha que ella *sostuviera*.
And then...*putting* her in possession of the latest news.
Y luego le *comunicó* las últimas noticias.

– *Condicional:*
I'm not...*going* to give you up for anybody.
Por nadie *renunciaría a usted*.

– *Infinitivo:*
They were reduced...to *looking* at each other.
...quedaron reducidos a *mirarse* el uno al otro.
...as if he were not *uttering* truths, but *making* pretty figures.
...como si él, en vez de *decir* verdades, le *ofreciera* bellas imágenes.
If you're afraid...are you *going* to make me the same?
Si usted tiene miedo...¿por qué ha de *intentar* que también lo tenga yo?

– *Presente simple:*
...he is *writing* to run his risk.
...*acepta* los riesgos consiguientes.
If that's what you're *thinking* of him.
Si esto es lo que *piensa* de él.

– *Frase verbal «ir + infinitivo»:*
I'm *starting* on the great voyage.
Voy a emprender un largo viaje.

– *Pasado*, cuando es un continuo en inglés:
He had been *pursuing*...
Había estado *empeñado* en una persecución.
I've been *engaging* their rooms at the hotel.
Ya he *reservado* sus habitaciones en el hotel.
She might quite have been *waiting* to see...
Quizá ella hubiera *esperado* el momento de saber...
Mrs. A. had been *speaking* of as subject of appreciation.
La señora A. había *considerado* daban lugar a opiniones contradictorias.

– *Gerundio:*
the natural fowl *running*.
el ave natural *correteando*.
I'm *eating* your father alive.
Estoy *comiéndome* vivo a tu padre.
He was *allying* himself to science.
Se estaba *aliando* con la ciencia.
You are *leaving* me.
Me está usted *abandonando*.
What on earth are you *talking* about?
¿Se puede saber de qué está *hablando*?

...*taking* everything into account and making no mistake.
...*considerando* todos los detalles, para no cometer un error.

- *Imperfecto*:
  ...*intimating* thus.
  ...con esto *insinuaba*.
  ...that he was *studying* American literature.
  ...que se *estudiaba* literatura norteamericana.
  ...her colour *rising*.
  ...y que *subiera* un tanto el color de su rostro.

El participio de presente puede aparecer también después de ciertos verbos de sensaciones, y en este caso la traducción más corriente es el infinitivo español:

> You enjoyed *assisting* at her risk.
> Usted gozó al *contribuir* a que corriera un riesgo.

C) *Cuando la forma -ing* funciona como *modificador,* en muchas ocasiones no es necesario cambiar la estructura, pues existe un equivalente en nuestra lengua.

...a more *convincing* image.
...una imagen más *convincente*.
...*charming*, like every answer.
...respuesta *afable* y *encantadora*, cual todas.

Ah, *darling*...I think...
Querida, a mi juicio...
...the *soothing* sound that was always with me.
...el *tranquilizante* sonido que siempre me acompañaba.

She had looked at him with eher *charming* eyes.
Ella le dirigió una *deliciosa* mirada.
...an extraordinary *charming* girl.
...una muchacha extraordinariamente *encantadora*.
...like a *dazzling* curtain of light.
...como una *deslumbrante* cortina de luz.
...*mocking* spirit.
...espíritu *burlón*.
...*lightening* elevator.
...*vertiginoso* ascensor.
...*boiling* water.
...agua *hirviendo*.
...the *arriving* gentlemen.
...los caballeros *recién llegados*.
...*misleading* things.
...elementos *equívocos*.

Otras veces la forma *-ing* como adjetivo se convierte en *complemento de nombre* en español:

English-*speaking* types.
Gentes *de habla* inglesa.

O también en *oración de relativo:*
...in *waiting* victorias.
...en los coches del tipo victoria *que esperaban* junto a la acera.
He witheld the tribute of attention from *passing* faces.
El príncipe dejó de rendir el título de su atención a las caras *que pasaban.*

D) Cuando la forma *-ing* funciona como adverbio, en las diferentes clases, la traducción suele necesitar una expresión que corresponda a esa función adverbial:

– *Concesiva:*
She felt quite little —*striking* out as he had done— he could have afforded that.
Se daba cuenta de lo poco que su marido —*a pesar de* sus altos méritos— hubiera podido conseguir.

– *Lugar:*
She appears to have arrived this noon *coming* from Southampton.
Me parece que ha llegado este mediodía *desde* Southampton.

– *Causal:*
Mrs Assingham, however, made no more of this, *having*...a scruple.
Sin embargo, la señora Assingham no prosiguió esta argumentación, *debido a* ciertos escrúpulos.
A beautiful personal presence...*lighting* up brave architecture and *diffusing* a sense of function.
Una hermosa presencia personal...*dada* su deslumbrante arquitectura y el sentido de su función.

– *Temporal:*
Meeting him during a winter in Rome, *meeting* him afterwards in Paris and «*liking*» him.
Al tratar al príncipe durante un invierno en Roma, *encontrar*le después en París y *gustarle* el príncipe.

– *Final:*
...*seeking* a name for it.
...*para darle* una denominación.

– *Condicional:*
...morally *speaking.*
...*desde el punto de vista* moral.

– También suele utilizarse en muchos casos el gerundio español:
...still *looking* at her, still *adjusting* his manner.
...*esforzándose* por conservar el aplomo.
...*finding* a good omen in both of the facts.
...*estimando* que ambos hechos eran de buen augurio.
...*including* Mrs Assingham herself, had resemblances.
...*incluyendo* a la señora Assingham, guardaba cierto parecido.

CAPÍTULO X

Análisis de elementos léxicos

En la primera etapa de la traducción —lectura profunda y comprensión del mensaje del escritor—, nos encontramos con ciertas expresiones que ofrecen dudas por su difícil interpretación. Si queremos desentrañar su significado exacto, en primer lugar puede analizarse la etimología de las palabras, cuando ésta afecte a su significado actual; a continuación hay que buscar la referencia primaria del signo en términos de sus semas conceptuales básicos, y por último comprobar el sentido específico que tiene en el texto elegido, en el que inciden los siguientes factores:

1.º   el contexto situacional o temático;

2.º   el contexto lingüístico, o su colocación con otras palabras del texto;

3.º   el posible significado metafórico o metonímico;

4.º   las connotaciones valorativas, afectivas, asociativas, sociales o fono-estéticas;

5.º   las relaciones semánticas con otros miembros del mismo paradigma léxico: sinónimos, hipónimos, antónimos, complementarios, escalas o series, destacando su significado distintivo.

En la segunda fase, traducción, hay que tratar de hallar las posibles correspondencias de la expresión, teniendo en cuenta que la unidad de traducción es casi siempre mayor que la palabra individual, de modo que ésta no puede interpretarse ni traducirse independientemente de las demás.

A continuación, hay que comparar las versiones alternativas unas con otras, analizando sus afinidades y sus diferencias semánticas y aplicando en el análisis los mismos criterios que en la interpretación del original, para elegir la traducción que parezca más idónea.

El último paso es comprobar si ha habido alguna transposición léxico-gramatical o modulación semántica (expresión del mismo significado referencial desde otro punto de vista), y cuál es la naturaleza de ese cambio.

Este tipo de análisis puede hacerse tanto en la lengua original como en la término. No obstante, por tratarse de un aspecto de la actividad traductora que se dirige principalmente a la comprensión de elementos léxicos de difícil interpretación —para el que se utilizan diccionarios monolíngües— suele realizarse en la misma lengua del original. Por este motivo, y a fin de ofrecer a nuestros alumnos de enseñanza a distancia una variedad lo más amplia posible de aplicaciones prácticas que les ayuden a salvar sus dificultades, no seguiremos la misma línea del texto y desarrollaremos el comentario totalmente en lengua inglesa:

Text

> But Isabel was not alarmed, for she had never supposed that as one saw more of the world the sentiment of respect became the most active of one's emotions. It was excited, none the less, by the beautiful promise; and if her unassisted perception had not been able **to gauge** its charms she had clever companions as priests to the mystery. She recalled the right-hand corner of the large Perugino and the position of the hands of the Saint Elizabeth in the picture next to it. She had her opinions as to the character of the many famous works of art, differing often from Ralph with great **sharpness** and defending her interpretations with as much ingenuity as good-humour.
>
> Isabel listened to the discussions taking place between the two with a sense that she might **derive** much benefit from them and that they were among the advantages she couldn't have enjoyed for instance in Albany.
>
> In the clear May mornings before the **formal** breakfast —this repast at Mrs Touchett's was served at twelve o'clock— she **wandered** with her cousin through the narrow and sombre Florentine streets, resting a while in the thicker **dusk** of some historic church or the vaulted chambers of some dispeopled convent. She went to the galleries and palaces; she looked at the pictures and statues that had hitherto been great names to her, and exchanged for a knowledge which was sometimes a limitation, a presentiment which proved usually to have been a **blank**. She performed all those acts of mental prostration in which, on a first visit to Italy, youth and enthusiasm so freely **indulge**; she felt her heart beat in the presence of immortal genius and knew

*the sweetness of rising tears in eyes to which **faded** fresco and darkened marble grew dim. But the return, every day, was even pleasanter than the going forth; the return into the wide, monumental court of the great house in which Mrs Touchett, many years before, had established herself, and into the high, cool rooms where the carven rafters and pompous frescoes of the sixteenth century looked down on the familiar commodities of the age of advertisement.*

*Mrs Touchett inhabited an historic building in a narrow street whose very name recalled the **strife** of mediaeval factions; and found compensation for the darkness of her frontage in the modicity of her rent and the brightness of a garden where nature itself looked as archaic as the rugged architecture of the palace and which cleared and scented the rooms in regular use. To live in such a palace was, for Isabel, to hold to her ear all day a shell of the sea of the past. This vague eternal rumour kept her imagination awake.*

(From *The Portrait of a Lady*, by Henry James, 1881. The World's Classics, Oxford University Press, 1981, pp. 264-266).

1. TO GAUGE

This verb derives from the noun *gauge* (<ONF *gauger* = standard measure to which things must conform). Its conceptual meaning has concrete or abstract reference: to measure exactly (determine precisely the size of a standardized part, amount of rainfall, dimensions or other measurable value such as intensity or velocity), to measure broadly (to estimate some quantity by practical or logical means), to determine the capacity or amount of contents of vessels, etc., to measure the capacity, character, or ability (gauging the probable response of the electorate by sampling techniques; I would not gauge the future of what I know of the past; how would you gauge her conduct?).

This conceptual meaning has adquired the additional semes of *to check or limit* (he gauged each part of the model with calipers), and *to measure off or set out* (he gauged the line for the foundation).

In collocation with *charms,* in the text, the referent is *the city of Florence,* which is *beautiful* and *pleased her not less than Madame Merle had promised.* Thus, the word is clearly used in an abstract sense and identifies easily with the other members of its lexical set: *measure, estimate, appraise, probe, test. Gauge* and *measure* may both suggest an actual physical tool to determine the dimensions or attributes of a product; an anemometer or other measure of wind velocity. They suggest an objective assessment of attributes. In more metaphorical uses, *measure* is the less formal of the two: agricultural production is gauged as the economy's effectiveness; a system of trust that will measure the pupils' ability to act responsibly. *Test* enphasizes the act of evaluation. The previous words suggest that means for evaluation and for assessment exist, without necessarily implying that they will be used. *Test* strongly implies an actual application of these means: test the soldier's bravery in the combat. *Probe* suggests a deliberate, cautious, or exploratory attempt to penetrate something: two men were sent to probe the tunnels for possible survivors. Their antonym, *guess,* is more likely to suggest a completely arbitrary notion or a lack of information or authority: to do something at random.

The Spanish words equivalent to both conceptual and extended meanings are: *apreciar, estimar, valorar y calibrar. Apreciar* means to observe with the senses and the intelligence. *Estimar* implies to have a certain opinion about something. *valorar* has the meaning of determining the value of somebody or something, and without an adverb, it implies to give a considerable value to something. None of them include the seme of measure, except *calibrar,* to measure the importance of something; but for such an abstract collocate as the abstract charms of a city, the closest term is *valorar.*

Translation: Pero Isabel no se alarmó, porque nunca había supuesto que, a medida que se conocía más el mundo, el sentimiento de respeto hacíase la más activa de nuestras emociones. Sin embargo, ese sentimiento se vio excitado por la hermosa ciudad de Florencia, que le agradó tanto como la señora Merle habíale prometido; y si su percepción aislada no tenía capacidad para *valorar* sus encantos, tenía inteligentes compañeros que hacían de sacerdotes del misterio.

2. SHARPNESS

Etymologically a Teutonic word. The suffix *-ness* indicates *the quality or state of being sharp. Sharp* has the conceptual meaning of having a thin keen edge as to facilitate cutting (an axe with a sharp edge), tapering to a fine point as to facilitate piercing (a pin with a sharp point), composed of hard angular particles (sharp sand), beset with prickles (sharp branches and thorns), briskly or bitingly cold (sharp frosts).

The word is used, by extension, in expressions which contain those semes: sharp-freeze (quick freeze), sharp-heeled (having a sharp or pointed heel: armed with spurs), sharpiron (a tool for opening seams) sharpie (a long rather narrow shallow-draft boat), sharpite (a mineral), etc., and in common, everyday expresions with concrete or abstract reference: sharp-eyed or sharp-sighted (having keen sight: keen in observing), sharp-fanged (having sharp teeth: biting, sarcastic), sharp-nosed (having a pointed nose: keen to scent), sharp-set (set at a sharp angle: to present a sharp edge, eager in appetite), sharp-tongued (harsh or bitter of speech), etc.

A very common use of the word extends to the abstract reference of *keen in intellect* (sharp-witted), *keen in perception* (a sharp ear), *keen in attention* (vigilant), *keen in spirit or action* (a sharp run, sharp blows, a sharp military engagement), severe or inclined to irritability (a sharp temper, sharp words), affecting the sense-organs intensely (sharp cheese, a sharp odour, a sharp whistle, a sharp flesh).

In the text, the word is collocated with *opinions* about *works of art* (abstract reference), *differing from* (capable of reacting to), and the intensifier *great*. Thus, the word could mean *violence, impetuosity,* but since at the end of the sentence it includes the qualifiers *with ingenuity, good-humour,* the semes of *keen in intellect, perception, attention, spirit* or *action* are more appropriate, in contrast with *bland, languid, slow, stupid.* The other members of its lexical set are: *keen, acute, astute;* all these words refer to unusual mental agility or perceptiveness. *Keen* suggests booth these attributes, adding to them a vigorous and forceful ability to grapple with complex or obscure problems (a keen mind for fine distinctions), or the ability to observe details and see them as part of a larger pattern (a keen understanding of the problems). *Acute* suggests a finely tuned sensitivity or receptivity, and implies a state of nervous attention that is not sustainable for long (an acute alertness). *Astute* suggest a thorough and profound understanding that stems from a scholarly or experienced mind that is in full command of a given field (an astute evaluation of the plans for reorganizing the department). *Sharp* suggests a mind that is generally well-endowed but that is not necessarily well-grounded in a given field. Its very informality suggests the practical cleverness inherent in *shrewd,* but without that word's suggestion of self-interest.

The Spanish words equivalent to both conceptual and extended meaning are: *vivacidad, sagacidad* and *agudeza. Vivacidad* is inappropriate because it only contains the seme of *keen in action; sagacidad* does not contain this seme, although it is more similar to *agudeza,* which is the closest equivalent, since it derives from L. *acutus,* with all the concrete and abstract meanings of *sharp.*

Translation: Se acordaba del ángulo derecho del amplio Perugino y de la postura de las manos de Santa Isabel en el cuadro que había al lado de aquél. Tenía sus opiniones sobre el carácter de muchas obras famosas de arte, y discutía frecuentemente con Ralph con gran *agudeza* defendiendo sus interpretaciones con tanta ingeniosidad como buen humor.

3. DERIVES

Etymologically a Latin word, from *derivare (de + rivare >* rivus, stream), with the conceptual meaning of *to divert* (as water) *into a different channel*, fig. *to come or receive* (as from a source).

The word is used, by extension, as adjective, in several expressions such as *derived curve* (graph of the derivative of a function of one variable whose graph is the given curve: first derived curve), *derived function* (the derivative of a given function: first derived function).

A very common use of the word extends to abstract reference: to take or receive especially from a source (an English loanword derived from German), to obtain or gain through heredity or by transmission from environment or circumstance (he derives his enthusiasm for the theatre from his father), to acquire, get or draw something pleasant or beneficial (the satisfaction derived from a sense of sharing in creative activities), adapt (a movie derived from a novel), to obtain a substance actually or theoretically from a parent substance, to gather or arrive at a conclusion by reasoning and observation, to trace the origin, descent, or derivation of (we can derive some English words from French), to be descended or formed from (all were probably derived from the same ancestral stock).

In the text the word is collocated with the direct object *benefit*, meaning that Isabel derives a benefit from Madame Merle and Ralph's discussions by listening to them, which requires the more abstract interpretation of *to acquire, get or draw* (as something pleasant or beneficial). The other members of its lexical set are *get, gain, obtain, procure,* and they refer to coming into possession of something. *Get* is the more general of these, with a wide range of uses that includes every situation. *Obtain* is more formal, but as a mere substitute for *get* often may sound high-flown or pretentious. It is more precisely used in formal context where the stress is on the seeking out of something. *Gain* goes beyond *obtain* to indicate greater effort in the seeking process, it can indicate forceful seizure, as in the military sense. The word can also suggest an increase in something already possessed. *Acquire* points to a process of possessing that is continuous and often slow; it can also suggest the effort or exposure required to gain less tangible things, as in the learning process. *Procure* implies manoeuvring to possess something, suggesting involved, contrived, or even shady dealing.

The Spanish words equivalent to both conceptual and extended meaning are *obtener, recibir, sacar*. *Obtener* is too formal, even though James's style is formal—in fact, pompously so; *recibir* does not contain the seme of *draw*, which suggests a more direct involvement or effort by the actor. The closest equivalent is *sacar* (to get or draw something beneficial).

Translation: Isabel escuchaba las discusiones que tenían lugar entre los dos con la sensación de que podía sacar un gran beneficio de ellas, ventajas de las que no habría podido disfrutar en Albany.

4. FORMAL

Etymologically a word from Latin origin: *formalis,* with the conceptual meaning of *belonging to* or *being the esential constitution of a thing* as distinguished from the matter composing it, and also *relating to, concerned with,* or *constituting the outward form, superficial qualities,* or *arrangement of something* as distinguished from its content.

The word is used, by extension, in expressions such as: *formal cause* (the structure, essence, or pattern that a fully realized thing embodies), *formal contract* (a contract under seal or by statute having that effect) *formal mode* (language that makes statements about linguistic signs without reference to their meaning or denotation), *formal proposition* (without specific content), *formal sociology* (the modes of recurrent social relationships), *formal subject* (grammatical subject), *formal truth* (the true elaboration of concepts, meanings, or implications that is relatively independent of external existence).

A very common use of the word extends to the abstract reference: according with established form, custom, or rule; not deviating from what is usual or generally acceptable (conventional, as in *Mrs Touchett paid formal attentions to her hosts*); done in due form: carried out with solemnity, ceremonial; based on form and rules, especially such as are accepted by convention: of or following a prescribed form (a formal exposition, a formal reception); characterized by punctillious respect for form: exact, methodical, orderly (a man very formal in all his dealings).

In the text, the word is collocated with the substantive *breakfast,* and gives the exact time at which this repast is served, *twelve o'clock.* Thus, its distinctive semes are *conventional, ceremonial,* and the other members of its lexical set are *accustomed, proper, customary, habitual. Proper* is a neutral term of description pertaining to corretness of behaviour; it is almost exclusively restricted to this sense (the proper way of addressing a duke or a duchess). *Proper* may also simply indicate what is appropriate or customary in a specific situation (the proper dress for mountain-climbing). *Formal,* on the other hand, can only refer to highly stylized situations: (the formal, white-tie dinner) (formal dress, for example, would not be *proper* at a dance party, whereas jeans and a sweater would be *proper* in this instance, though *formal* is not). *Ritual* describes stylized manners acoording to a set of rules. *Customary* is applied to something that characterizes a given community or person. *Habitual* refers to acts or qualities in individuals that have been stregthened by constantly repeated actions. *Accustomed* is often used suggesting fixed customs less strongly than *customary. Conventional* is the strongest of these words, suggesting the following of established custom or usage, and it emphasizes the general agreement accorded to it.

The Spanish words equivalent to both contextual and extended meaning are *habitual, ritual, formal. Habitual* is inappropriate because it only contains the seme of a repeated accustomed action. *Ritual* means cermonious, solemn act, but refers mainly to religious services. The closest equivalent is *formal,* because this word contains all the semes of conventional, ceremonial and also customary.

Translation: En las claras mañanas de mayo, antes del desayuno *formal* —en la casa de la señora Touchett se servía a las doce en punto—.

5. WANDERED

Etymologically a Teutonic word meaning *to move about without a fixed course, aim or goal* (wandering about the world), or *to go idle about for pleasure or relaxation* (a crowd wandering on a village green).

The word is used, by extention, in expressions containing these semes, such as *wandering jew* (legendary figure condemned to wander the earth until the second coming of Christ), *wandering spider* (a spider that wanders about in search of its prey rather than trapping it with a fixed web), *wandering star* (any of the seven planets of ancient astronomy, *wander-lust* (strong or unconquerable longing for or impulse toward wandering or travelling), *wandering termite* (any of various termites that forage in the open and do not like the majority to remain in the shelter of their nests and galleries).

A rather commoun use of the word extends to the abstract reference: to depart from normal mental status, lose touch with everyday rational conduct, become harmlessly irrational (old men with wandering minds).

In the text, the word is collocated with *through the narrow and Florentine streets;* thus, it refers to wandering physically without a fixed course; the semes *for pleasure* and *relaxation* are contained since it is also collocated with *resting a while* and *with her cousin.* That is to say, Isabel moves about idly, for pleasure and relaxation without a fixed course. The other words in its semantic field, *meander, roam, range, rove* and *stray* all refer to motion or travel that is slow, aimless, pointless or without purpose or goal, but they differ from *wander* in that *meander* suggests an amused tone; *roam* and *range* suggest a more serious purpose; *rove* and *stray* suggest negative aspects of idle movement. Its antonyms are *remain, rest,* and *settle.* The most general and neutral in the semantic set is *walk,* encompassing all manner of moving on foot short of running or leaping.

The Spanish equivalents to both contextual and extended meanings are *deambulaba, vagaba, erraba, paseaba.* All of them contain the semes of the English word *wandered,* but the most appropriate for James's language is *paseaba,* since it does not have the pejorative connotations inherent in *deambulaba, vagaba* y *erraba.*

Translation: (Isabel) *paseaba* con su primo por las estrechas y sombrías calles florentinas, descansando un rato...

6. DUSK

Etymologically a Teutonic word meaning *darkness* or *semidarkness* caused by the shutting out of light; the darker part of twilight or of dawn (the cool dusk of ancient tombs), (the dusk of the great forest).

This conceptual meaning has acquired the additional semes of *darkish in colour* (ivory skin framed in the silken dusk or her dresses), a variable colour averaging a bluish grey that is darker than it (dusk blue).

The work is used, by extension, in expressions containing these semes: *dusky-footed* (an Australian water rat), *dusky grouse (a large grouse of the mountains of the western U.S.) dusky salamander* (a dark colour phase of the red-backed salamander) *dusky shark* (a shark similar to the cub shark but darker), *dusky wing* (any of the numerous skipper butterflies having dark wings with inconspicuous patterns).

In the text the word is collocated with the intensifier *thicker,* and adding «of some historic church or the vaulted chambers of some displeopled convent». Thus, here *dusk* refers to the darkness or semi-darkness caused by the shutting out of light. The other words in the paradigm are *gloom, dark, sombre, obscurity. Gloom* is the most general and in reference to places it can suggest poor lighting, but, now, it suggests more often darkness (These gloomy, narrow rooms without a stick of furniture anywhere). *Sombre* describes dimly lit surroundings (a clouded moon that made the path sombre and forbidding). *Dark* suggests a literal dimness (the dark house).

The Spanish equivalents to both conceptual and contextual meaning are *obscuridad* y *penumbra. Obscuridad* means darkness, obscurity, gloom; it is the modal member of the paradigm, whereas James always seems to avoid modal terms deliberately —for stylistic purposes—. *Penumbra* collocates perfectly with the rest of the sentence; it means half-light, semi-darkness and is used mainly for the interior of a house, or for the shadow of trees.

Translatión: ...descansando un rato en la espesa *penumbra* de alguna iglesia histórica o en las cámaras abovedadas de algún convento vacío.

7. BLANK

Etymologically from French *blanc,* meaning *an empty place or space* (my mind became a blank when I heard the question); an empty interval, a period devoid of consciousness, interest, action, or result (a long blank in American history), (they say I talked rationally enough but for me the time after the accident was a total blank); an empty space on a paper or in any written or printed instrument (leave a blank for his signature).

This conceptual meaning has acquired the additional semes of *something useless, valueless* or *undesirable* (a lottery ticket that does not win a prize); something aimed at (the bull's eye of a target); something in an unfinished or incomplete state that is designed for further working or manipulation (a piece of material prepared to be made into something by a further operation).

The word is used, by extension, in the following expressions: *blankbook* (a book of mostly blank pages or of printed forms); *blank cartridge* (a cartridge having instead of a proyectile a wadding sealed in the mouth of the case); *blank charter* (a charter given to a crown agent in Richard II's time with liberty to fill it out as he pleased); *blank check* (a check signed by the maker but with the amount left to the discretion of the recipient); *blank determination* (a determination in analytical chemistry with the omission of the substance); *blank endorsement* (omitting the name of the person).

In the text, the word is collocated with *knowledge* and *limitation*. Thus, it requires an abstract reference. This is one of James's typical obscure sentences and refers to what Isabel Archer acquires now in her visit to Italy: a new kind of knowledge that usually had been a blank, meaning some concept or idea in an unfinished or incomplete state.

The other words in its semantic field are *vacant, bereft, devoid, empty, free, open, unfilled, unoccupied*. All of them refer to conditions characterized by the absence of something. *Vacant* and *empty* are the most general, the first is usually restricted to the absence of people occupying a place, whereas the second has a more general range of application, and may refer to anything that does not have the usual or proper contents. *Unfilled* and *open* refer to the absence of a person from some specific position, and *unoccupied* addsthe seme of a possible transitory situation.

The Spanish words equivalent to both conceptual and extended meanings are *vacío, hueco, en blanco, laguna*. *Hueco* is inappropriate since it is used mainly for concrete references. *Laguna* is inappropriate, too, because it applies usually to some omission in writing an expression. *En blanco* means ignorant of something in a general sense. It is a close synonym of *vacío,* the closest equivalent, because having the semes of *en blanco* means ignorant of something in a general sense. It is a close synonym of *vacío,* the closest equivalent, because having the semes of en blanco, adds the seme of empy, contained in Latin *vacuus* and absence of something.

Translation: Visitó las galerías y los palacios; contempló los cuadros y las estatuas que habían sido hasta entonces para ella grandes nombres, y cambió por un conocimiento que era en ocasiones una limitación, un presentimiento que, en general, demostraba haber sido *un vacío.*

8. INDULGE

Etymologically from the Latin *indulgere,* to grant as a favor, be courteous, be kind, probably akin to OE *tulger* firmly, well; OS *tulgo* very; Gothic *tulgus* firm, enduring. The conceptual meaning is *to give free reign to* (indulging idle conjectures as to what might be the news), (he likes to endure a taste for difficulties); take unrestrained pleasure in, yield to, gratify (endure a taste for exotic dishes); to allow oneself unrestrained pleasure or freedom (he indulges himself in the delights of leisure), (indulge oneself in eating and drinking); to yield to the desire of or be forbearing in respect to favor or kindness under circumstances where one would not usually yield (gratify by unusual compliance: indulge a convalescing child in whatever he wishes to eat).

Many words have derived from *indulge,* containing similar semes: indulgences (remission of temporal punishment according to Roman Catholicism by grant); indulgent (benignly tolerant); indult (grant, privilege).

In collocation with *youth* and *enthusiasm,* in the text, it means primarily to yield, to allow oneself unrestrained pleasure or freedom and to give free reign to. In this sense, indulge identifies easily with the other members of its lexical set: give free course to, entertain, to gratify one's taste or desire, to take one's pleasure freely. *To gratify* means to make grateful or pleasant; it is a positive act of choice. *To indulge* is a negative act of the will, a yielding of the mind to circumstances. One gratifies his desire or appetites and indulges his humours; or indulges in pleasures. By the former, one seeks to get the pleasure which the desire promises; by the latter, one yields to the influences which humour or passion exercise. *Gratifying* as a habit becomes a vice, and *indulging* as a habit is weakness. In this sense of the words, gratification is mostly applied to mental objects, as to gratify one's curiosity, *indulgence,* to matters of sense or partial feeling, as to indulge one's palate. A person who is in search of pleasure gratifies his desires as they rise: he lives for gratification, and depends upon it for his happiness; he who has higher objects in view than momentary gratification will be careful not to indulge himself too much in such things as will mean for him his purpose.

The Spanish words equivalent both to conceptual and extended meanings are *abandonarse, entregarse, ceder, consentir. Ceder y consentir* mean do not oppose or permit something to be done. *Abandonarse* means to yield to a vice. Thus, none of these words are appropriate to translate *indulge* in this precise context. The closest word is *entregarse*, in the sense that youth and enthusiasm so freely yield to, or gratify all those acts of mental prostration.

Translation: Ella realizó todos los actos de sumisión mental a que, durante la primera visita a Italia, la juventud y el entusiasmo *se entregan* tan libremente; sintió latir su corazón en presencia del genio inmortal, y conoció la dulzura de las lágrimas que subían a los ojos, para los que el fresco desvaído y el mármol oscurecido se volvían confusos.

Pero todos los días, el regreso resultaba aún más agradable que la salida; el regreso al amplio y monumental patio de la gran casa en que la señora Touchett se había establecido muchos años antes y a las habitaciones, altas y frescas, en que las vigas grabadas y los pomposos frescos del siglo XVI miraban desde su altura a las comodidades familiares de la época de la publicidad.

9. FADED

ME *faden,* this word derives from MF fader, Latin origin. Its conceptual meaning is *to lose freshness, vigor, vitality or health: languish* (the old flowers in the vase were fading); to undergo loss of the appeal or attractiveness of the young or new (Mexican wives are expected to do all the domestic work, and fade early); to lose freshness of colour: become dingy (there were vivid paintings on the entrance wall since they have not entirely faded), (there was a little mill village with faded wooden houses); to recede into indistinctness and lack of clarity of outline and detail: blur (now fades the glimmering landscape on the sight), (we stood out to sea till the coastline itself began to fade); to disappear slowly and die out in effect, pass gradually from clear consideration.

This conceptual meaning has acquired abstract reference: *to pass gradually from a certain stage, condition, or situation* (murmuring to herself and visibly fading back into the mist in which he lived), (that nationalism might gradually fade into a universal humanism), (his influence had faded away like snow before sun), (the gaiery faded her face).

In this text, in collocation with the substantive *fresco*, it is used in its conceptual meaning: to lose freshness of colour, and to recede into indistinctness and lack of clarity of outline and detail. Its synonyms are *vanish* (from L *evaneo* or *evanesco*, compounded of *e-*, and *vanescere*, to become empty, from, *vanus*, empty, to go out of sight); *disappear*, with the prefix *dis-*, contrary to *appear*. This word comprehends no particular mode of action, while *vanish* includes in it the idea of rapid motion. A thing *disappears* either gradually or suddenly but it *vanishes* suddenly.

The Spanish word equivalent to both conceptual and extended meanings are descoloridos, desdibujados, deslucidos, desvaídos. *Deslucidos* and *desvaídos* include the semes of-lack of-freshness of colour and also lack of clarity of-outline and detail, but are not so specific-for-a painting as the other two words: *desdibujados*, which lack the seme of colour, and *descoloridos,* the closest equivalent to faded when collocated with *frescos.*

Translation: Sintió latir su corazón en presencia del genio inmortal y notó la suavidad de las lágrimas que se le asomaban a los ojos turbios ante los frescos descoloridos y el mármol oscuro. Pero la vuelta, cada día que pasaba, era más agradable incluso que la marcha; la vuelta al patio amplio y monumental de la gran mansión en la que la señora Touchett había fijado su residencia hace muchos años, y a las frescas habitaciones en las que las vigas talladas y los pomposos frescos del siglo XVI miraban desdeñosamente los artículos de consumo familiares en la edad de la publicidad.

10. STRIFE

Etymologically from OF *strif*, to fight. Its conceptual meaning is *the state or condition of distrust or enmity: often bitter, sometimes violent conflict of dissension* (the grace of universal peace and the folly of human strife); an act of contention: fight, quarrel, struggle (some twenty of them fought in this black strife) (he has nominated for governor as a result of the factional strife within his party).

The word is used, by extension, in common everyday expressions with concrete or abstract reference: to cease from strife (deponer las armas), party strife (lucha de partidos), internal strife (disensión interna), or strife-torn.

Several words form its lexical set: battle, conflict, contest, struggle, contention, disagreement, quarrel, dispute, and discord. This latter (from L *dis*, apart, and *cord*, heart), means lack of harmony between two people, but now it is consciously used as a metaphor in which it derives its signification from the harshness produced in music by the clashing of two strings which do not suit with each other; whence, in the moral sense, the chords of the mind which come into an unsuitable collision produce a discord. *Strife* comes from the word *strive*, to denote the action of *striving*, that is, in any angry manner, where there is strife must be discord; but there may be discord without strife; discord consists mostly in the feeling; strife consists most in the outward action. Discord evinces itself in various ways: by looks, words, or actions; strife displays itself in words or acts of violence. Discord is fatal to the happiness of families; strife is the greatest enemy to peace between neighbours; discord arose between the goddesses on the apple being thrown into the assembly; Homer commences his poem with the strife that took place between Agamemnon and Achilles. Discord may arise from mere difference of opinion; strife is in general occasioned by some matter of personal interest; discord in the councils of a nation is the almost certain forerunner of its ruin; the common principles of politeness forbid strife among persons of good breeding.

In the text, the word is collocated with *mediaeval factions*, thus it has a concrete reference to the fights or quarrels that took place in mediaeval times.

The Spanish words equivalent both to conceptual and contextual meanings are: luchas, combates, peleas, disputas, contiendas, querellas, desavenencias. *Disputas, querellas* and *desavenencias* are not appropriate because they contain basically the semes of discord. *Peleas* and *contiendas* are inappropriate since they normally refer to very small groups of people. *Luchas* and *combates* are very similar, but the latter refers to organised military forces, not those mediaeval factions, for whose situation *luchas* is the closest equivalent.

Translation: La señora Touchett habitaba un edificio histórico de una calle estrecha, cuyo solo nombre recordaba las *luchas* de las facciones medievales, y encontraba compensación a la oscuridad de su fachada en lo módico de su renta y en lo brillante de un jardín en el que la Naturaleza misma parecía tan arcaica como la áspera arquitectura del palacio y que daba claridad y aroma a las habitaciones de uso normal. Vivir en un lugar así era para Isabel tener durante todo el día junto a la oreja una concha del mar del pasado. Ese rumor vago y eterno mantenía su imaginación despierta.

Capítulo XI

Crítica de traducción literaria

11.1. VALORACIÓN DE CORRESPONDENCIAS SEMÁNTICO-SINTÁCTICO-ESTILÍSTICAS

«The Turn of the Screw», de Henry James (1898)
(Madrid: Ed. Anaya, trad. R. Buckley, 1982)

«La otra vuelta de la tuerca» puede encuadrarse dentro de los cuentos fantásticos de James y no es lo maravilloso, sino el efecto sobre los personajes lo que interesa. Esta novela corta quizá sea la más popular dentro de la extensísima obra de este autor, debido a las controversias que ha suscitado por la ambigüedad con que está presentado el tema, principalmente por lo que se refiere a la credibilidad de la institutriz.

En la introducción alude a unos hechos extraños ocurridos que han dado lugar a la muerte de un niño en circunstancias poco comunes. Si creemos la narración de la protagonista, parece claro que sólo ella presencia las apariciones, sin dejar claro si los niños las «vieron». De todas formas, el relato de la institutriz recuerda el de una mujer acosada por alucinaciones descritas con tanta claridad que *parecen* verdaderas, no sólo para ella, sino también para el ama de llaves, el lector, y finalmente el pequeño Miles. Por consiguiente, es su desequilibrio lo que asusta a la niña y provoca su retirada.

Si se acepta la interpretación que da de la historia la institutriz, es clara la función que cumple la breve introducción: proveer de un marco realista a la obra, para estimular al lector a suponer que le están ofreciendo un testimonio documental *verdadero*.

> I got hold of Mrs Grose as soon after this as I could; and I can give no intelligible account of how I fought out the interval.

> Después de eso, en cuanto pude, acudí a la señora Grose; no puedo dar una idea inteligible de cómo pasé esas horas.

En este párrafo hay dos verbos que han perdido algunos de sus semas en la versión española. En *I got hold of* Mrs Grose = *acudí a* la señora Grose, *acudir* indica movimiento, pero no la idea de aferrarse a algo. En *I fought out* the interval = *pasé* esas horas, el verbo inglés no sólo indica pasar, sino que añade que pasó ese tiempo de una manera difícil.

Hay varias transformaciones sintácticas que quitan complejidad a la oración: se anticipan dos frases adverbiales de tiempo que en el original van entrelazadas y a continuación de la oración principal. La conjunción *y* se omite en la traducción, ya que no tiene función copulativa, sólo introductoria de una oración independiente.

También se producen dos cambios semánticos importantes *account* = *idea,* y *the interval* = *esas horas,* cuando fácilmente podría haberse dado una equivalencia adecuada: *relato* e *intervalo,* que en español lleva normalmente el complemento de nombre *de tiempo*.

> Yet I still hear myself cry as I fairly threw myself into her arms:

> Pero lo que sí puedo oír todavía es el grito que proferí al arrojarme en sus brazos;

Esta oración ha sufrido una transformación importante. El original tiene dos pronombres reflexivos, el segundo con valor enfático, y consta de una oración principal y una subordinada circunstancial de tiempo. La traducción tiene una oración copulativa con dos cláusulas adjetivas de relativo (una en el sujeto y otra en el complemento predicativo), acompañada de una oración subordinada de tiempo.

El verb *cry,* infinitivo, se convierte en sustantivo, *grito*.

Lo que sería más interesante analizar detenidamente en esta oración es el pronombre neutro *lo,* un gran recurso en castellano, que puede utilizarse con tantas valoraciones diferentes; en este caso es una nominación vaga, calificada por *que sí puedo oír todavía.* Podría haberse traducido por *Pero todavía me oigo gritar mientras...*

> «They know — it's too monstrous: they know, they know!»
>
> —¡Lo saben..., es una monstruosidad: lo saben, lo saben!

El mismo pronombre neutro *lo* vuelve a aparecer, triplicado, en esta oración. El original no necesita objeto directo.

También se produce transformación del adjetivo inglés, acompañado del adverbio intensificador *too monstrous,* por el sustantivo *una monstruosidad.* Considero innecesario este cambio, pues podría haberse dicho *demasiado monstruoso.*

> «And what on earth — ?» I felt her incredulity as she held me.
>
> —¿Y qué demonios...?— Noté su incredulidad mientras me agarraba.

Hay una equivalencia semántica y formal en esta oración, a pesar de que en la traducción se pierde la idea del género femenino y, si no es por el contexto, no sabríamos quién le agarraba. El modismo inglés ¿...*what on earth?* forzosamente ha de traducirse con otro modismo similar español, y ¿...*qué demonios?* es equivalente.

> «Why, all that we know — and heaven knows what else besides!»
>
> —Todo lo que sabemos nosotras, y sabe Dios cuántas cosas más.

El traductor interpreta *that* como pronombre relativo, cuando se trata de un demostrativo: *Todo eso ya lo sabemos nosotras.*

Podría haberse empezado la traducción con algún introductor de frase equivalente a *Why;* en este caso podría haber sido simplemente *Pues.*

El sustantivo *heavens,* ha pasado a *Dios,* pues es más común esta expresión en castellano.

> Then, as she released me, I made it out to her, made it out perhaps only now with full coherency even to myself.
>
> —Luego, al soltarme, se lo expliqué, y quizá fue también entonces cuando me lo expliqué con cierta coherencia a mí misma—

Nuevamente aparece el pronombre neutro *lo,* en este caso para traducir el pronombre neutro inglés *it.*

El adjetivo intensificador *full* se traduce por *cierta,* cuando podría haberse elegido *toda.*

En cuanto a la forma, se pierde el efecto repetitivo de la frase: *I made it out to her, made it out...,* que en la traducción se distancia.

Hay una variación semántica: *only now = también entonces; even = 0.*

«Two hours ago, in the garden» —I could scarce articulate «Flora *saw!*»

—Hace un par de horas, en el jardín. —Casi no podía hablar—. Flora lo *vio.*

Esta oración es un ejemplo de equivalencia semántica y formal. Únicamente se amplía el complemento directo, por medio del pronombre neutro *lo,* que no figura en el inglés. La expresión *articulate* se ha traducido por *hablar,* quizá por no recurrir a la paráfrasis, ya que en castellano el verbo *articular* tendría que complementarse con *unas palabras.*

Mrs Grose took it as she might have taken a blow in the stomach.

La señora Grose recibió la noticia como podía haber recibido un golpe en el estómago.

Una característica del estilo de Henry James es la ambigüedad que, en mi opinión, debería conservarse al traducir sus obras. En esta oración tenemos el pronombre neutro it, que el traductor aclara con el sustantivo *la noticia.* Tampoco el verbo inglés *take* significa exactamente *recibir,* aunque lo exige la colocación del objeto directo. Podría haberse traducido por *lo tomó,* pero al traductor no le ha satisfecho tanta ambigüedad.

«She has told you? she panted.»

—¿Se lo ha dicho? —preguntó.

La oración interrogativa inglesa no lleva la inversión verbo-sujeto exigida. En Henry James, la forma va entrelazada a la sustancia de sus novelas o relatos cortos. La justificación de este cambio en la presentación de la forma interrogativa puede estar en el verbo siguiente *panted = jadeó,* que el traductor no ha creído conveniente recoger.

Nuevamente encontramos el pronombre neutro *lo,* como objeto directo que se omite en el original.

«Not a word—that's the horror. She kept it to herself! The child of eight, that child!» Unutterable still, for me, was the stupefaction of it.

—Ni una palabra. Eso es lo horrible. ¡Se lo ha callado! ¡Una niña de ocho años, esa niña! —Todavía era incapaz de expresar mi asombro.

El guión explicativo inglés — no tiene a veces correspondencia en español, como ocurre en este caso. Pueden ponerse dos puntos, o una coma. Aquí el traductor no ha hecho ninguna de las dos cosas, sino que ha separado las dos frases. Creo que el verdadero sujeto es *Not a word,* seguido de un verbo copulativo y un atributo formado por el adjetivo sustantivado en español. El pronombre *that* sería el sujeto gramatical.

La última oración no conserva equivalencia formal, aunque sí de sentido.

> Mrs Grose, of course, could only gape the wider. «Then how do you know»?

> La señora Grose, por supuesto, estaba igualmente asombrada:
> —Entonces. ¿Cómo lo sabe?

La expresión *could only gape the wider* no conserva más que el sentido, el resto se ha distorsionado. *Gape* significa boquiabierto, que puede aplicarse a que estaba *asombrada.* Por otro lado, *the wider* es un comparativo de superioridad, que el traductor reduce a *igualmente.* Este tipo de expresiones son realmente difíciles de traducir y creo que, a pesar de la falta de equivalencia, es admisible la libertad del texto español.

> «I was there—I saw with my eyes: saw that she was perfectly aware».

> —Estaba allí. Lo vi con mis propios ojos: vi que se había dado cuenta perfectamente.

Equivalencia formal y de sentido, teniendo en cuenta ciertas modificaciones que son obligadas en el castellano: el pronombre neutro *lo* que lleva el verbo transitivo *ver,* y la expresión *mis propios ojos,* que nunca aparece sin el calificativo.

Aunque el español evita los pronombres personales, por no existir corrientemente ambigüedad en sus formas verbales, en este caso quedaría más claro si llevara explícito el pronombre en esta frase paralela *I was there = yo estaba allí.*

> «Do you mean be aware of him?»

> —¿Que se había dado cuenta de que estaba él?

Esta oración interrogativa, sin embargo, no conserva la equivalencia. En inglés se ha llegado a una síntesis extraordinaria. El adjetivo *aware* suele ir acompañado del verbo *to be,* y lo mismo ocurre con el pronombre personal objetivo *him,* que no necesitaría otra vez el mismo verbo. Es una continuación de la oración anterior y ha perseguido la economía de todos los elementos posibles. Sin embargo el traductor lo explica, aunque omite *«¿Quieres decir? = Do you mean...?*

> «No—of *her*». I was conscious as I spoke that I looked prodigious things, for I got the slow reflection of them in my companion's face.
>
> —No...*ella.* —Comprendí que debía tener un aspecto increíble al ver la cara que iba poniendo mi compañera—.

Otra frase traducida de manera totalmente libre. Falta la oración subordinada adverbial temporal *as I spoke. I looked prodigious things > debía tener un aspecto increíble,* conserva el sentido. Sin embargo, *for I got the slow reflection of them = al ver... que iba poniendo,* varía demasiado: en inglés es una oración causal y en español temporal.

> «Another person—this time; but a figure of quite as unmistakable horror and evil: a woman in black, pale and dreadful—with such an air also, and such a face!—on the other side of the lake. I was there with the child—quiet for the hour; and in the midst of it she came»
>
> Otra persona..., esta vez; pero una figura de una maldad y un horror tan inconfundible como la otra: una mujer vestida de negro, pálida y aterradora, ¡y con un aire y una cara! al otro lado del lago. Estaba allí con la niña, tan tranquila y, de repente, vino.

El traductor ha integrado la mayor equivalencia, incluso formal, y lo consigue. Desaparece la ambigüedad con la introducción de la cláusula comparativa *como era la otra.*

Sin embargo, en la expresión *...the child—quiet for the hour,* faltan elementos en la traducción *...la niña, tan tranquila...*

> «Came how—from where»?
>
> —¿Vino, cómo..., de dónde?

Equivalencia de sentido y formal. Podríamos considerarlo un ejemplo de traducción literal, aunque parece exigir una ligera modificación para trasladar todo el significado del texto original: *—¿Vino, pero cómo, de dónde?*

> «From where they come from! She just appeared and stood there— but not so near».
>
> —¡De donde vienen ellos! Apareció y se quedó allí, pero no tan cerca.

Otro ejemplo parecido al anterior. Únicamente falta por traducir el adverbio *just* = simplemente.

> «And without coming nearer?»
>
> —¿Y no se acercó más?

La forma *-ing* inglesa, a continuación de preposición, debería traducirse en español por un infinitivo: «¿Y sin acercarse más?», pero a veces es aconsejable sacrificar la equivalencia formal y conseguir un significante de uso más corriente en el idioma de que se trate.

> «Oh, for the effect and the feeling, she might have been as close as you!»
>
> —¡Por el efecto que me hizo y el miedo que me dio podía haber estado tan cerca como usted!

La primera parte de la oración lleva varios elementos aclaratorios que exige nuestra lengua: *the effect = el efecto que me hizo; the feeling = el miedo que me dio*. Se han añadido dos adjetivas de relativo. La segunda incluso es diferente desde el punto de vista semántico, pues se explica qué clase de sentimiento, lo que no se aclara en el original.

> My friend, with an odd impulse, fell back a step. «Was she someone you've never seen?»
>
> Mi amiga, asustada, dio un paso atrás: —¿Era alguien a quien no había visto nunca?

La expresión *with an odd impulse* se traduce por el adjetivo calificativo *asustada*, es una libertad que se permite el traductor; puede decirse que rectifica al narrador. En realidad no se dice que estuviera *asustada*, sino *impulsivamente*.

> Yes. But someone the child has. Someone *you* have». Then, to show how I had thought it all out: «My predecessor—the one who died».
>
> —Sí. Pero alguien a quien la niña sí que ha visto. Una persona a la que usted ha visto. —Luego, para que viera que lo había comprendido todo—. Mi predecesora, la que murió.

La propiedad que tiene el auxiliar inglés de resumir toda una frase no la tiene el español, que ha de repetir el verbo. Una traducción más libre, pero también ajustada sería: *Yo no, pero sí la niña... y usted.*

La oración final o de propósito *o show how...* con un verbo en infinitivo, en español *...para que viera que...* es una oración sustantiva completiva de objeto indirecto.

Otro cambio importante es el pronombre interrogativo *how* por el *que,* según Alarcos, seguido de la sustantiva de objeto directo.

También es interesante resaltar el uso del pronombre indefinido inglés *one,* innecesario en español.

> «Miss Jessel?»
> «Miss Jessel. You don't believe me?» I pressed.

> —¿La señorita Jessel?
> —La señorita Jessel. ¿No me cree?

La oración interrogativa inglesa no lleva la inversión exigida de verbo-pronombre, que tiene valor enfático, como indica el verbo que va a continuación: *pressed.* Todo esto no se refleja en la traducción.

> She turned right and left in her distress. «How can you be sure?»

> Se volvió a un lado y a otro sin saber qué hacer: —¿Cómo puede estar segura?

El texto original ofrece más información que la traducción. Dice *turned right and left,* y el traductor simplemente: *Se volvió a un lado y a otro,* lo que resulta más común en nuestra lengua. También la frase preposicional *in her distress (en su angustia),* posee unos semas que no aparecen en *sin saber qué hacer.*

> This drew from me, in the state of my nerves, a flash of impatience. «Then ask Flora—*she's* sure?» But I had no sooner spoken than I caught myself up. «No, for God's sake, *don't* She'll say she isn't—she'll lie!»

> En el estado de nervios en que me encontraba, eso me indignó: —Pregúnteselo a Flora, ella sí que está segura. —Nada más haberlo dicho, me arrepentí—. No, ¡por amor de Dios!, no se lo pregunte. Dirá que no, mentirá.

No encuentro equivalencia entre *This drew from me...a flash of impatience* y *Eso me indignó.* Se ha anticipado el circunstancial de modo y se ha buscado una expresión que resumiera tanta abstracción.

Es interesante analizar cómo resuelve el énfasis que aparece en el original, por medio de la utilización de la letra bastardilla, con la expresión *ella sí que...* En español, simplemente por el uso del pronombre personal ya se enfatiza la frase, pero, además, aparece el adverbio de afirmación.

El auxiliar *don't* no tiene equivalencia en español y hay que reproducir la frase completa *no se lo pregunte*. La traducción española *Dirá que no = She'll say she isn't* no compensa sintácticamente las dos lenguas:

> Mrs Grose was not too bewildered instinctively to protest. «Ah, how can you?»

> La señora Grose no estaba tan asombrada como para no decir: —¿Cómo puede usted...?

Cambio de estructuras *...too bewildered ... to protest* = tan asombrada como para no decir. En español, la oración final es negativa y en inglés afirmativa.

Falta el adverbio *instinctively* y tampoco aparecen en el verbo *decir* todos los semas que reúne *to protest;* podría haberse añadido *enérgicamente*.

> «Because I'm clear. Flora doesn't want me to know».

> —Porque estoy segura. Flora no quiere que lo sepa.

El atributo *clear* se ha traducido por *segura*. Ese es realmente su sentido en esta frase, pero James también podría haber utilizado *sure* y no lo hace.

La traducción de «The Turn of the Screw» ha sufrido muchas transformaciones de tipo formal, como suele ocurrir en todas las versiones que se intentan de las obras de Henry James, debido a la complejidad y sutileza de su estilo. Incluso hay alteraciones semánticas, debido a que el vocabulario elegido por el escritor es sumamente preciso y el traductor no ha encontrado elementos léxicos que reúnan la equivalencia adecuada. No obstante, lo que principalmente se ha perdido son ciertos valores estilísticos que otorgan a las obras de James su estilo característico.

11.2. ESTUDIO SOBRE LA TRADUCCION DEL LENGUAJE METAFORICO, A TRAVES DE LA OBRA THE PASSION OF NEW EVE, DE ANGELA CARTER

Para estudiar la forma de traducir la metáfora, en primer lugar, tendremos que analizar su estructura, cómo funcionan y si logran comunicar el sentimiento y orientar la interpretación del lector. Esto requiere analizar cada caso concreto en su contexto, es decir, dentro del texto a que pertenecen.

Nuestro punto de partida será la observación de los hechos lingüísticos que llamamos metáforas, pero sin que esta observación haya sido orientada, o limitada por ninguna teoría retórica, gramatical o lingüística. Esta descripción del mecanismo metafórico ha sido construida únicamente a partir de los hechos, utilizando como marco de la obra *The Passion of New Eve* de Angela Carter [1] (y la traducción de Matilde Horne) [2], por creer que los elementos básicos de su narrativa fantástica —temas góticos, violencia, erotismo, etc.— forman un complejo y fascinante mundo metafórico. En palabras de Peter Ackroyd: «In this book. Carter's language is so grandiose and verbose it can only transmit fantasies and visions» [3]. El texto de Angela Carter, que sirve de marco a nuestro estudio, nos permite utilizar ejemplos de gran belleza para hacer más atractivos los aspectos teóricos, como ocurre en las siguientes oposiciones metafóricas:

> «I'd lost them by the time I left the desert, the domain of the sun, the arena of metaphysics, the place where I became myself»

> (Las había perdido cuando abandoné el desierto, el reinado del sol, la arena de la metafísica, el sitio en que llegué a ser yo misma).

Domain significa «a territory possessed and governed of right or over which authority is exercised» y también «a region distinctively marked or wholly overspread or dominated by some physical feature», es decir, *dominios*.

Por otro lado, arena, del L *harena,* también tiene otro significado además del usual que es «a sphere or field of interest, activity, or controversy», es decir, *campo* o *área*.

En cuanto al contexto de la metáfora, el lenguaje literario es el principal contexto donde se produce, y es uno de los elementos que coadyuvan a hacerlo particularmente problemático para el traductor.

La dificultad esencial de la traducción literaria reside en que su

---

[1] CARTER, A. 1982, (1977): *The Passion of New Eve.* London: Virago.
[2] — (1982): *La pasión de la nueva Eva* (trad. M. Horne). Barcelona: ediciones Minotauro EDHASA.
[3] ACKROYD, P. (1977): «Angela Carter», in Spectator, March 26.

forma tiene profundas raíces en una determinada lengua y cultura: «every artist's work», dice Hall, «is conditioned by the limitations of the medium within which he works, by the cultural background in which he has grown up, and by the demands which his culture makes on him. Hence the literature written in any given language is of course channeled by the structure of the language» [4].

Si las teorías de la traducción orientadas hacia la lengua fuente sirven de base para la enseñanza de la traducción —ya que se preocupan principalmente de la traducción en potencia y proporcionan normas para la actividad traductora como un factor intermedio entre el sistema de las relaciones posibles de equivalencia y de su realización—, por el contrario, la teoría de la traducción literaria debe estar orientada hacia el texto término, porque proporciona el punto de partida o marco para el estudio descriptivo del resultado lingüístico final (es un caso de «performance» más que de «competence»).

Traducción literaria, según Toury, es «every literary text in the target literary system (and in the target linguistic system, since every literary text is a linguistic text), which is equivalent to another text in the SL» [5] y Selver [6] la define como un arte que debe conjugar exigencias muy diversas:

La exigencia estrictamente *lingüística* sobre el traductor, aunque sea esencial, no es la más apremiante. En la siguiente metáfora:

«She seemed to be a little fox pretending to be a sirene»

(Parecía un pequeño zorro que pretendía ser una sirena).

La «non-finite -*ing* clause» se traduce con una cláusula de relativo, ya que el gerundio tiene un uso mucho más restringido en español y sólo se utiliza para expresar acciones simultáneas. En el contexto poético que supone el lenguaje de Angela Carter, podría traducirse «...un pequeño zorro *con pretensiones de* sirena».

Los avances modernos en lingüística han beneficiado sin duda nuestra comprensión de la traducción por lo que se refiere al tratamiento de textos no literarios, pero su campo de aplicación ha de-

---

[4] HALL, R. A. (1964): *Introductory Linguistics*. Philadelphia: Chilton, pág. 46.

[5] TOURY, G. (1981): «Translated literature: system, norm, performance», in *Poetics Today,* vol. 2, n.º 4, pág. 11.

[6] SELVER, P. (1986): *The Art of Translating Poetry*. London: Jon Baker.

mostrado ser demasiado restringido para que pueda aplicarse a las complejidades de las obras literarias, no pudiendo considerarse la base para el estudio de este área de la traducción.

La exigencia más importante, y también la más difícil de tratar es la que podemos llamar *estética;* es decir, cómo ha de reproducir el traductor en la nueva lengua la fuerza y el valor peculiares, el sentido implícito así como el meramente explícito, de lo que el autor original creó en una lengua y cultura diferentes. En la siguiente metáfora poética:

> «Her laughter. The same as it had been at first, that unmuddled spring of freshness»
>
> (Aquella risa. La misma del principio, aquel límpido manantial de frescura).

Aquí se produce una modulación aspectual de un antónimo privativo «unmuddled» a otro polar «límpido», y una transposición en la clase de unidad (de cláusula: «as it had been at first», a frase preposicional: «del principio»).

Lo importante es buscar una traducción que corresponda a ese registro y reúna los aspectos puramente estéticos que ha querido expresar la autora. Si el traductor de una obra literaria no hace justicia a la exigencia estética, no merece la pena casi nada de lo que haya conseguido.

También existe una exigencia *temporal;* lo que se escribió hace tiempo necesariamente requiere diferente tratamiento por el traductor que la obra contemporánea. La expresión *passing by coach through a valley* habrá de traducirse de forma diferente si el texto corresponde a mediados del siglo pasado. En este caso, no podremos decir *autobús,* sino *carruaje,* o *diligencia.* Y hay también una exigencia *cultural:* Traducimos Secretary Kissinger por «el Secretario de Estado, Dr. Kissinger». Las diferencias entre culturas no son simples ni mecánicas; no son meras diferencias en las palabras con las que se describen fenómenos idénticos. Estos fenómenos no son fijos ni inamovibles ya que el mundo se percibe de forma diferente por personas diferentes y su lengua y literatura expresan esas diferencias.

Por tanto, la relación entre la obra original y la versión del traductor es realmente difícil y sutil. Según Raffel y Cleary:

> The translator must be a careful investigator and an honest, sensitive critic, who can choose an author's basic characteristics and, when he needs to,

can sacrifice to these characteristics others of lesser importance. He even must forget his own personality, must think only of the author's personality [7].

En cuanto a la aplicabilidad de la teoría de la traducción a los problemas específicos que presenta la transferencia metafórica, en cualquier caso, dado que la misión de una teoría no es prescribir, sino describir y explicar, no podemos esperar que la teoría de la traducción aclare cómo debe traducirse la metáfora; sólo podría intentarse establecer modelos que ayuden a describir correctamente los fenómenos observables. Esta teoría tendría las siguientes aplicaciones:

1) predecir provisionalmente cómo, en determinadas circunstancias y bajo ciertas condiciones, las metáforas de la lengua fuente pueden transferirse a la lengua término, y

2) especificar cómo, desde el punto de vista de la teoría normativa, pueden transferirse las metáforas logrando una correspondencia óptima entre el texto de la lengua fuente y el de la lengua término, según el tipo de texto, la función de la metáfora, etc.

Peter Newmark, en «The Translation of Metaphor» [8] propone los siguientes procedimientos para traducir la metáfora:

— Reproducing the same image in the TL;

— Replacing the image in the SL, with a standard TL image;

— Translating the metaphor by a simile;

— Transferring the metaphor by simile plus sense;

— Converting the metaphor to sense.

Dagut comenta estos procedimientos que sugiere Newmark para la traducción de la metáfora y afirma que para una adecuada comprensión de la metáfora y los problemas que se derivan de su traducción, es esencial distinguir claramente entre la verdadera metáfora —lo que Newmark llama *original* metaphor— y sus derivados —polisemia, mo-

---

[7] RAFFEL, B. & CLEARY, V. J. (1973): *Why Re-Create?* San Francisco: Chandler and Sharp, pág. 238.
[8] NEWMARK, P. (1981): *Approaches to Translation*. Oxford: Pergamon Press, pág. 84.

dismo y proverbio, que Newmark llama *dead* metaphor—. Y añade: «The relevance of this qualitative distinction to translation theory and practice is not far to seek: translating a given English polyseme, idiom or proverb is achieved by the selection of another, and the competent translator will only be really put to test in those cases where the TL system affords no equivalent to the particular SL item and the translator is therefore forced back on various substitution procedures, rendering the sense, but not the form, of the ST item» [9]. Por tanto, una metáfora de la lengua fuente tendrá que recrearse en la lengua término, a menos que aceptemos que todas las metáforas son universales, lo que supondría que las metáforas aceptadas en una lengua permitirían que su traducción literal fuese igualmente aceptada en las demás.

La traducción de la metáfora, por tanto, puede clasificarse en cinco grandes grupos:

1.   Reproducción de la misma imagen en la lengua término, siempre que ésta tenga una frecuencia y un uso análogos, así como el registro adecuado. Este procedimiento, propuesto por Kloepfer y Mason [10] quienes abogan por una traducción palabra-por-palabra de la metáfora de la lengua fuente, ya que opinan que si se traslada el *vehicle* (en la terminología de Richards) [11] el *tenor* se traducirá por sí mismo; puede verse claramente en el siguiente ejemplo:

> «From these unnatural skies fell rains of gelatinous matter»
>
> (caían lluvias de una sustancia gelatinosa).

La versión española es más específica debido al uso de un determinante (artículo indeterminado *una*).

La metáfora simple es a veces difícil de reproducir, sobre todo cuando expresa una cualidad en vez de una entidad:

> «She loitered among the confession magazines»
>
> (Se paseaba entre las revistas de confesiones).

---

[9]   DAGUT, (1987): «More About the Translatability of Metaphor», in *Babel,* n.º 2, vol. 33, pág. 77.

[10]   MASON, K. (1982): «Metaphor and Translation», in *Babel,* n.º 3, vol. 28, pág. 149, y KLOEPFER, P. (1967): *Die Theorie der literarischen Ubersetzung,* citado por M. Dagut (1987), op. cit.

[11]   RICHARDS, I. A. (1936): *Rhe Philosphy of Rhetoric.* New York: Oxford University Press, pág. 96.

Loiter significa *to interrupt or delay an activity or an errand or a journey with or as if with aimless idle stops and pauses and purposeless distractions*, y *to remain in or near a place in an idle or apparently idle manner.*

Si hacemos un análisis componencial del verbo «loiter», comprobaremos que ha perdido varios semas en la traducción «paseaba»:

	move	walk	waste time	idle	fall behind
loiter	+	+	+	+	+
pasear	+	+	−	−	−

Pasear sólo posee los dos semas más generales. Sugerimos *se entretenía*, por ejemplo, que incluye los semas específicos que no aparecen en *pasear*. Se trata de un problema de lengua.

Sin embargo, en la traducción de *confession magazines* por *revistas de confesiones* se trata de un problema de traducción: *confession* significa *a written statement in which hidden or intimate matters are disclosed*, o también *an intimate autobiographical writing* y creemos que podría traducirse por *revistas del corazón*. En este caso, se ha intentado una traducción literal, pero la literalidad puede ser la expresión neutra, si el texto fuente está redactado según los usos naturales. No obstante, si se aparta de esta ortonimia —la forma más normal de expresarlo—, traducir literalmente será producir un texto tan apartado del uso como lo era el texto fuente, de manera que se produzca con medios parecidos y que lo que violenta al lector inglés lo haga igualmente al español. Además, se tratará de traducir exactamente lo que se dice; no verter una materia referencial, sino decir con significantes de la lengua meta lo que de la materia referencial decían los significantes del texto fuente.

Las figuras de retórica del texto fuente se habían conseguido mediante ciertos procedimientos de esa lengua; por tanto, la traducción literal será la que intente una figura equivalente mediante un procedimiento semejante en la lengua meta. Es evidente que una literalidad así conseguida traspasa la exigencia del sistema lingüístico.

No obstante, el obstáculo principal es el grado de aceptabilidad. En este ejemplo, ¿era posible la traducción literal? Cualquier español rechazaría la frase no ortonímica *revistas de confesiones*, y sin embargo aceptaría *revistas del corazón*. Por eso hace falta ser un conocedor sutil de las dos lenguas, para reconocerlo y saber expresarlo a través de un medio equivalente.

La transferencia de las metáforas complejas es más rara y depende principalmente de la proximidad cultural. Los siguientes ejemplos son traducciones palabra-por-palabra:

«She, fleshy synthesis of the dream, both dreamed and dreamer»

(síntesis carnal del sueño, soñada y a la vez soñadora)

En realidad, si puede transferirse literalmente se debe a la cercanía de nuestros sistemas lingüístico y cultural.

No obstante, se producen dos modulaciones retóricas:

1) hay compensación del correlativo *both... and* por la relación de adición *y a la vez*, y

2) aparece explícito el referente del pronombre *she*.

Este tipo de explicitación es una figura que se da con mucha frecuencia en la traducción. Es interesante observar la actitud ante la ambigüedad de los pronombres. Si el escritor hubiera querido evitarlos, lo hubiera hecho; sin embargo, se suele preferir el referente en la versión traducida. El traductor saca su conocimiento del contexto, pero no le deja al lector el trabajo de descubrirlo por él mismo, sino que añade una precisión que el contexto solamente sugiere; es decir, añade un elemento que no figura en el texto. No queremos entrar en si tal explicitación sea o no legítima, ya que depende de cada contexto, y también del propósito del traductor. En:

«... into the diabolic cleft of the night»

(hacia el hueco diabólico de la noche)

hay modulación de más específico a más general: «into → hacia». Sugeriríamos la traducción de «cleft» por *sima,* más adecuada al contexto que «hueco». En:

«Tristessa, the very type of romantic dissolution, necrophilia incarnate»

(Tristessa, el alma misma de la disolución romántica, la encarnación de la necrofilia).

hay modulación de más general a más específico: *type → alma,* y también inversión de términos: el concepto *incarnate* está expresado por un postmodificador en la versión inglesa, y en la española por un nombre, que es el núcleo del grupo nominal. En:

«She was entirely the creature of this undergrowth»

(Era la hija de aquella espesura).

hay una transferencia metonímica (todo → parte): *creature* → *hija*, y una modulación retórica por implicitación, ya que no aparece el adverbio *entirely* en la versión española.

Angela Carter siente una gran preocupación por el cuerpo humano, y a veces su concepto de la ciudad se asemeja al del cuerpo:

«That the city had become nothing but a gigantic metaphor for death»

(El hecho de que la ciudad no fuese ahora sino una vasta metáfora de la muerte)

Hay varios cambios estructurales:

– Transposición (cambio de polaridad): la negación pasa del O → V.

– Transposición (aspectual): *resulting* copula → *current* copula.

– Modulación: es específico a general, y la metáphora del modificador *gigantic* se traduce por su significado «vasta».

La imagen de la ciudad es recurrent en la obra:

«A wasted, inner-city moon... leaked a few weak beams upon my prey»

(Una luna consumida, de ciudad interior... vertía unos pocos rayos débiles sobre mi presa).

Se producen varias transformaciones:

Hay una transposición: el modificador, frase adjetival, se convierte en postmodificador, frase preposicional.

También hay modulación (aspectual): *inner* es peyorativo e *interior* neutro. Creemos que se produce un cambio de significado en *interior*, ya que en español significa *lejos del mar o de la costa* y aquí se trata de *cerca del centro o de un barrio pobre de la ciudad*.

Leaked no se corresponde directamente con *vertía*, ya que significa *to let pass through a hole or crevice*, es decir *gotear, rezumar*, y *vertía to throw*. En:

«The geometric labyrinth of the heart of the city»

(el laberinto geométrico del corazón de la ciudad).

Traducción palabra-por-palabra. El término metafórico *heart* ya está lexicalizado, pero se convierte en metáfora original cuando Angela Carter le añade un modificador:

«The megapolitan heart that did not beat any more»

(el corazón megapolitano —de la megalópolis— que ya había dejado de latir).

Rhetorical modulation (negative → positive): a negative particle followed by the non-assertive form *any more* → a phasal verb negative in meaning *dejar de*.

Todas las metáforas anteriores se han traducido al español por sus equivalentes léxicos. Por el contrario, cuando hay un «vacío cultural» no puede establecerse esta correspondencia. Hay palabras que definen una parte de la cultura específica de la lengua fuente para las cuales, debido a su disparidad, no hay un equivalente idéntico en la lengua término. En:

«chewing a stick of candy a Baby Ruth...»

(mascando un palillo de caramelo, un Baby Ruth...)

la mejor forma de resolverlo —debido al vacío cultural que se produce en algunos casos— es transcribiendo el mismo término, exactamente igual que figura en el texto inglés. En los casos en que se considere necesario, puede explicarse el término en nota de pie de página o en un glosario al final. Esto preserva la autenticidad cultural de la lengua fuente y permite al lector ver la expresión genuina del original.

2. Adaptación de la misma imagen que aparece en la lengua fuente con una imagen standard de la lengua término que no esté en desacuerdo con el sistema. Con esta adaptación se modifica cualquier expresión que no resulte usual. En el caso de:

«New York has become the City of Dreadful Night»

(Ciudad de los terrores nocturnos)

simplemente ha de adaptarse la forma más adecuada. Como podemos ver, Angela Carter presenta a Nueva York como un cuerpo enorme que se desmorona, al tiempo que insiste en su metáfora de la ciudad. Y en:

Hay modulación aspectual (inversion of terms): el concepto *night* se expresa con un nombre en inglés y con un postmodificador en español: *City of Dreadful Night: Ciudad de los terrores nocturnos*. En:

«Sometimes he talked about the death camps, and how the Gestapo raped his wife»

(A veces hablaba de los campos de exterminio, y de cómo la Gestapo había violado a su mujer).

ha habido que elegir el elemento léxico que esté ya establecido y aceptado en la lengua término.

Hay una modulación aspectual (result → action): *death camps*: *campos de exterminio.*

3. Recreación en la lengua término de una metáfora diferente, lo que Dagut considera el problema especial de la traducción de la verdadera metáfora:

> The metaphor in the ST, being by definition a creative violation of the SL semantic system, has to be created in the TT, since its equivalent obviously cannot be found in the TL system [12].

Por tanto, si la metáfora es «una violación creativa del sistema semántico de la lengua fuente» y no aceptamos que sean universales, es obvio que su equivalente no podremos encontrarlo siempre en el sistema de la lengua término y, por ello, el traductor tendrá que recrear la metáfora en su nueva versión, como ocurre con el siguiente ejemplo:

> Her swimming eyes
>
> (Sus ojos suspendidos).

Modulación (acción → resultado de la acción): *swimming eyes*: *ojos suspendidos.*

Swimming significa *filled or flooded with or as if with water* (acuosos, lagrimosos, *anegados).*

Según Mason, «each occurrence of a metaphor for translation must be treated in isolation: each of its components must be dealt with in the light of its cultural connotations before a translation of the whole can take place, and account must also be taken of the textual context in which the metaphor is used» [13].

---

[12] DAGUT, M., op. cit., pág. 78.
[13] MASON, K., op. cit., pág. 149.

Las metáforas culturales han de tratarse de forma diferente, precisamente porque su función no sólo es denotar un referente cultural. En el siguiente ejemplo:

«When they heard my cut-glass vowels»

(cuando oyeron mis vocales cristalinas).

el traductor no considera suficiente sólo adaptar la metáfora. Cree que la transcripción sería totalmente incomprensible para el lector de la lengua término ya que el contexto no proporciona claves para su comprensión, y añadir una explicación no le transmitiría al lector la fuerza emocional de la lengua fuente.

Hay modulación (concreto → abstracto): *cut-glass vowels*: *vocales cristalinas*.

No obstante, creemos que esta metáfora no expresa exactamente lo que el autor quiere comunicar, pues no tiene la idea de *cortante*. Quizá podría haberse conservado la metáfora original *vocales de cristal tallado*.

O el siguiente ejemplo:

«it kept me all agog in my ring-side seat»

(me mantenía paralizado de ansiedad, pegado a mi butaca junto al cuadrilátero).

También hay modulación aspectual (explicitación): *ring-side seat*: *pegado a mi butaca junto al cuadrilátero*.

Consideramos innecesarios algunos cambios introducidos y sugerimos la siguiente traducción: *Me mantenía lleno de ansiedad en....*

«Culturally specific metaphors are untranslatable» —dice Dagut— «it is not possible either to parahrase or to explain them, and their transference word-for-word will distort the source language, since the cultural reference of the term is not their main reason»[14]. Esto quiere decir que el contenido cultural no es importante por sí mismo, sino sólo como vehículo de la metáfora.

4.   Traducción de la metáfora por un símil más su significado.

---

[14]   DAGUT, M., op. cit., pág. 80.

Según Newmark, «while this is always a compromise procedure, it has the advantage of combining communicative and semantic translation in addressing itself both to the layman and the expert if there is a risk that the simple transfer of the metaphor will not be understood by most readers» [15]. Así ocurre con la traducción del ejemplo siguiente:

«She is a fox»

(es tan astuta y aguda como un zorro).

She is a fox, se refiere a las cualidades de este animal de forma indirecta y el lector lo comprende por los conocimientos que comparte con toda su comunidad lingüística.

5. Conversión de una metáfora a su significado.

Este procedimiento es bastante común, aunque depende del tipo de texto, y es preferible a la elección de otra imagen que resulte inadecuada, debido al sentido o al registro (incluyendo aquí frecuencia, grado de formalidad, emotividad, generalidad, etc.). En la traducción literaria, suele intentarse también la compensación en otra parte próxima del texto, como ocurre en el ejemplo siguiente:

«... to scurry back, quick as I could, to festering yet familiar London, the devil I knew.»

(... de vuelta a Londres, lo más rápido posible, a la ciudad emponzoñada pero familiar, el demonio conocido).

La expresión *scurry* es una abreviatura de *hurry-scurry*, y significa *in or with disorderly haste, to move in or as if in a brisk rapidly alternating step* (correr, ir a toda prisa).

Hay varias transposiciones formales:

1) en el énfasis de la unidad (anticipación del rema): *to scurry back (...) to festering yet familiar London: de vuelta a Londres (...) a la ciudad emponzoñada pero familiar.*

2) en la clase de unidad: (cláusula concesiva → cláusula disyuntiva): *yet familiar London: pero familiar.*

---

[15]   NEWMARK, P., op. cit., pág. 88.

3) en la estructura de la unidad (cláusula relativa → postmodificador): *the devil (that) I knew*: *el demonio conocido.*

También se produce una compensación: O → O + aposición, con un sinónimo como núcleo *a Londres... a la ciudad emponzoñada.* El nombre propio *London* no se repite en la aposición, sino un sinónimo.

En realidad, cuando se convierte una metáfora a su sentido, hay que realizar un análisis componencial, ya que lo esencial de una imagen es su carácter pluridimensional; en otro caso el autor habría elegido el lenguaje literal. Además, el sentido de una imagen normalmente tiene un componente emotivo así como el factual: un elemento de exageración que reducirá la traducción en proporción a la expresividad de la metáfora. Podemos traducir:

«She is as good as gold»

(posee las mejores cualidades)

Hay una modulación estilística que afecta a la singularidad del texto, ya que se cambia el mecanismo especial utilizado por el autor (+ símil → + paráfrasis): *as good as gold*: *las mejores cualidades.*

«All these absurd notions flickered through my injustice as I tore hell-for-leather through the night»

(me precipitaba desgarrando).

Hay modulación semántica (cambio de sentido): *tore hell-for-leather: precipitaba desgarrando.*

Tear significa *to run, move or act with great speed, impetus or force or without restraint* (correr).

Hell-for-leather = *adv. at full tilt* (speed): *to rush* (a toda velocidad, como alma que lleva el diablo).

En ambas expresiones, el traductor ha decidido suprimir la metáfora y transmitirnos su significado. Sin embargo, la efectividad de la metáfora no depende de la comprensión del lector, sino de su respuesta emocional a la experiencia cultural colectiva contenida en el término léxico históricamente resonante. La emoción que recibe el lector del texto original se obtiene por medio de poderosas connotaciones léxico-culturales que no podrá recibir el lector de la versión traducida. En realidad, lo que consigue el símil explicativo es destruir la metáfora al separar los elementos dispares que confluyen en ella. Lo mismo ocurre en:

«So she led me deep into»

(Así me arrastró hasta internarme en)

Hay modulación de concreto a abstracto.

La conversión de una metáfora a su significado puede considerarse una falta de equivalencia formal del texto; sin embargo, hay ocasiones en que es necesario recurrir a este procedimiento. Aquí procedería comentar la diferencia entre el texto informativo y el literario. Mientras que el primero exige simplemente hacer accesible ese texto al nuevo lector y por ello es admisible cualquier alteración que se considere necesaria, en el segundo se destruiría el propósito del autor de la obra literaria.

Podemos concluir diciendo que cuando examinamos la metáfora dentro de su contexto inmediato, éste revela que el proceso metafórico no consiste sólo en la sustitución de un término léxico de un campo semántico por el término de otro, sino que hay también otras relaciones internas dentro del contexto mayor del texto en su conjunto: el marco narrativo también entra en juego y orienta nuestra interpretación. Esto ocurre principalmente al analizar una obra de Angela Carter, llena de viejos mitos y símbolos que se relacionan entre sí a través de la historia. Un ejemplo de ello es la metáfora original que define el carácter de la protagonista de la obra que hemos venido comentando:

«I used to adore to watch her dressing herself... in her cracked mirror, the transformation of the grubby little bud... she was a night-blooming flower»

(Me fascinaba observarla cuando se engalanaba por las noches... en el espejo cuarteado, la metamorfosis de *aquel capullo agusanado*... era una *flor que se abría de noche).*

Hay transposición formal en la estructura de la unidad (modificador → cláusula de relativo): *a night-flooming flower*: *una flor que se abría por la noche.*

También modulación retórica por implicitación: *the grubby little bud: aquel capullo agusanado.*

Grubby: significa *dirty, shabby, slovenly in condition or appearance colourless face* (descolorido).

El manejo de los símbolos por el escritor consiste en recontextualizarlos para infundirles nueva vida, ya que el símbolo se distingue de la metáfora por su mayor estabilidad y permanencia. En este caso, necesitamos identificar el tema del espejo como símbolo en Angela Carter, pero cambiando el sentido tradicional —que lo consideraba un símbolo de la vanidad femenina— por el del descubrimiento de su propia identidad al verse reflejada como un objeto en el espejo. Por tanto, es necesaria la identificación del propósito de la metáfora, si quiere el traductor interpretar el argumento de forma adecuada, dado que la traducibilidad de la metáfora en textos concretos dependerá de las relaciones en que entre con los otros elementos a varios niveles.

11.3. RECURSOS UTILIZADOS EN LA TRADUCCIÓN DE *THE GOLDEN BOWL*, DE HENRY JAMES

El método que puede seguirse en un análisis de traducción literaria es tomar algunos ejemplos de distintos tipos de equivalencias, tanto formales como semánticas, entre el texto original y el traducido y comentarlos, procurando en algunos casos sugerir otras alternativas.

Para esta crítica hemos elegido la novela *The Golden Bowl*, de Henry James, una de las obras que forman el tríptico denominado su «fase mayor», junto con *The Ambassadors* y *The Wings of the Dove*. A James puede considerársele el padre de la novela moderna inglesa, creador de la novela internacional y de la «joven americana»; es un escritor oscuro y sutil, cuyo discutido método del «stream-of-consciousness» han recogido escritores como Virginia Woolf, James Joyce y Faulkner, entre otros.

El tipo de lenguaje que emplea Henry James es subjetivo y lleno de connotaciones, por lo que se producen infinidad de cambios estructurales que no afectan normalmente a la veracidad de la traducción:

La novela *The Golden Bowl* está dividida en dos libros: el primero se titula «The Prince» y la narración se hace a través del punto de vista del príncipe Amerigo; la segunda lleva el título de «The Princess» y es Maggie Verver la narradora y el personaje principal que mueve todos los hilos que producen el feliz desenlace de la obra. Por ello, parece deliberado que la novela comience:

The Prince had always liked his London, when it had come to him...

Sin embargo, en la traducción, la narración empieza con la oración subordinada temporal:

> Cuando pensaba en ello, el Príncipe se daba cuenta de que Londres siempre le había gustado...

Es perfectamente válido, y de hecho suele hacerse al traducir al español, anticipar los circunstanciales en vez de incrustarlos en la oración, pero en este caso el no respetar el orden del texto original supone olvidar la intención del autor, que quiere dar énfasis y resaltar el nombre del personaje central, que coincide con el título del libro.

Desde el comienzo de la traducción, uno de los factores que más resaltan es la ausencia de pronombres, cuando en el original su uso es exhaustivo:

> ...*he* was one of the modern Romans...
> ...*El Príncipe* era uno de esos romanos
>
> ...had a command of *it*...
> ...dominaba de tal manera *el norteamericano*...
>
> «You know I think *he*'s a real galantuomo—
> —*Tu padre* es un verdadero galantuomo...
>
> *She* hadn't seen it.
> *La chica* no había pensado en esto.

Si admitimos que uno de los puntos que hay que plantearse al hacer el análisis de la traducción de una obra literaria es la finalidad o el propósito del traductor, creo que en este caso ha intentado acercar la novela al lector, huyendo de la ambigüedad proverbial de la «época mayor» de Henry James. Precisamente *The Golden Bowl* se caracteriza por la confusión que produce el uso de pronombres. Para comprender algunos *he* o *him* del segundo libro, hay que buscar detenidamente el antecedente, pues los dos personajes a quienes Maggie quiere, y ocupan todas sus reflexiones, son su padre y su esposo —Adam Verver y el Príncipe Amerigo—, y en muchas ocasiones el pronombre personal podría muy bien referirse a ambos. Esto no ocurre jamás en la traducción, pues se ha evitado en todo momento la confusión y así explica en cada caso si se trata de uno o de otro, al igual que traduce cualquier otra expresión que pueda inducir a error:

> «Oh, *yours,* my dear, is tremendous.
> —¡Querida, *tu estilo* es maravilloso.
>
> «He hasn't got *mine*—
> —Efectivamente, no tiene *mi estilo*.

«...But your father has *his* own.
—...Pero tu padre tiene *su* propio *estilo*.

Esta traducción indiscriminada de pronombres por su antecedente, a veces puede llegar a producir cambios estilísticos, como ocurre en la siguiente frase:

But *his* actual situation under the head in question positively so little mattered to *them* that...

Pero la situación real del *Príncipe*, en el aspecto mencionado, importaba tan poco a *los Verver* que...

Si uno de los objetivos que se propone Henry James en esta obra depuradísima en cuanto a forma es utilizar su técnica del *stream-of-consciousness*, esto es, mostrar el desarrollo de los acontecimientos a través de la mente, de la percepción del personaje, en una reflexión totalmente subjetiva —con ausencia de narrador omnisciente, parece más lógico que un personaje diga: «...*his* actual situation... so little mattered to *them*...», o «*su* situación real...*les* importaba tan poco», que «la actual situación del *Príncipe*... tan poco importaba a *los Verver*». El matiz del estilo que presenta James en su novela de que el narrador y el príncipe Amerigo sean uno solo, a pesar de no utilizar la primera, sino la tercera persona del verbo, cambia ligeramente, se produce un distanciamiento entre el personaje y el narrador.

Este cambio de estilo vuelve a recuperarse líneas después, volviéndose al enfoque subjetivo de James:

...into the sense of *his* advantage...
...hasta tal punto en *su propia* ventaja...

Otro factor importante de esta traducción, igualmente relacionado con el propósito del traductor de evitar la ambigüedad, es la pérdida de metáforas, de las que el original está cargado:

A sobriety that might have consorted with failure *sat in his handsome face*...
Una expresión de austeridad .. *cubría* su rostro bien parecido.

«Is that water-tight?»
¿Está protegida esa creencia en el interior de un compartimiento estanco?

his view of thar *furniture*...
la visión que el Príncipe tenía de *aquella forma de vida de la muchacha*...

...and he was somehow *full* of his race...
...y el Príncipe era todo él un aristócrata...

...in waiting victorias...
...en los coches de tipo victoria que esperaban a la acera...

En otros lugares, los cambios estilísticos son metonimias:

...how little of his *race*...
...cuán difícil era... que un *miembro de su linaje*...

«I have the great *sign* of it»
—...es igual que si llevara un *cartel*.

...with her charming *eyes*...
...una *mirada* deliciosa...

...*stage* pirates...
...piratas *de comedia*...

También hay ejemplos de sinécdoques en otras páginas:

He had sounded solemn...
Estas palabras habían tenido un tono solemne...

—it's the whole *line*.
...es todos *los barcos de la compañía*.

—had to sit up to his neck in such a *bath*...
...sumergido hasta el cuello en semejantes *aguas*...

Hay también diversos cambios de tiempos verbales que, en muchos casos, suponen un cambio estilístico ya que tienden en la mayoría de los casos a acercar la acción. Henry James suele utilizar el pasado perfecto, pues son hechos pasados que los personajes centrales reviven en su imaginación:

...they *had been* the lot of far-off victories.
...*fueran* el botín de victorias *alcanzadas* en lejanos pagos.

...that *had set* the Prince to think.
...la que *indujo* al Príncipe a pensar.

He *had been interested* in his discrimination...
Esta distinción hecha por él mismo *interesó*...

But she *had wondered* still.
La muchacha, *dudando*...

Maggie Verver *had* smilingly *asked*.
Sonriendo, Maggie Verver le *preguntó*.

...his reply *had been* just of the happiest.
La respuesta que el Príncipe *dio* a esta pregunta fue la más feliz.

—she *had put* it to him...*would you have been?*
...y dónde *estarías* tú...

Hay muchos ejemplos de paráfrasis para traducir ciertas expresiones utilizadas por James que hubieran resultado extrañas en nuestra lengua:

> ...at perverse angles...
> ...con una intencionada inclinación casi perversa...
>
> ...to say nothing of his evident feeling...
> Y además, que el Príncipe había puesto de manifiesto...
>
> ...which has made him possible...
> ...que ha hecho posible la existencia de una persona como tu padre...
>
> ...from within.
> ...procedentes de su fuero interno.

Para otras expresiones típicas inglesas, el traductor ha procurado buscar una equivalencia más ajustada en cuanto a forma, sin recurrir a la paráfrasis:

> ...before you've done with us.
> ...antes de acabar con nosotros.
>
> ...brought anyone out.
> ...ha hecho destacar a nadie.
>
> ...keeps people in...
> ...impide destacar a la gente...
>
> ...if it were a question of parting with me?
> ...si llegara el momento de prescindir de mí?
>
> «We must see first—it will be only if we have come to it.
> —Ya veremos. Todo depende de si nos vemos obligados a ir.
>
> ...have nothing to do with...
> ...no guarda ninguna relación con...

Puede también resultar interesante analizar algunos ejemplos de traducción del *it* anticipatorio, construcción abundantísima en el original, que James utiliza como recurso para presentar en segundo lugar (tema-rema) la información nueva. En muchos casos la traducción no refleja en el español la intención del autor:

> *It*'s his goodness...
> Su bondad es...
>
> *It*'s a danger...
> Estos objetos corren peligro.

En otros, se respeta la construcción del inglés, buscando la expresión más equivalente para no perder la carga semántica del original:

> *It* was this, precisely, that had set the Prince to think.

Fue precisamente esta pregunta la que indujo al Príncipe a pensar.

*It'*s you yourselves...
—Vosotros sois...

El español lleva normalmente el pronombre personal implícito. Si aquí lo hace explícito el traductor, es para lograr el énfasis que se pretende con el *it* anticipatorio.

Los cambios de oración pasiva inglesa a activa en español, como normalmente ocurre, son numerosísimos, y están resueltos de la forma correcta que exigen los diversos casos que se presentan:

The reciprocity with which *the Prince was* during these minutes most *struck*...
Y la reciprocidad que más *sorprendía al príncipe* en estos momentos...

...he had been *positive*...
...les dio enérgica *respuesta*...

Aquí hay también una transferencia de más abstracto a más concreto, al contrario de lo que ocurre en la frase siguiente, que va de concreto a abstracto:

But there's another part, very much smaller...which represents my single self-personal *quantity*.

Pero hay otra cosa, mucho más pequeña que...representa mi individualidad, mi *calidad* personal.

Una estructura que aparece con mucha frecuencia en el texto de la novela de James es la *forma -ing,* gerundio o participio, que se traduce de maneras muy diferentes, normalmente de forma acertada:

He had been *pursuing* for six months...
En el curso de los últimos seis meses, el Príncipe había estado empeñado en una *persecución*...

...before promptly *leaving* it.
...antes de *partir* a toda prisa.

Es una solución muy corriente el tener que traducir la forma -ing que sigue a una preposición por el infinitivo, o también por una oración sustantiva, en este caso de objeto directo:

...he was *practising* his American...
...diciendo *que se dedicaba a practicar* el norteamericano.

Es interesante notar que *American* no significa *americano,* que incluiría a todos los habitantes de América, sino *norteamericano*.

En algunos casos, el gerundio español no procede de una forma -ing inglesa, como en el ejemplo siguiente:

> Such as I am...
> Y *teniendo* en cuenta como soy...

La forma -ing inglesa con adjetivo posesivo a veces tiene correspondencia en español, aunque aquí el traductor cambia el tiempo verbal:

> ...her colour *rising*...
> ...y que subiere un tanto el color de su rostro.

Sin embargo, podría haberse utilizado un gerundio que llevara su propio objeto directo: *subiendo* un tanto el color de su rostro. Lo que de ninguna forma podría haberse conservado en la siguiente:

> A mistake worth *making*.
> ...digno de ser cometido.

Pueden buscarse muchos ejemplos en los que se ha perdido de algún modo la expresión que figura en el original. Por ejemplo en

> Goodness, when it is real...
> La verdadera bondad...

Se pierde la idea condicional-temporal, que podría haberse conservado diciendo: La bondad, cuando / y si es real...

La desaparición del adverbio en la frase siguiente:

> He had been able to take it *indeed* easily as a joke.
> El Príncipe pudo contestar como si se tratara de una chanza.

Ese adverbio quizá defina toda la actitud despectiva del Príncipe (o de Henry James) hacia los americanos, carentes de experiencia, de tradición. El *indeed* coloca a Amerigo en un nivel superior a su esposa, la inocente «American girl», a quien el Príncipe ama, pero a quien mira de manera condescendiente, igual que a su suegro, a pesar de todas sus riquezas.

La supresión del complemento de nombre en:

> ...her father, tough older and wiser, and a man *into the bargain*...
> ...el padre de la muchacha, a pesar de ser mayor y más sabio, y, además, hombre...

parece no tener justificación, ya que calificaba directamente al sustantivo *man,* quizá refiriéndose a la profesión del señor Verver, que se dedica a comprar objetos artísticos a un precio conveniente y en el momento más adecuado para sus intereses.

A veces la pérdida es de tipo estilístico simplemente, como ocurre en la frase siguiente, que es como una letanía, mitad alabanza pero principalmente irónica; tiene un ritmo especial repetitivo:

> «You're a rarity, an object of beauty, an object of price».
> —...un objeto, raro, bello, caro.

Aunque efectivamente ha intentado asemejar la expresión a un estribillo con la aliteración que se produce de la letra -*o.*

En la frase siguiente:

> «There are things...that father *puts away*...»
> —Hay algunos objetos que mi padre *mantiene apartados.*

El verbo preposicional *put away,* sin correspondencia en nuestra lengua, al traducirse por *mantiene apartados,* parece que pierde algo de su carga semántica. El verbo *put* es de movimiento, y quizá sería más equivalente a colocar, aunque precisaría una paráfrasis para traducirlo: ha colocado en lugares apartados. *Mantiene* equivale a *keep.*

Un cambio mayor se produce a continuación:

> «...these, the smaller pieces, are the things we take out and arrange as we can, *to make* the hotels we stay at and the houses we hire a little less ugly».
> —...estos, que son los más pequeños, son los que sacamos y disponemos lo mejor que podemos, los que llevamos a los hoteles en que nos alojamos, y a aquellas casas que alquilamos que son menos feas.

No es que lleven esos objetos a los hoteles y a las casas menos feas, sino que llevan esos adornos tan valiosos para que los hoteles donde se hospedan y las casas que alquilan *sean* menos feas. Falta por traducir el verbo *to make.*

También se pierde el sema de movimiento, de sentido activo en:

> ...he is *willing* to run his risk.
> ...*acepta* los riesgos consiguientes.

La traducción tiene un sentido totalmente pasivo. Aceptar no tiene la misma colocación que estar dispuesto a.

Puede haber ciertas palabras en una obra que son claves para hacernos idea de la categoría del autor. En la frase:

«But there's nothing, however tiny», she has *wound up*, «that we've missed».

Maggie *concluyó:*
—Pero nada hemos perdido, ni siquiera la pieza más pequeña.

Si tuviéramos que descomponer el verbo *wound up* en sus principales componentes semánticos, diríamos que tiene la idea de movimiento en un sentido contrario al recto (girar, dar vueltas), más la idea de cosa terminada que le imprime el adverbio *up*. Este verbo resume el largo diálogo, en el que Maggie ha expuesto ideas que nada tienen de lineal, sino de complicado, circular. Ha ido abarcando y contorneando varios temas, alabando a su padre, atacando con ironía y cierta delicadeza a su esposo, y explicando lo que han venido haciendo su padre y ella los años que preceden a su compromiso con el Príncipe.

Sólo un maestro de la lengua, como Henry James, pensaría en utilizar este verbo, en vez de *to conclude, to finish*. La traducción es, desde luego, correcta, pero sin intentar encontrar la expresión exacta, que quizá sería «llegar a». Esta expresión la utiliza el traductor en la página siguiente:

«Before I *pronounce* I should like to see my tomb».
—«Antes de llegar a conclusión alguna a este respecto, es preciso que vea mi tumba».

Sin embargo aquí se trata de una expresión sumamente irónica y creo que tiene mucho más ritmo en inglés. Este tipo de frases parece que requieren menos explicación. Quizá «*decidirme*» sería más adecuada.

Tampoco parece tener suficiente altura la traducción de la brillante expresión, típicamente inglesa:

«—and that was so much to the good».
—...de lo cual se alegraba.

Efectivamente, tiene una gran dificultad traducir la frase elegida por James, y la versión española es clara y correcta.

La gran creatividad del idioma inglés da lugar a expresiones que han de traducirse sin conservar en absoluto la construcción original. El calificativo *antinatal* en:

> ...antinatal history...
> ...historia que precedió a su nacimiento...

No parece tener otra solución que recurrir a la subordinada adjetiva de relativo para conseguir una equivalencia semántica.

Como contraposición a las expresiones más dudosas, hay muchos ejemplos de traducción acertada e inmejorable:

> ...simply enough...
> ...lisa y llanamente...
>
> ...for lip or for ear...
> ...ni a oído ni a lengua...
>
> ...as time went on...
> ...con el paso del tiempo...

Hay frases que se han traducido con una equivalencia total, en cuanto al sentido y en cuanto a la forma y el tipo de registro estilístico:

> It's the work of his life and the motive of everything he does.
> Es la obra de su vida y el motivo de todos sus actos.

A veces se produce un cambio de verbo a sustantivo, que resulta la traducción más adecuada:

> «...what you cost».
> —...de tu precio.

Otras han encontrado la exacta expresión española como:

> «If you mean...»
> —Siempre y cuando se tratara.

O se ha conservado la pasiva porque era necesario para dar énfasis a una expresión:

> «...some of the pieces your father has adquired».
> —...algunas de las piezas adquiridas por tu padre.

Puede suprimir un verbo que va implícito en la frase:

> «I'll go anywhere *you want*».

—Contigo iría a cualquier sitio.

En la oración interrogativa:

«*You believe* I'm not a hypocrite?»
—¿*Realmente crees* que no soy hipócrita?

No figura la inversión necesaria en inglés. Debería ir en primer lugar el auxiliar y después el pronombre personal «*Do you...?*». El autor ha querido resaltar o dar énfasis a la pregunta, y en la traducción se resuelve colocando en lugar destacado el adverbio «Realmente».

También hay ejemplos de haber hallado la expresión exacta para un «*phrasal verb*» sin correspondencia posible:

It couldn't be *gone into*.
No se podía *profundizar*.

Podría continuarse examinando todo tipo de ejemplos, pero quizá éstos sean suficientes para sacar la conclusión de que el traductor ha pretendido evitar la oscuridad o ambigüedad del texto de Henry James, hacerlo comprensible para los lectores que no tengan acceso al texto original, y profundizar en los intrincados vericuetos de esta obra que quizá sea demasiado compacta, demasiado llena de sugerencias y asociaciones para quien no esté familiarizado con el Henry James de la época final.

Este propósito lo ha conseguido el traductor, y el lector ve claramente la evolución de la «American girl» de joven inmadura a mujer y esposa. La atmósfera, a veces insoportable, está totalmente lograda; el lector se da cuenta de las complicaciones, de las sospechas y del tormento que tiene lugar en la mente de los cuatro personajes principales sin que se diga nada, tan sólo con insinuaciones: todos se comportan como personas mundanas civilizadas, resueltas a que ninguna acción de tipo impulsivo rompa el equilibrio que debe reinar en la sociedad en que Henry James creía.

Conseguir al mismo tiempo una versión paralela en las estructuras formales, sería absolutamente imposible sin la pluma del maestro que la concibió.

11.4. COMPARACIÓN DE VARIAS VERSIONES —EN PROSA Y EN VERSO— DEL SONETO II DE SHAKESPEARE

Un método muy útil para la crítica de la traducción de una obra en verso son los cuadros comparativos, en los que se van colocando las construcciones o las unidades léxicas que se quieran comentar, pudiendo leerse después horizontalmente y contrastar fácilmente los puntos en que coinciden o se diferencian. Con las cuatro traducciones siguientes del Soneto II de Shakespeare, tres cuartetos y un pareado, realizadas una en prosa y las otras tres restantes en verso, se pueden comparar los resultados obtenidos por los cuatro traductores:

```
1  When forty winters shall besiege thy brow,
2  And dig deep trenches in thy beauty's field,
3  Then youth's proud livery so gaz'd on now,
4  Will be a tatter'd weed of small worth held.

5  Then being ask'd, where all thy beauty lies,
6  Where all the treasure of thy lusty days;
7  To say within thine own deep sunken eyes,
8  Were an all-eating shame and thriftless praise.

9  How much more praise deserv'd thy beauty's use,
10 If thou could'st answer this fair child of mine
11 Shall sum my count and make my old excuse
12 Proving his beauty by succession thine

13 This were to be new made when thou art old
14 And see thy blood warm when thou feel'st it cold.
```

The Complete Works of William Shakespeare. London: The Hamlyn Publishing Group Ltd., 1982 (1958), p. 1042.

Cuando asedien tu faz cuarenta inviernos
y ahonden surcos en tu prado hermoso,
tu juventud, altiva vestidura,
será un andrajo que no mira nadie.

Y si por tu belleza preguntaran,
tesoro de tu tiempo apasionado,
decir que yace en tus sumidos ojos
dará motivo a escarnios o falsías.

¡Cuánto más te alabaran en su empleo
si respondieras: —«Este grácil hijo
mi deuda salda y mi vejez escusa»,
pues su beldad sería tu legado!

Pudieras, renaciendo en la vejez,
ver cálida tu sangre que se enfría.

(Manuel Mújica Lainez, 1964).

Cuando cuarenta inviernos asedien tu frente
y el campo de tu hermosura de trincheras hiendan,
tu gala juvenil, hoy pasmo de la gente,
será harapos que por nada se vendan.

Al preguntarse entonces tu hermosura dónde,
dónde todo el tesoro de tu lozanía,
decir que allí en tus ojos hundidos se esconde
fuera sonrojo ardiente y gloria bien baldía.

¡Cuánto más tu hermosura mereciera gloria
si respondieras «Esta hermosa criatura
cancelará mi cuenta, excusará mi historia»,
probando en ley de herencia tuya su hermosura!

Hacerte nuevo cuando viejo estés sería
y ver tu sangre hervir cuando la sientas fría.

(Agustín García Calvo, 1973).

Cuando cuarenta inviernos asediarán tu frente
y caven profundos surcos en el campo de tu belleza,
la orgullosa vivacidad de tu juventud, tan admirada ahora,
será desgarrada prenda estimada en poco valor:

y cuando se te pregunte dónde está toda tu belleza,
dónde todo el tesoro de tus lozanos días,
al decir que está en el fondo de tus ojos hundidos
será amarga vergüenza y elogio vano.

¡Cuánto más halago merecería el uso de tu belleza
si pudieras responder: «Este hermoso hijo mío
saldará mi cuenta y me servirá de disculpa»,
mostrando como herencia tuya su belleza!

Será un renovarte cuando tu estés ya viejo,
y ver caliente tu sangre cuando la sientas fría.

(Pablo Muñé, 1975).

Cuando asedien tu frente cuarenta inviernos / y caven profundas trincheras en el campo de tu hermosura, / el aliño orgulloso de tu juventud, tan admirado al presente, / no será sino un vestido hecho jirones, tenido en poca estima./

Al preguntarte entonces qué se hizo del conjunto de tu belleza, / dónde fueron a parar los tesoros de tus lozanos días, / responder que se albergan en las hondas cavidades de tus ojos / será insufrible vergüenza e inútil alabanza./

¡Cuánto mayor elogio merecería el uso que hubieras hecho de tu hermosura / si pudieses contestar: «Este bello infante de mí nacido, / resumirá mi cuenta y excusará mi vejez», probando que tu belleza te pertenece por sucesión!/

Esto sería rejuvenecer a tu ancianidad / y ver bullir tu sangre cuando la sientas helada.

                        (Astrana Marín, *Obras completas*, p. 2143).

La traducción en prosa de Astrana Marín es de gran belleza y fidelidad, y la de García Calvo la más poética. En general, las cuatro traducciones pueden servir de ejemplo para ver los inconvenientes y ventajas de la traducción en prosa y en verso. La primera, lógicamente conserva mejor todo el contenido del soneto original; hay omisiones forzosas de muchos valores expresivos del original, perdiendo la correspondencia rítmica. Las otras tres se han visto obligadas a realizar transformaciones semánticas, perdiendo la correspondencia de sentido, para trasladar lo más ajustada posible la forma del mensaje del texto original.

SHAKESPEARE	MÚJICA LÁINEZ	GARCÍA CALVO	PABLO MUÑÉ	ASTRANA MARÍN
Will be a totter'd weed	será un andrajo	será harapos	será desgarrada prenda	no será sino vestido hecho jirones
where all thy beauty lies	tu belleza	tu hermosura dónde	dónde está toda tu belleza	qué se hizo del conjunto de tu belleza
within	que yace	que allí	que está	que se albergan
If thou could'st answer	si respondieras	si respondieras	si pudieras responder	si pudieses contestar
fair child	grácil hijo	hermosa criatura	hermoso hijo mío	bello infante
Shall sum my count	mi deuda salda	cancelará mi cuenta	saldará mi cuenta	resumirá mi cuenta

CAPÍTULO XII

Ejemplos prácticos de traducción

12.1. TEXTOS LITERARIOS

The next morning I breakfasted briskly at nine — pork and two eggs, jam, rolls, and coffee. My interpreter, fresh as a scrubbed lettuce, was at my side. We were joined by her colleague, a young, sadly humorous man who worked in the Palace of Culture. He told me that his favourite reading was Webster's Dictionary, and certainly his English, though fluent, was decorated with much unfamiliar bric-à-brac.

As I sat there, warmed by their undivided attention, I felt again a distinction of strangeness, as one who had penetrated secret Tibetan frontiers and made friends with the monks. The light of the morning snowfall shone through the windows, the whisper and click of the Slav languages being spoken around me rustled like cicadas. I was pleased, after all, at being the unique lone traveller from Britain. Then I had a shock.

Sitting quietly alone at a distant table, reading a propped-up book, and patiently awaiting his breakfast, was Graham Greene.

My heart sank. I asked my hosts to excuse me and went across to speak to him. He received me with a detached warmth as though this place were the Savile Club. He looked ruddy and well. As the private guest of some Polish Catholics he had been given a room in the hotel, but he did not qualify for the meal-tickets accorded to State guests. He had, therefore, been waiting an hour for his private breakfast, and he didn't think he would get any until we pampered poets had first been served. 'In any case,' he said rather testily, 'shouldn't you all be at meetings or something by now?' As we spoke, his breakfast arrived; a glass of chilled vodka and two rolls. He put the rolls aside and drank the vodka. 'I've lived on nothing else,' he said, 'since I got here.' I was pleased to see him, yet chastened and slightly let down.

A la mañana siguiente, desayuné rápidamente a las nueve: carne

de cerdo y dos huevos, mermelada, panecillos y café. Mi intérprete,
fresca como una lechuga bien frotada, estaba a mi lado. Se nos unió
su colega, un joven con una vena de humor sombrío que trabajaba
en el Palacio de Cultura. Me dijo que su lectura favorita era el *Diccionario Webster* y realmente su inglés, aunque fluido, estaba salpicado de muchas expresiones curiosas desconocidas.

Mientras estaba sentado allí, animado porque me prestaran toda
su atención, volví a sentir la sensación de ser extraño, como alguien
que hubiera penetrado en las fronteras secretas tibetanas y hecho
amistad con los monjes. La luz de la nevada matutina brillaba a través
de las ventanas, el rumor y el chasquido de las lenguas eslavas que se
hablaban a mi alrededor chirriaban como cigarras. Después de todo,
me complacía ser el único viajero solitario de Gran Bretaña. En ese
momento tuve un sobresalto.

Sentado tranquilamente, a solas, en una mesa lejana, leyendo un
libro apoyado y esperando pacientemente su desayuno, estaba Graham Greene.

Me dio un brinco el corazón. Pedí a mis anfitriones que me disculparan y fui hasta el otro lado para hablarle. Me recibió con un
entusiasmo distante, como si este sitio fuera el Savile Club. Tenía un
color sonrosado y aspecto saludable. Como huésped privado de unos
católicos polacos, le habían dado una habitación en el hotel, pero no
tenía derecho a los bonos de las comidas, asignados a los huéspedes
estatales. Por lo tanto, había estado esperando durante una hora su
desayuno particular y no creía que recibiría nada hasta que nos hubieran servido a nosotros, los poetas mimados. «De todas formas»,
dijo bastante malhumorado, «¿no deberían todos ustedes estar en reuniones o algo parecido ahora?» Mientras hablábamos, llegó su desayuno; un vaso de vodka frío y dos panecillos. Puso a un lado los
panecillos y se bebió el vodka. «No he tomado otra cosa», dijo, «desde que llegué aquí». Me alegré de verlo, aunque defraudado y ligeramente decepcionado.

I alight at Esplanade in a smell of roasting coffee and creosote and walk
up Royal street. The lower Quarter is the best part. The ironwork on the
balconies sags like rotten lace. Little French cottages hide behind high
walls. Through deep sweating carriageways one catches glimpses of court-
yards gone to jungle.

Today I am in luck. Who should come out of Pirate's Alley half a block
ahead of me but William Holden!

Holden crosses Royal and turns toward Canal. As yet he is unnoticed.
The tourists are either browsing along antique shops or snapping pictures

of balconies. No doubt he is on his way to Galatoire's for lunch. He is an attractive fellow with his ordinary good looks, very suntanned, walking along hands in pockets, raincoat slung over one shoulder. Presently he passes a young couple, who are now between me and him. Now we go along, the four of us, not twenty feet apart. It takes two seconds to size up the couple. They are twenty, twenty-one, and on their honey-moon. Not southern. Probably Northeast.

Me apeo en Esplanade en medio de un aroma de café tostado y creosota y subo por Royal street. La parte baja del Barrio es la mejor. Las verjas de forja de los balcones se comban como encaje corroído. Hotelitos franceses se esconden tras altas tapias. A través de pasos de carruajes hondos y sudorientos se vislumbran patios convertidos en selvas.

Hoy estoy de suerte. ¿Quién sale de Pirate's Alley a media manzana de mí? ¡William Holden en persona!

Holden cruza Royal y tuerce hacia Canal. Por ahora pasa inadvertido. Los turistas andan curioseando por las tiendas de antigüedades o sacando fotos de los balcones. Sin duda se dirige a Galatoire a almorzar. Es un tipo atractivo, con sus conocidos encantos, muy bronceado, que camina con las manos en los bolsillos y la gabardina al hombro.

En este momento adelanta a una pareja joven, que ahora están entre él y yo. Seguimos nuestro camino, los cuatro, a menos de seis metros. Bastan dos segundos para conocer a la pareja. Tienen veinte o veintiún años y están en luna de miel. No son del sur. Probablemente del nordeste.

Of course, there is one great virtue in size; and of course, London is the greatest show on earth, for never have so many human chracters been gathered together at one place. Here, in a day, you can see the world. Stand at the entrance to a main-line railway station, during rush-hour, and you see every possible human species scurrying past. One becomes amazed and transported by the multiplicity of the human face, by its infinite differences, by its almost prismatic graduations from ugliness to beauty, evil to good.

And you can't get this concentrated view anywhere but London, the sad, noisy clamour of life lived at close quarters; lovers in doorways, children in backstreets, singing on bus-tops on Saturday nights, shell stalls, fish shops, cinemas, fairs, chimneys on fire, and the warmth in the winter streets generated by a million fires and a million bodies —it is this mass gregariousness, this feeling that one is at a non-stop party, that I like best of all.

Yet even this makes me long more for home. For this very gregariousness whets the appetite to know more of the human story, and in the country personal histories are everybody's property, but in London, Man is the most secret animal on earth.

Claro está que el tamaño tiene una gran ventaja; y sin duda alguna Londres es el mayor espectáculo del mundo, pues jamás se han reunido en un mismo sitio tal diversidad de caracteres humanos. Aquí, en un día, se puede ver el mundo. Basta con acercarse a la entrada de una estación principal de tren a la hora punta para ver pasar apresuradamente a todas las especies humanas existentes. Uno se queda admirado, se siente trasportado ante la multiplicidad del rostro humano, ante sus diferencias infinitas, ante sus gradaciones casi prismáticas que van de la maldad a la bondad, de la fealdad a la belleza.

Y esta visión concentrada no se puede conseguir nada más que en Londres. El clamor triste y bullicioso de la vida se vive muy de cerca; los amantes en los portales, los niños en las callejuelas, las canciones en el piso alto de los autobuses los sábados por la noche, los puestos de marisco, las tiendas de pescado, los cines, las ferias, las chimeneas encendidas y la calidez de las calles en invierno irradiada por un millón de fuegos y un millón de cuerpos, es este gregarismo de masas, esta sensación de estar viviendo una fiesta sin fin, lo que más me gusta.

Pero incluso eso me hace añorar más mi casa, pues precisamente ese gregarismo agudiza mi apetencia de conocer más de la vida humana, y en el campo la vida privada es propiedad pública, mientras que en Londres el Hombre es la criatura más reservada de la tierra.

12.2. TEXTOS TÉCNICOS

What do we mean by *material wants?* We mean, first, the desires of consumers to obtain and use various *goods* and services which give pleasure or satisfaction. An amazingly wide range of products fills the *bill* in this respect: houses, automobiles, tooth-paste, pencils, onions, sweaters, and the like.

But services may satisfy our wants as much as tangible products. A repair job on our car, the removal of our appendix, a haircut, and legal advice have in common with goods the fact that they satisfy human wants.

Material wants also include those which *firms* and *units of government* seek to satisfy. Firms want factory buildings, machinery, trucks, warehouses and other things that assist them in realizing their production *goals*. Government, reflecting the collective wants of citizenry or goals of its own, seeks highways, schools, hospitals, etc.

As a group, these material wants are, for practical **purposes,** insatiable or unlimited.

¿Qué se entiende por necesidades materiales? En principio, el deseo del consumidor de obtener y utilizar diversos bienes y servicios que producen placer o satisfacción. Una cadena asombrosamente amplia de productos llena la lista a este respecto: casas, automóviles, pasta de dientes, lapiceros, cebollas, jerseys y similares.

Pero los servicios pueden satisfacer nuestras necesidades tanto como los productos materiales. Un trabajo de reparación del coche, el extirparnos la apéndice, un corte de pelo y el asesoramiento jurídico tienen en común con los bienes el hecho de que satisfacen nuestras necesidades.

Las necesidades materiales también incluyen aquéllas que tratan de satisfacer las empresas y los entes públicos. Las empresas necesitan edificios para las fábricas, maquinaria, transportes, almacenes y otras cosas que les ayuden a lograr sus objetivos de producción. El gobierno, reflejando las necesidades colectivas de los ciudadanos o sus propios fines, procura autopistas, escuelas, hospitales, etc.

En conjunto, estas necesidades materiales para usos prácticos son insaciables o ilimitadas.

Economic resources, on the contrary, are *limited* or *scarce*.

What do we mean by *economic resources?* In general, we are referring to all the natural, human and man-made resources that go into the production of goods and services. This obviously covers a lot of ground: factory and farm buildings, tools and machinery used in the production of manufactured goods and agricultural products; a variety of transportation and communication facilities; innumerable types of labour, and land and mineral resources of all kinds.

What do economists mean by *land?* Much more than the layman. Land refers to all *natural resources* —all free gifts of nature»— which are usable in the productive process. Such resources as arable land, forests, mineral and oil deposits, and water resources come under this general classification.

Los recursos económicos, por el contrario, son escasos o limitados. ¿Qué se entiende por recursos económicos? En general, se refiere a todos los recursos naturales, artificiales y humanos que intervienen en la producción de bienes y servicios. Es obvio que cubre un amplio campo: los edificios de fábricas y granjas, las herramientas y la maquinaria usadas en la producción de bienes manufacturados y productos agrícolas; diversas instalaciones de transporte y comunicación; innumerables tipos de mano de obra, y tierra y recursos minerales de todas clases.

¿Qué entienden los economistas por *tierra*? Mucho más que el profano. La tierra se refiere a todos los recursos naturales, todo los dones gratuitos de la naturaleza que se utilizan en el proceso productivo. Estos recursos son: la tierra cultivable, los bosques, los depósitos petrolíferos y minerales; las reservas de agua entran en la clasificación general.

What about capital? Capital, or investment goods, has a variety of meanings attached to it. For our purposes, it refers to all man-made aids to production, that is, all tools and machinery, all factory, storage, transportation and distribution facilities used in producing goods and services and getting them to the ultimate consumer. Capital goods differ from consumer goods in that the latter satisfy wants directly, whereas the former do so indirectly by facilitating the production of consumable goods. We should note especially that the term *capital* as here defined does not refer to money. True, businessmen and economists often talk of *money capital*, meaning money that is available for use in the purchase of machinery, raw materials, etc. But money, as such, produces nothing; hence, it is not to be considered as an *economic resource*. *Real capital* —tools, machinery, and other productive facilities— is an economic resource; *money* or *financial capital* is not.

Labor is a broad term which the economist uses in referring to all man's physical and mental talents usable in producing goods and services. Thus the services of a ditch-digger, retail clerk, machinist, teacher, profesional football player, and nuclear physicist all fall under the general heading of labor.

¿Y sobre el capital? El capital, o los bienes de inversión, tiene diversos significados vinculados a él. Para nuestro propósito, se refiere a todas las ayudas artificiales a la producción; esto es, todas las herramientas y maquinaria, todas las fábricas, almacenaje, los medios de transporte y distribución utilizados para producir bienes y servicios y llevarlos al consumidor definitivo. Los bienes de capital difieren de los bienes de consumo en que los últimos satisfacen las necesidades directamente, mientras que los primeros lo hacen indirectamente, facilitando la producción de bienes de consumo. Debemos tener especialmente en cuenta que el término *capital,* según se define aquí, no se refiere al dinero. Es verdad que los hombres de negocios y los economistas hablan a menudo de capital líquido, queriendo decir el dinero disponible para utilizar en la compra de maquinaria, materias primas, etc. Pero el dinero, como tal, no produce nada; por tanto, no hay que considerarlo un recurso económico. El capital real: las herramientas, la maquinaria y otros medios productivos, es un recurso económico; el *dinero* o el capital *financiero* no lo es.

La mano de obra es un término amplio que el economista utiliza para referirse a todos los valores físicos y mentales del hombre utilizables en la producción de bienes y servicios. Así, los servicios de un peón de escavadora, un dependiente de comercio, un maquinista, un maestro, un jugador profesional de fútbol, un físico nuclear, todos están incluidos en el apartado general de trabajo.

12.3. TEXTOS JURÍDICOS

DOCUMENTOS QUE SE TRADUCEN EN LA CEE

COUNCIL REGULATION (EEC) No 1948, on the conclusion of the Agreement of fisheries between the European Economic Community and the Government of Finland.

THE COUNCIL OF THE EUROPEAN COMMUNITIES,

Having regard to the proposal from the Commission,

Having regard to the opinion of the European Parliament,

Whereas, by its resolution of 3 November 1976 on certain external aspects of the creation of a 200-nautical-mile fisheries zone in the Community with effect from 1 January 1977, the Council agreed that fishing by vessels of their countries in this zone would be regulated by Agreements between the Community and the third countries concerned and that fishing rights for Community fishermen in the waters of third countries must be obtained and preserved by appropiate Community Agreements;

Whereas certain Finnish fishermen have habitually carried out part of their fishing in the waters which have become the Community fisheries zone, and certain Community fishermen have habitually carried out part of their fishing in waters which have become the Finish fisheries zone;

Whereas negotiations by the Community with the Government of Finland have led to the initialling of a draft Agreement on fisheries:

Whereas that Agreement of fisheries signed on 6 July 1983 should be concluded.

HAS ADOPTED THIS REGULATION:

Article 1. The Agreement on fisheries between the European Economic Community and the Government of Finland is hereby approved on behalf of the Community.

The text of the Agreement is attached to this Regulation.

Article 2. The President of the Council shall give the notification provided for in Article 10 of the Agreement.

Article 3. This Regulation shall enter into force on the day following its publication in the Official Journal of the European Communities.

This Regulation shall be binding in its entirety and directly applicable in all Member States.

REGLAMENTO (CEE) N.º 1948 DEL CONSEJO, relativo a la conclusión del Acuerdo de Pesca entre la Comunidad Económica Europea y el Gobierno de Finlandia.

EL CONSEJO DE LAS COMUNIDADES EUROPEAS

Visto el Tratado constitutivo de la Comunidad Económica Europea, y principalmente su artículo 43,

Vista la propuesta de la Comisión,

Visto el dictamen del Parlamento Europeo,

Considerando, según su resolución de 3 de noviembre de 1976 sobre ciertos aspectos externos de la creación de la zona pesquera de 200 millas marinas en la Comunidad, con efectos desde 1 de enero de 1977, el Consejo aprobó que la pesca de barcos de terceros países en esta zona se regularía por Acuerdos entre la Comunidad y los terceros países interesados, y que los derechos de pesca para los pescadores de la Comunidad en las aguas de terceros países deben obtenerse y mantenerse mediante los apropiados acuerdos comunitarios;

Considerando que algunos pescadores finlandeses habitualmente vienen desarrollando parte de sus actividades de pesca en las aguas que se han incluido en las zonas pesqueras de la Comunidad, y que ciertos pescadores de la Comunidad habitualmente han llevado a cabo parte de su pesca en aguas que se han convertido en zonas pesqueras finlandesas;

Considerando que las negociaciones llevadas a cabo por la Comunidad con el Gobierno de Finlandia han desembocado en la aprobación provisional de un proyecto de Acuerdo sobre zonas pesqueras:

Considerando que procede aprobar el Acuerdo sobre zonas pesqueras firmado en 6 de julio de 1983,

HA ADOPTADO EL PRESENTE REGLAMENTO:

Artículo 1. Queda aprobado en nombre de la Comunidad el Acuerdo sobre zonas pesqueras entre la Comunidad Económica Europea y el Gobierno de Finlandia.

El texto del Acuerdo se adjunta a este Reglamento.

Artículo 2.   El Presidente del Consejo presentará al efecto la notificación prevista en el artículo 10 del Acuerdo.

Artículo 3.   El presente Reglamento entrará en vigor el día siguiente a su publicación en el *Boletín Oficial de las Comunidades Europeas.*

Este Reglamento será vinculante en su totalidad y directamente aplicable en todos los Estados Miembros de la Comunidad.

BIBLIOGRAFIA

Obras de consulta:

CATFORD, J. C. 1980. (1965): *A Linguistic Theory of Translation: an Essay in Applied Linguistics.* London: Oxford University Press.

DUFF, A. (1989): *Translation.* London: Oxford University Press.

GARCÍA YEBRA, V. (1982): *Teoría y práctica de la traducción.* (Biblioteca románica hispánica III, Manuales, 53.) Madrid: Editorial Gredos.

— (1983): *En torno a la traducción: teoría, crítica, historia.* (Biblioteca románica hispánica II, Estudios y ensayos, 328.) Madrid: Editorial Gredos.

HATIM, B. & MASON, I. (1990): *Discourse and the Translator.* Longman.

HOLMES, J. S. (1988): *Translated!: Papers on Literary Translation and Translation Studies.* Amsterdam: Rodopi.

LARSON, M. L. (1984): *Meaning-based translation: A Guide to Cross-Language Equivalence.* Lanham, London: University Press of America.

LORENZO, E. (1980): *El español y otras lenguas.* Madrid: Sociedad General Española de Librería, S. A.

MOUNIN, G. 1977. (1963): *Los problemas teóricos de la traducción.* Madrid: Gredos (trad. J. Lago Alonso de *Les Problèmes théoriques* de la traduction: Paris, Gallimard).

NEWMARK, P. (1981): *Approaches to translation.* Oxford: Pergamon Press.

— (1988): *A Textbook on Translation*. London: Prentice Hall International (UK) Ltd.

NIDA, E. A. & TABER, Ch. (1964): *Toward a Science of Translating,* Leiden: E. J. Brill.

— & REYBURN, W. D. 1982. (1969): *The Theory and Practice of Translation*. Leiden, Netherlands: E. J. Brill (trad. esp. *La traducción, teoría y práctica*. Madrid: Cuadernos Cristiandad, 1986).

PAPEGAAIJ, B. & SCHUBERT, K. (1988): *Text Coherence in Machine Translation*. Holland: Foris Publications.

PINCHUCK, I. (1977): *Scientific and Technical Translation*. London: Anche Deutsch Limited.

SAVORY, T. H. 1968. (1957): *The Art of Translation*. Londres: Jonathan Cape.

SELVER P. (1986): *The Art of Translating Poetry*. London: Jon Baker.

SNELL-HORNBY, M. (1989): *Translation Studies: an Integrated Approach*. Amsterdam: John Benjamins Publishing Co.

STEINER, G. (1975): *After Babel: Aspects of Language and Translation*. London: Oxford University Press (trad. esp. *Después de Babel: Aspectos del Lenguaje y la Traducción*. Madrid: Fondo Cultural Económico, 1981).

TOURY, G. (1980): *In Search of a Theory of Translation*. Tel Aviv: The Porter Institute.

VÁZQUEZ-AYORA, G. (1977): *Introducción a la traductología: Curso básico de traducción*. Washington, D.C.: Georgetown University. School of Languages and Linguistics.

VINAY, J. & DALBERNET, J. 1977. (1958): *Stylistique comparée du français et de l'anglais: méthode de traduction*. Paris: Didier.

WANDRUSZKA, M. (1976): *Nuestros idimomas: comparables e incomparables*. Trad. Elena Bombín. Madrid: Gredos.

Diccionarios:

Collins Dictionary, 1984. (1971): (Español Inglés-English Spanish). Barcelona: Ed. Grijalbo.

Collins-Business English Dictionay, (1984): M. J. WALLACE y P. J. FLYNN. Londres: 1985.

Longman Dictionary of Phrasal Verbs, (1983): London: Longman.

Longman Synonym Dictionary, (1986): London: Longman.

Nuevo Diccionario Politécnico de las Lenguas Española e Inglesa, (1988): (Español-Inglés, English-Spanish) Federico Beigbeder Atienza. Madrid: Ediciones Díaz de Santos, S. A.

Osborn's Concise Law Dictionary, 1990. (1927): London: Sweet & Maxwell Ltd.

Roget's International Thesaurus, 1977. (1962): (Revised by R. L. Chapman) New York: T. Y. Crowell.

Diccionario de dudas y dificultades de la lengua española, 1980. (1961): M. Seco, Madrid: Aguilar.

Diccionario ideológico de la lengua española, 1985. (1959): Julio Casares. Barcelona: Editorial Gustavo Gili, S. A.

Diccionario de uso del español, (1984), María Moliner. Madrid: Editorial Gredos.

Diccionario de Anglicismos, (1970): R. J. Alfaro, Madrid: Gredos.

A Dictionary of American Idioms, (1975): M. T. Broatner & J. E. Gates. Woodbury, New York: Barron's Educational Series.

Diccionario de Sinónimos, (1980): Gili Gaya. Barcelona: Bibliograf.

Webster's Third New International Dictionary of the English Language, Unabridged, 1981. (1961): Springfield: Mass.: G. & C. Merrian.

Diccionario razonado de sinónimos y contrarios, (1985), J. M.ª Zainqui. Barcelona: Editorial De Vecchi, S. A.